MEURTRES SUR LE GLACIER

MEURTRES SUR LE GLACIER

Cristian Perfumo

Traduit de l'espagnol (Argentine) par

Jean Claude Parat

ISBN : 978-631-90025-1-5

Édition : Trini Segundo Yagüe

Couverture : Chevi de Frutos

Titre original : *Los crímenes del glaciar*

© Cristian Perfumo, 2021-2024
Première édition en espagnol : octobre 2021
Première édition en français : mars 2024

www.cristianperfumo.com/fr

À ceux qui sont loin de chez eux
ou qui l'ont été.

PROLOGUE

Parmi les cent quatre-vingt-huit touristes à bord du catamaran, une bonne moitié n'a jamais vu de glacier. C'est la raison pour laquelle, après quarante minutes de navigation entre les icebergs, quand finalement le bateau contourne la péninsule, le pont de proue est bondé. Il y a des Chinois, des Allemands, des Français, des Brésiliens, des Espagnols, des Argentins et bien d'autres. La majorité avec le téléphone en l'air. Les autres sont équipés d'appareils photographiques munis de longs téléobjectifs. Ils tentent en vain de capter en une seule image les mille kilomètres carrés de glace vers lesquels ils se dirigent.

Notre touriste, celui qui nous intéresse, est italien. Lui aussi est sur le pont avant, bien qu'il soit l'un des rares à ne pas prendre de photos.

Les haut-parleurs installés à l'extérieur et à l'intérieur de l'embarcation amplifient la voix d'une guide touristique qui s'exprime tout d'abord en castillan puis recommence en anglais et en français. Notre Italien comprend le castillan.

– Le glacier Viedma est le plus grand du Parc national et le second d'Amérique du Sud. Il fait cinq fois la taille de la ville de Buenos Aires. Même si nous avons l'impression d'être proches, il nous reste encore trois kilomètres de navigation avant d'arriver au front du glacier.

La guide continue sa description, mais les passagers ne lui prêtent aucune attention. Il est impossible de se concentrer sur autre chose que cette langue de glace aux proportions inimaginables qui descend entre les montagnes noires.

Entre le glacier et le bateau s'interpose un iceberg plus grand que tous ceux croisés depuis le début de la traversée. Le capitaine ne paraît pas vouloir l'éviter. À mesure qu'ils approchent, les moteurs baissent de régime jusqu'à ce que le catamaran reste à flotter librement près de la glace. L'Italien calcule que, s'il le voulait, il pourrait lancer une pierre et atteindre l'iceberg.

– Ce que l'on dit à propos des icebergs est vrai, entend-on résonner dans les haut-parleurs, la partie émergée ne représente que dix pour cent.

L'Italien imagine l'amplitude de la glace qu'il ne voit pas. La partie qui dépasse a la taille d'une cathédrale, et le catamaran, avec trois étages, quatre ponts et deux cents personnes à bord, paraît petit.

Un homme et une femme, vêtus de blousons marron et équipés d'appareils photographiques professionnels, se frayent un passage dans la multitude vers les deux proues du catamaran, là où il y a les meilleurs points de vue sur les blocs de glace. Ce sont des photographes officiels du Parc national *Los Glaciares*. Ils s'emploient à photographier les touristes avec le glacier en arrière-plan pour ensuite leur vendre les clichés. Au cours des quarante minutes de navigation jusqu'au glacier, ils ont attiré l'attention des passagers sur le fait que la glace réfléchit fortement la lumière et qu'il est difficile de faire de bonnes photos avec un téléphone. Si la personne qui pose sort bien, derrière on ne voit qu'un grand éclat blanc. En revanche, si c'est la glace qui sort bien, la personne qui est devant se convertit en une silhouette noire.

La moitié des touristes choisit de faire la queue pour les photographes. Les autres tentent le coup avec leur téléphone. Ils sont peu nombreux, ceux qui regardent directement la glace sans l'intermédiaire d'un écran ou d'un objectif. Notre Italien est un de ceux-là.

Il arrête son regard sur les gouttes qui jaillissent des saillies, sur le bleu foncé des crevasses, sur le noir des veines de sédiment, qui lui rappellent le marbre. S'il veut grossir un détail, il utilise la paire de jumelles qui pend à son cou. Cet iceberg de la taille de dix cathédrales – dont neuf d'entre-elles sous l'eau – est ce qu'il a vu de plus beau au cours de sa vie. Et penser cela, pour quelqu'un qui a grandi à huit cents mètres du *Duomo* de Florence, ce n'est pas rien.

Les moteurs remontent en régime, le bateau s'éloigne peu à peu de l'iceberg. Quelques touristes le suivent comme des papillons de nuit attirés par la lumière, passant du pont de proue au pont de poupe pour capter les dernières images. Lorsque le bloc de glace devient trop éloigné, beaucoup retournent à l'intérieur pour se réchauffer. Certains commandent un café au bar. D'autres regardent sur leurs différents matériels les images qu'ils viennent de capturer. Les photographes du parc connectent leurs appareils à une imprimante qui se trouve au milieu de la salle principale.

– L'iceberg que nous venons de laisser derrière nous s'est séparé du glacier il y a deux jours, dit la guide. Dans vingt minutes nous serons face à lui et, si nous avons de la chance, peut-être pourrons-nous assister au détachement d'un bloc de glace.

L'annonce renvoie les plus motivés sur le pont avant pour s'assurer un emplacement privilégié. L'Italien est de ceux-là.

Quelques instants plus tard, le bateau s'immobilise face au glacier Viedma : une falaise de glace de cinquante mètres de hauteur et de deux kilomètres de largeur. Si les millions de tonnes de neige compactée qui descendent vers le lac étaient une armée, cette paroi serait la cavalerie. Et si notre touriste devait décrire combien il se sent petit et effrayé devant elle, il ne saurait pas comment y parvenir, même en s'aidant des mille gestes propres à la culture italienne qu'il porte dans son ADN.

Le bateau est maintenant à moins de deux cents mètres de la paroi blanc et bleu. Les gens, entassés sur les ponts, restent silencieux. L'Italien résiste à l'envie de photographier ce qu'il a devant lui. Les images ne pourront pas retranscrire la réalité ni capter le crissement de la glace à l'intérieur du glacier qui craque avec une telle intensité que l'on croit entendre des coups de canon.

Cela fait un bon moment qu'ils flottent au même endroit quand l'Italien entend un nouveau son, différent des autres. Il est plus fort et plus sec, comme quand une boule de billard en frappe une autre. Du coin de l'œil, il détecte un mouvement sur la paroi congelée. C'est un bloc de glace qui se détache et en percute un autre avant de plonger dans l'eau. Comparé au front du glacier Viedma, il est minuscule, mais en réalité, il a la taille d'une voiture.

La guide s'adresse à tous :

– Continuez d'observer car il n'est pas rare qu'un autre détachement suive...

Elle est interrompue par un rugissement assourdissant. En face d'eux s'effondre une colonne de la taille d'un immeuble de douze étages. Elle est si haute qu'elle semble tomber au ralenti. Un *oooh* collectif parcourt le pont tandis que le lac engloutit la glace. L'adrénaline envahit l'Italien comme s'il était sur des montagnes russes. Il lève les mains à son visage. Il ne peut pas croire qu'il assiste à tant de beauté.

Après quelques secondes, le bloc de glace émerge en deux gros morceaux et une centaine de petits. Une vague parcourt la falaise de glace en émettant un *shhhh* qui semble ne jamais finir.

Il reporte son regard sur la paroi, espérant assister à une nouvelle rupture. C'est alors qu'il remarque, sur la partie laissée à découvert après la chute du bloc, une ligne verticale d'une couleur entre le grenat et le brun qui détonne avec la gamme des bleus.

Il porte les jumelles à ses yeux. La ligne a la forme d'une étoile filante se dirigeant vers le haut. Il commence à la suivre depuis le bas, là où la glace touche l'eau. À cet endroit, la trace ocre est ténue. À mesure qu'elle gagne en hauteur, elle s'intensifie. Dans la partie haute, elle est presque noire, comme si de la rouille avait suinté durant des années d'un gigantesque clou planté dans la glace.

Il n'est pas aisé de mettre au point des jumelles sur un bateau qui vibre et bouge en permanence. Il met quelques secondes pour obtenir une image nette et beaucoup plus pour comprendre ce qu'il voit.

– *Sangue,* murmure-t-il en italien.

Il agite les mains pour attirer l'attention de ceux qui sont autour de lui, puis il indique la glace. Une nouvelle fois il prononce le mot, mais plus fort. Quelques touristes s'écartent de lui comme s'il avait la peste. Quelqu'un lui demande ce qu'il lui arrive, mais il ne peut rien faire d'autre que montrer le glacier et répéter le mot chaque fois plus fort.

Sa voix grave parcourt tout le pont du catamaran. Un photographe s'approche et lui demande de se calmer.

– La tache marron. C'est du sang, arrive-t-il à articuler en castillan.

Le photographe fronce les sourcils et braque l'objectif de son appareil vers la glace. Dix secondes après, il se dirige vers l'intérieur du bateau en s'ouvrant un chemin parmi les touristes.

L'Italien ignore les questions des gens et rassemble son courage pour de nouveau regarder avec les jumelles. Au niveau du point sombre d'où part la ligne, il y a un corps en position fœtale. Il est vêtu d'un blouson noir et d'un bonnet gris. Apparemment des vêtements pour touristes, mais il n'en est pas sûr. En revanche, ce dont il est sûr, c'est qu'il est mort. À cause du sang sombre, donc ancien, qui s'est échappé il y a très longtemps de ce corps, et aussi parce qu'il y a dix mètres de glace au-dessus de sa tête.

Il ressemble à un moustique emprisonné dans de l'ambre bleu.

PREMIÈRE PARTIE

EL CHALTÉN

CHAPITRE 1

Je me sentais sale. Il faisait nuit et j'étais sur les Ramblas de Barcelone, ma ville. À chaque pas, une prostituée me souriait, un type me proposait de la cocaïne sans oser me regarder dans les yeux, ou je devais m'écarter pour ne pas être piétiné par un groupe d'Anglais complètement bourrés. Tout ça, avec en permanence les mains dans les poches pour décourager les voleurs à la tire.

La nuit, les Ramblas sont les neuf cercles de l'Enfer. Mais ce n'était pas pour cela que je me sentais sale. Vingt mètres devant moi marchait Anna, ma femme. Bon, nous n'étions pas mariés, mais nous vivions ensemble depuis deux ans. Le problème, c'est qu'elle me faisait porter les cornes depuis deux mois et ce soir j'étais là pour en avoir confirmation. C'était ça qui me donnait la nausée.

Je n'avais jamais imaginé que nous tomberions aussi bas. Elle, en me trompant, et moi, en la suivant comme une vulgaire délinquante.

Elle m'avait dit que cette nuit elle sortirait avec Rosario, mais je savais qu'elle me mentait. Anna ne sortait jamais aussi fréquemment avec ses amies. Et si à cela on ajoutait qu'elle n'avait plus envie de faire l'amour – du moins, pas avec moi – et que depuis deux mois elle avait changé son habituelle douche matinale pour une avant d'aller se coucher...

J'étais tout le contraire de l'aveugle qui ne veut pas voir. Et même si je n'avais pas voulu, c'était une évidence.

Anna tourna vers le Quartier gothique par la rue Ferrán et marcha jusqu'à la place Sant Jaume. De là elle monta la rue du Bisbe en direction de la cathédrale. Quand elle passa sous le célèbre pont qui unit la Generalitat à la Casa de los Canonges, je me demandai si elle se rappellerait ce qui s'était passé ici il y avait presque trois ans.

Moi, je m'en souvenais : tôt dans la matinée, nous nous promenions dans cette rue lorsque je m'arrêtai sous le pont avec l'excuse de lui montrer le crâne traversé par une dague sculpté sur la partie inférieure du pont, et dont personne ne connaît l'origine. Elle fit semblant de s'intéresser au mystère et resta un bon moment à regarder vers le haut. Quand nos yeux se rencontrèrent, nous nous donnâmes notre premier baiser.

Si Anna s'en souvenait, cela ne se remarqua pas, car elle passa sous le pont comme si de rien n'était. Peu avant la place de la cathédrale, elle bifurqua à gauche dans une ruelle étroite qui conduisait à la place Sant Felip Neri, un de ses lieux préférés dans Barcelone.

Quant à moi, je préfère d'autres endroits plus éloignés du centre et moins touristiques, mais je reconnais que la place a beaucoup de charme. Un charme suranné, avec sa vieille fontaine octogonale au centre et la façade de l'église pleine de trous. La légende urbaine dit qu'ici on fusillait des gens pendant la guerre civile. En réalité, ce sont des impacts d'éclats d'obus dus aux bombardements. Elle dit aussi que douze ans avant ces impacts, Gaudi se dirigeait vers cette même église quand un tramway l'a percuté. Quand tu grandis dans une des villes les plus touristiques au monde, tu finis par connaître ce genre d'informations.

De l'autre côté de la place il y avait un bar avec une petite terrasse, style romantique, avec lumières tamisées, chandelles sur chaque table et même un violoniste jouant dans un coin. Anna s'y dirigea et, malgré toutes les tables occupées, entra.

À partir de là je ne pouvais plus la suivre. L'endroit était trop petit. Je le savais parce qu'Anna m'avait amené ici à l'époque où nous commencions à sortir ensemble. Je décidai d'attendre sous l'arche en pierre de la façade de la maison de la guilde des cordonniers.

Je sais que c'est moche de rejeter la culpabilité d'une infidélité sur quelqu'un d'extérieur au couple. Cependant, j'ai toujours pensé que Rosario avait sa part de responsabilité. Si, pendant ses cours de Zumba, Anna n'avait pas rencontré cette jeune veuve expatriée d'Argentine après avoir perdu un mari parfait, je n'aurais pas des cornes aussi hautes que les tours de la Sagrada Família.

Je m'explique : ma femme a toujours eu un faible pour les défavorisés. Anna est une grande fan de la discrimination positive. Même si elle traite bien toutes les personnes, elle en fait un peu plus si elles appartiennent à une minorité. Un jour j'ai compté le nombre de fois qu'elle remerciait le vendeur d'un bazar chinois et l'Espagnol d'une quincaillerie : Chine 4, Espagne 1.

Quand Rosario – veuve et immigrante – lui raconta son histoire, Anna la prit sous son aile comme une mère poule protégeant son poussin le plus fragile. Elle l'invita à dîner plusieurs fois et lui présenta nos amis. Une semaine avant Noël, elle me demanda si ça me dérangeait que Rosario vienne réveillonner avec nous. Quand j'acceptai, elle bondit de joie et me dit que son frère Xavi serait là et que, peut-être, lui et Rosario pourraient faire bon ménage.

Ils firent plus que bon ménage. Vers deux heures du matin, ils disparurent dans une chambre avec une excuse plutôt floue. Un moment après, Rosario annonça qu'elle partait parce qu'elle était fatiguée, Xavi dit qu'il allait en profiter et ils descendirent ensemble jusqu'au métro. Quand Anna ferma la porte, après leur avoir souhaité une bonne nuit, elle avait un sourire jusqu'aux deux oreilles.

Malheureusement, l'histoire de Xavi et Rosario n'alla pas plus loin que cette soirée. D'après ce que m'expliqua Anna, Rosario ne voulait pas s'attacher à une autre personne. Apparemment, sa façon de faire son deuil consistait à brûler les nuits dans les bars et les discothèques, comme si nous avions vingt ans.

En ce qui me concerne, ça fait longtemps que ces sorties pour faire la fête ne m'intéressent plus, mais il ne m'est jamais venu à l'esprit d'en empêcher ma femme, surtout quand il s'agit de remonter le moral à quelqu'un qui ne va pas bien. Mais c'est une chose que je sois un rabat-joie et c'en est une autre, bien différente, qu'Anna sorte la nuit pour coucher avec un autre.

Pensant à tout cela, j'attendis durant une heure et demie à l'entrée de la place. La tension m'empêchait de sentir les derniers soubresauts d'un hiver qui tardait à se retirer même si nous étions au début du mois de mars. Je ne savais toujours pas comment réagir quand ils sortiraient. J'envisageai plusieurs options. Celle qui m'attirait le plus, c'était de me planter en silence devant Anna pour voir quelle tête elle allait faire.

Le violoniste avait fini de jouer depuis un bon moment quand enfin je la vis sortir. Et quand Rosario apparut derrière elle, je me sentis le pire type au monde. Ma femme ne m'avait pas menti. Pour la première fois depuis ces dernières semaines, j'envisageai qu'Anna ne me trompait pas. Que tout provenait de mon manque de confiance ! Que j'étais un putain de paranoïaque !

Je me collai au mur. Si elle me voyait, j'allais mourir de honte. À trente-cinq berges, je m'étais comporté comme un gamin. Ce dont j'avais le plus envie en ce moment, c'était de partir en courant.

La place avait deux sorties. Je me penchai pour voir si elles venaient vers la mienne ou s'éloignaient vers l'autre. Elles s'étaient arrêtées au centre, près de la fontaine, pour se dire au revoir. Sûrement que chacune allait partir de son côté.

Comme Gaudi, je fus moi aussi percuté par un tramway. Du moins c'est ce que je ressentis en voyant que le baiser était sur la bouche. Long. Avec la langue.

Un baiser qui me laissa plus de cicatrices que la façade de l'église.

CHAPITRE 2

L'étude notariale Hernández-Burrull se trouvait sur la place d'Ibiza dans le quartier d'Horta. Pour ceux qui ne connaissent pas Barcelone, c'est bougrement loin de mon appartement de Sants. Avant d'entrer, j'enlevai mes lunettes de soleil et jetai mon chewing-gum à la menthe dans une poubelle. La gueule de bois me donnait l'impression d'avoir dans la tête une vingtaine de singes qui sautaient de branche en branche en hurlant et en montrant les crocs.

Deux nuits plus tôt, après avoir découvert Anna avec Rosario, je n'avais pas eu la force de l'affronter. J'avais quitté la place en courant vers les ruelles du Quartier gothique. Quand je n'eus plus aucun souffle, j'entrai dans un bar et commandai une bière. Puis une autre, et ainsi jusqu'à ce que le serveur me dise qu'ils allaient fermer et que je devais partir. Au total, il avait suffi de quatre ou cinq bières pour que j'aie mon compte. Je suis plus compléments protéinés et sport à l'air libre qu'alcool et bars.

La monumentale cuite m'avait donné le courage dont j'avais besoin. Je pris le métro, décidé à parler avec Anna, mais je changeai d'avis – ou bien j'eus un instant de lucidité – juste à temps et laissai défiler deux autres stations. Je passai la nuit chez mes parents, qui étaient en voyage.

Le jour suivant j'appelai le client dont je devais peindre l'appartement pour le prévenir que je ne pouvais pas venir. Je passai la matinée à dormir et l'après-midi devant la télé. Vers les quatre heures, j'allumai mon téléphone. J'avais vingt-deux appels manqués d'Anna. Le vingt-troisième arriva dans les cinq minutes. Nous eûmes une discussion dont le ton monta et où je dis des choses que j'avais déjà regrettées plus de cent fois dans les vingt-quatre heures qui suivirent.

Un moment après je sortis à la recherche d'un bar. J'avais perdu le compte des bières – au moins trois –, quand je reçus un appel où une femme disant travailler pour une étude notariale me parla d'un héritage et d'un testament. Je l'envoyai se faire cuire un œuf et coupai la communication. Elle rappela immédiatement et insista en disant qu'il était important que je vienne les voir. Je ne mémorisai pas vraiment la conversation, mais par chance elle m'envoya un message avec les détails du rendez-vous.

C'est ainsi que je me trouvai le jour suivant, avec une double gueule de bois et sans chewing-gum à la menthe, dans les élégants bureaux de l'office notarial Hernández-Burrull.

– Je m'appelle Julián Cucurell Guelbenzu, dis-je à une jeune réceptionniste qui acquiesça comme si elle n'attendait que moi et m'indiqua des fauteuils en cuir près d'une table basse sans rien dessus.

– Asseyez-vous, monsieur Cucurell. Le notaire va vous recevoir dans peu de temps.

On voit bien que, dans le monde des notaires, cinquante minutes c'est peu de temps. Dans celui des simples mortels, qui se consacrent à rénover des appartements, c'est quarante euros de perdus.

Quand la secrétaire me fit entrer, j'étais déjà pas mal remonté. Et pour comble, dans le bureau, l'air était tiède et ça empestait l'eau de Cologne. Idéal pour une gueule de bois.

Je fus accueilli par un bureau en bois lustré de la taille du Camp Nou. Il n'y avait quasiment rien dessus, si ce n'est un ordinateur portable, une chemise en carton et un vase en métal sans fleurs. Derrière, au second plan, se mit debout un petit homme maigre aux pommettes saillantes et aux oreilles bien dessinées, qui ressemblait plus à un fossoyeur qu'à un notaire. Il se présenta comme Joan Hernández.

– Bonjour, monsieur Cucurell. Asseyez-vous, je vous prie. Avant tout, je tiens à vous dire que je suis sincèrement désolé pour votre oncle.

Je fus sur le point de lui dire qu'il n'avait pas à être désolé parce que, avant le coup de téléphone de sa secrétaire, je ne savais même pas que mon père avait un frère. Mais je préférai ne pas dévoiler cette carte. Ce type avait tout d'un vautour, et je me dis qu'il valait mieux affronter un vautour désolé qu'un vautour qui ne l'était pas.

– Excusez-nous de ne pas avoir appelé plus tôt, mais dans un cas comme celui-ci, il est préférable d'attendre que la police confirme qu'effectivement il s'agit bien d'un accident et pas d'un homicide. C'est désagréable, je le sais, mais c'est la loi.

J'acquiesçai sans prononcer une parole. Hernández ouvrit la chemise en carton et chaussa les lunettes qui pendaient autour de son cou.

– Fernando Cucurell Zaplana est mort il y a quatre mois, percuté par une voiture à deux cents mètres de son domicile. Voici le certificat de décès. En 1992, monsieur Cucurell a signé dans cette étude un testament vous désignant comme son unique héritier.

Je comptai : en 1992 j'avais 7 ans, c'est-à-dire que ce supposé oncle connaissait mon existence alors que moi je ne savais rien de la sienne.

– Monsieur Cucurell avait un compte à la Banque de Sabadell crédité de huit mille cent deux euros et sept centimes. Je vous fournirai un document vous permettant de demander le changement de titulaire pour qu'il passe à votre nom. Cela prendra au moins deux semaines. Signez ici, s'il vous plaît. C'est une autorisation pour que soient débités sur ce compte mes honoraires ainsi que les droits de succession.

En voyant la somme, je compris pourquoi dans le monde il n'y a pas de notaires pauvres.

– En plus, votre oncle vous a aussi laissé en héritage un terrain en Patagonie.

– La Patagonie... Patagonie ?

– Oui. Un demi-hectare dans un petit village du sud de l'Argentine nommé El Chaltén. Et il lut sur un de ses papiers : situé sur la parcelle 7, lot 2, dans la rue San Martín entre les rues Huemul et Los Cóndores.

– Je suppose que pour vous charger de la vente de ce terrain vos honoraires seraient là aussi considérables.

Le notaire lâcha un rire timide, comme le feraient les gens d'une certaine classe sociale devant une plaisanterie un peu osée.

– Monsieur Cucurell, je crains de ne pas pouvoir vous aider pour ça. Si vous voulez vendre ce terrain, il va vous falloir aller sur place. Par la même occasion, vous pouvez accomplir la dernière volonté de votre oncle, pour laquelle vous n'avez pas d'obligation légale, mais qui serait une belle attention.

L'homme indiqua le vase en métal posé sur le bureau, mit ses lunettes et lut :

– « Je demande à Julián qu'il éparpille mes cendres sur la Laguna de los Tres, l'un des plus beaux endroits sur la Terre ».

Je savais bien que le vase ne collait pas avec le style des meubles de l'étude.

– Ce sont les cendres de Fernando Cucurell, dit-il en poussant le vase vers moi avec un geste solennel. Je remarquai que sous l'urne il y avait plusieurs serviettes en papier pour ne pas rayer le bureau.

Le métal poli me renvoya mon image déformée. Là-dedans il y avait ce qui restait du frère de mon père dont je n'avais jamais entendu parler.

– Vous êtes sûr qu'il n'y a pas moyen de vendre sans faire le voyage ?

– Bon, si vous connaissez un cabinet d'avocats digne de confiance en Argentine, vous pouvez leur signer un pouvoir, l'homologuer avec l'apostille de La Haye pour qu'ils le vendent et vous transfèrent l'argent.

– Je ne connais personne en Argentine, et encore moins un avocat.

Le notaire m'adressa un bref sourire qui équivalait à un haussement d'épaules, à s'en laver les mains et à me demander de ne pas lui faire perdre plus de temps

– Il faut voir si le voyage ne me coûterait pas plus cher que ce que me rapporterait la vente du terrain. Savez-vous, à quelque chose près, combien ça peut valoir ?

Anna m'avait raconté que Rosario venait d'un petit village d'Argentine et qu'elle avait à peine pu se payer un billet d'avion et ses deux premiers mois de loyer à Barcelone avec ce qu'elle avait récupéré de la vente d'un terrain là-bas.

– Comme vous pouvez l'imaginer, je ne suis pas trop au fait du marché immobilier en Patagonie. Mais, si je devais faire une estimation, je dirais entre trois cent mille et cinq cent mille euros.

– Putain. Sérieusement ?

– Vous n'avez jamais entendu parler d'El Chaltén, n'est-ce pas ?

– Jamais.

– Renseignez-vous.

CHAPITRE 3

Je passai l'après-midi à peindre en vert pastel la salle à manger d'un appartement situé dans le quartier de Sarrià. Un riche qui a mauvais goût peut faire beaucoup de dégâts.

En partant, l'idée de retourner taquiner la bouteille me traversa l'esprit, mais n'importe quel enfant d'alcoolique, même si cet alcoolique est abstinent, sait que se saouler trois jours de suite est une très mauvaise idée.

J'essayai plusieurs fois d'appeler mes parents qui étaient en croisière dans les fjords de Norvège. Ils me répondirent par texto que cet après-midi ils naviguaient dans une zone sans couverture et que le wifi du bateau était très lent. Nous convînmes de nous parler à neuf heures, quand le bateau accosterait à Bergen.

Il ne me restait plus qu'une seule option : retourner à mon appartement et avoir avec Anna une des discussions les plus douloureuses de ma vie.

J'arrivai vers sept heures du soir, l'urne funéraire sous le bras. Sur la table de la salle à manger, je trouvai un mot : « Je crois qu'il est préférable que nous laissions passer un peu de temps avant de parler. Je vais chez mes parents ».

Face à la douleur, les gens ont recours à différentes drogues. La mienne est la dopamine. Les peines sont plus supportables avec de l'exercice. Soixante tractions et une centaine de flexions sont toujours une bénédiction. Je rassemblai mes forces, me changeai et sortis pour aller chercher la seule façon de me sentir un peu mieux.

Je me rendis au parc de callisthénie de mon quartier et fis les exercices avec des mouvements explosifs. Les autres pratiquants autour de moi – pour la plupart des adolescents enclins à partager leur reggaeton favori à travers de puissants haut-parleurs connectés à leurs téléphones – me regardèrent, entre étonnement et préoccupation. Je ne passe pas facilement inaperçu. Je suis chauve, je mesure presque un mètre quatre-vingt-dix et pèse quatre-vingt-huit kilos, en majorité du muscle.

Les endorphines libérées par l'exercice améliorèrent un peu mon état. Mais, quand je revins à mon appartement et relus le mot d'Anna, elles m'abandonnèrent comme des rats quittant un navire en train de couler.

Après m'être douché, je me préparai un litre d'un mélange de protéines auquel j'ajoutai des fruits et des amandes. Je n'avais pas le courage de cuisiner et il restait moins d'une demi-heure avant de parler avec mes parents.

J'allumai l'ordinateur sur la table de la salle à manger et poussai sur un côté le mot d'Anna ainsi que l'urne. D'après Wikipédia, El Chaltén était une agglomération de deux mille habitants fondée en 1985, l'année de ma naissance. L'Argentine l'avait créée de toutes pièces pour mettre fin à un différend avec le Chili concernant la souveraineté du lieu. « Ici c'est chez moi et, pour que ce soit bien clair, j'y implante un village ». Même pas peur. Les photos qui accompagnaient l'article n'étaient pas d'un autre monde. Des maisons basses sur un sol dénudé et, au second plan, des montagnes enneigées. Je passai à Google Maps et activai la vue satellite. À l'est du village, il y avait des champs de terre marron et à l'ouest une vaste étendue blanche.

El Chaltén était constitué d'à peine vingt ou trente pâtés de maisons blottis à la confluence de deux cours d'eau. Mais ce qui attira mon attention, c'était que dans chaque pâté la carte montrait un grand nombre de lieux pour manger et dormir. Le village paraissait avoir plus de bars, hôtels et restaurants au mètre carré que Barcelone.

J'en étais à la moitié de mon mélange de protéines quand je découvris qu'El Chaltén avait été construit au milieu d'un parc national et, à cause de cela, les perspectives d'extension étaient minimes. Le prix élevé du terrain mentionné par le notaire commençait à avoir du sens.

Je fouillai dans les papiers à la recherche de l'adresse de la parcelle que m'avait léguée ce supposé oncle. Rue San Martín, sans numéro, entre les rues Huemul et Los Cóndores, sur ce qui semblait être la rue principale. La moitié gauche du pâté était occupée par l'une des plus importantes constructions du village. Google ne montrait aucun panneau publicitaire, je supposai qu'il s'agissait d'un collège ou d'une maison particulière exagérément grande. Mes yeux passèrent rapidement à l'autre demi-hectare. Vide. Stérile. Préservé dans le temps. Une île déserte au milieu d'une mer de panneaux publicitaires, de bars et de restaurants.

Je terminai les protéines en regardant ce rectangle vide à l'autre bout du monde.

Combien valait un billet pour l'Argentine ? Je trouvai rapidement. Sans repas ni bagages, huit cents euros aller-retour, mais une stridente fenêtre publicitaire de couleur rouge annonçait une mégaoffre à quatre cents euros si le billet était acheté dans les six heures à venir. Sur mon compte en banque, il y avait mille cinq cents euros desquels je devrais bientôt déduire les trois cents euros de la cotisation des travailleurs indépendants. Il serait préférable que j'attende le versement des huit mille – moins les frais et les taxes – dont m'avait parlé le notaire.

Le téléphone sonna, annonçant un appel vidéo. Quand je décrochai, apparurent sur l'écran l'oreille de ma mère et le menton de mon père.

– Éloignez un peu le téléphone, je ne vous vois pas.

– Et comme ça ?

– C'est mieux. Maintenant je vois un œil de chacun. Comment ça se passe en Norvège ? Congelés ?

– Ça va. Il fait un temps magnifique. Il n'a plu qu'un après-midi, et à peine un petit crachin, répondit ma mère qui parlait castillan comme Karlos Arguiñano et catalan avec l'accent de Gérone. C'est ce qui arrive quand on naît à Barakaldo et que l'on grandit à Torroella de Montgrí.

– La nourriture sur le bateau ?

– Ça peut aller, dit mon père.

Ma mère secoua la tête.

– Ces gens mangent des patates tous les jours ! protesta-t-elle. Mais bon, si on avait voulu bien manger, nous serions restés à la maison.

Avec cette phrase, n'importe qui aurait pensé que ma mère était une grande cuisinière, et il se serait lamentablement trompé. La pauvre femme a la phobie des couteaux. Littéralement. Cela s'appelle l'aichmophobie, et elle attribue systématiquement sa nullité culinaire à ça. Si on mange bien à la maison, c'est parce que mon père fait la cuisine.

– Nous avons rencontré un couple de Sévillans très sympathiques qui eux aussi vivent à Barcelone, ajouta ma mère. Et hier soir nous avons dîné avec le capitaine. Si tu savais comme cet homme est élégant. Un grand gars avec beaucoup de classe. En plus, il est très sympa.

– Comment peux-tu savoir s'il est sympa alors qu'il ne t'a pas parlé ? répliqua mon père. Il ne parle pas un mot de castillan le type.

– Toi, en revanche, tu maîtrises le norvégien, dis-je.

Mon père, pixélisé à trois images par seconde, sourit, découvrant des dents aussi parfaites que fausses. Les vraies, il les avait perdues avant ma naissance dans un accident de voiture en allant de Barcelone à Bilbao.

Ma mère souriait elle aussi. Je les voyais heureux. C'était leur premier voyage depuis bien longtemps. Depuis leur lune de miel aux Canaries ils n'avaient pas eu beaucoup d'opportunités de voyager, non par manque d'argent, mais plutôt par manque de temps, qui est ce qu'il y a de plus rare quand on est une architecte talentueuse comme ma mère.

Mon père, au contraire, ne savait pas quoi faire de son temps. Après avoir consacré sa vie entière à la construction de bâtiments, il avait pris sa retraite à soixante ans suite à un accident cardiaque. À présent son unique lien avec la maçonnerie était de s'arrêter devant les chantiers et de se mordre la langue pour ne pas donner d'instructions aux ouvriers.

Les occasions où mon père pouvait expliquer à son épouse qu'il était dangereux de tout remettre à plus tard étaient comptées. Quand il y arrivait, ils faisaient un voyage, comme cette croisière dans les pays nordiques.

Finalement, je n'avais plus très envie d'aborder le cas de l'oncle décédé.

– Dis-moi, papa, une question. Tu as un frère ?

Il se figea avec une telle intensité que, si ma mère n'avait pas bougé, j'aurai pensé que la connexion s'était gelée.

– Pourquoi me demandes-tu ça maintenant, mon fils ?

– Excuse-moi de t'en parler aujourd'hui.

– J'ai un frère, mais nous ne sommes plus en relation depuis très longtemps.

– Devons-nous discuter de ça par téléphone ? protesta ma mère. Tu ne peux pas attendre que nous rentrions, Julián ?

– Eh bien non, maman. Parce qu'il se trouve qu'une étude notariale vient de m'appeler pour me dire que Fernando Cucurell est mort il y a quatre mois et que je suis son unique héritier.

Mon père posa une main sur son crâne, aussi chauve que le mien, et dirigea son regard au-dessus du mobile. Je supposai qu'il regardait par le hublot de la cabine.

– Du calme, mon chéri, dit ma mère.

Tous trois nous gardâmes le silence durant plusieurs secondes. Mon père, sans bouger. Ma mère, lui caressant le dos. Moi, ne sachant que dire.

– Où est mort Fernando ? demanda mon père.

– À Barcelone.

Cela parut le toucher encore plus.

– Comment est-il mort ?

– Renversé par une voiture. Depuis combien de temps tu ne lui parlais plus, papa ?

– Depuis avant ta naissance.

– Mais il savait que j'existais. Il a signé le testament à mon nom en 1992, quand j'avais sept ans.

– Il le savait par moi, intervint ma mère.

Mon père la regarda, surpris.

– Peu après ta naissance, j'ai rencontré Fernando dans la rue. Je te promenais dans la poussette. Je lui ai dit qu'il était tonton.

Mon père restait muet.

– Nous n'avons pas beaucoup parlé. Il était avec une femme, et moi avec une amie. Je lui ai donné notre numéro de téléphone, mais il n'a jamais appelé.

– Je ne savais même pas qu'il vivait à Barcelone, dit mon père, faisant un effort pour contenir un tremblement dans la voix.

– Tu pensais qu'il était en Patagonie ?

– En Patagonie ? De quoi es-tu en train de parler, Julián ?

– Le plus important de l'héritage est un terrain dans un village nommé El Chaltén au sud de l'Argentine. L'acte de propriété date de 1988.

Mes parents se regardèrent comme si je venais de leur annoncer que j'avais adopté un chien vert.

– Pourquoi ne m'as-tu jamais parlé de ton frère, papa ? lui demandai-je avec le ton le plus cordial possible.

– Julián, crois-tu que c'est le moment d'évoquer ce sujet avec ton père ?

– C'est un moment comme un autre. Si en trente-cinq ans vous n'avez pas trouvé l'opportunité de m'en parler, pourquoi pas maintenant ?

Mon père sécha les larmes qui s'accumulaient dans ses yeux.

– Nous parlerons de tout ça dès que nous serons revenus à Barcelone, Julián. Merci de nous avoir tenus au courant. Tu as fait ce qu'il fallait.

Avant que je puisse dire quoi que ce soit, je vis l'index de mon père au premier plan et la communication se coupa.

CHAPITRE 4

Je n'eus pas le temps de parler de mon départ avec mes parents. En personne, je veux dire. Bien que mes finances ne fussent pas à la hauteur d'une expédition à l'autre bout du monde, je me laissai convaincre par la stridente publicité rouge. Ce n'est pas l'offre qui me décida, mais plutôt l'idée de mettre de la distance entre Barcelone et moi. Ce rectangle de terre à l'extrémité sud du monde était l'excuse parfaite pour m'éloigner d'Anna et aussi pour ne pas avoir à expliquer à mes parents ce qui s'était passé entre nous. Quand mon avion décolla d'El Prat en direction d'Ezeiza, il restait un jour avant leur retour de Norvège.

Le point positif dans le fait de quitter Anna, c'était que je n'aurais pas à faire trop de jongleries pour que cette séparation soit bien accueillie par mes parents. En trois ans, ils ne l'avaient jamais vraiment acceptée. Derrière la cordialité avec laquelle ils la traitaient, il y avait un fond de froideur. En une occasion, ma mère parut oublier son discours féministe et progressiste – j'étais le seul de ma classe à qui les parents offraient indistinctement des jouets « de garçons » et « de filles » – pour me dire que c'était une loi de la vie, qu'aux yeux d'une mère aucune femme n'est assez bien pour son fils. Et mon père avait toujours fait ce que disait son épouse.

Il s'écoula presque trois jours entre le moment où je quittai ma maison et celui où j'arrivai à El Chaltén. Le dernier trajet, après deux avions, se fit sur terre et dura environ trois heures. Le bus partit complet d'El Calafate et ne s'arrêta pas avant le terminal d'El Chaltén. La majorité des passagers étaient des touristes, argentins et étrangers.

Beaucoup d'entre eux espagnols, comme moi. Je me retrouvai assis à côté d'un Italien qui, par chance, ne parlait pas beaucoup.

J'avais la sensation d'être un oiseau rare : ni touriste ni autochtone. Certainement le seul à bord avec les cendres d'un mort dans son sac à dos.

Pendant que j'attendais, à côté de l'une des grosses roues du bus mon tour pour récupérer ma valise, j'étudiais la carte que m'avaient envoyée par e-mail les gérants d'El Relincho, le plus abordable de tous les hébergements disponibles. El Relincho se trouvait, comme le terrain de mon oncle, dans la rue San Martín. Tandis que je suivais du doigt le trajet que j'allais emprunter dès que j'aurais récupéré mon bagage, j'entendis derrière moi une conversation entre deux Espagnoles.

– On ne le voit pas, dit l'une d'elle.

– Quelle vacherie, répondit l'autre. J'espère que demain ce sera possible.

Je me retournai discrètement. Deux touristes de mon âge indiquaient du doigt une grande maison sur le flanc d'une colline qui, d'après ce que j'avais vu sur la carte, marquait la limite du village.

– Peut-être que demain vous aurez plus de chance, les filles, intervint une Argentine qui venait de descendre de l'autocar. Elle se dirigeait vers les deux touristes et moi comme si nous étions ensemble. Il y a des gens qui restent une semaine entière sans parvenir à le voir.

– Ne me dites pas ça, madame, je vais me trouver mal, dit l'une des filles.

– Ne t'en fais pas, ma petite. Le temps semble s'améliorer. Si tu savais ce qu'il a plu cette semaine.

– Excusez-moi, coupai-je, de quoi êtes-vous en train de parler ?

– Du Fitz Roy, répondit l'une des touristes, indiquant à nouveau les montagnes. Je remarquai que son doigt n'était pas dirigé vers la grande maison, mais plus haut.

– Quand le temps est couvert, on ne le voit pas, expliqua la femme. On a l'impression que derrière cette maison il n'y a que du ciel. Mais quand la vue est dégagée, c'est spectaculaire.

Sur les photos, le Fitz Roy me paraissait être une chouette montagne, mais je dois reconnaître qu'en cet après-midi nuageux je n'arrivai pas à partager l'enthousiasme de la femme et des deux Espagnoles.

J'attrapai mon sac à dos, saluai d'un geste et m'éloignai par la rue principale. Le trottoir sur ma droite débordait d'hôtels, restaurants, agences de tourisme et brasseries qui annonçaient *happy hours* entre cinq et huit heures de l'après-midi. En face il y avait une place avec des jeux pour enfants faits de gros troncs et des édifices apparemment officiels du genre collège, mairie et le reste.

D'après la carte que j'avais en main, dans deux rues j'allais me trouver pour la première fois face au terrain pour lequel j'avais traversé la moitié de la terre. Malgré mon épais manteau, je commençai à trembler. Certaines personnes, quand elles sont nerveuses, se rongent les ongles ou bien transpirent. Moi, j'ai froid.

J'avançai en silence, le regard braqué droit devant moi. Quand j'arrivai à l'intersection de San Martín avec Los Cóndores, je trouvai la grande construction qui, d'après ce que j'avais vu sur internet, partageait la parcelle avec le terrain de mon oncle. Bien qu'un panneau délabré annonçât « HOTEL », les volets en bois étaient fermés et la peinture écaillée. Il y avait des années que cet établissement n'était plus ouvert au public.

Un homme me salua de la main depuis le porche. Il frôlait la cinquantaine, mais il y avait quelque chose d'infantile dans son regard. Je lui rendis son salut et pressai le pas.

À mesure que je laissais derrière moi cette grande bâtisse sans vie, s'ouvrait devant moi une magnifique prairie. La barrière rustique qui l'encerclait était faite de troncs en bon état. Je supposai que la mairie l'avait entretenue durant toutes ces années pour ne pas enlaidir le village.

Quand j'eus en face de moi la totalité du terrain, mon estomac se contracta comme si quelqu'un m'avait donné un coup de poing. Il n'était pas vide comme sur l'image de Google. Ces dernières années quelqu'un y avait construit quatre chalets et deux hangars en bois. Près de la grille, une pancarte indiquait « Randonnées à cheval Aurora. Chalets à louer à la journée ».

Je n'eus pas le courage d'entrer. Il était tard et j'étais crevé. Demain, la tête froide, je déciderai quoi faire.

Deux rues plus loin, j'arrivai devant El Relincho. L'endroit n'était pas très différent du terrain que je venais de quitter. Mon terrain, normalement. Je traversai une étendue herbeuse en suivant des panneaux en bois tous dirigés vers la réception, une construction moderne de tôles et béton. L'intérieur était comme dans n'importe quelle auberge de jeunesse de n'importe quel endroit du monde : musique, grandes tables, cuisines communes, touristes en claquettes mangeant des pâtes avec du thon à sept heures du soir ou avec le nez collé sur l'écran de leur téléphone, profitant du wifi.

Je fus reçu par un jeune qui ne devait pas avoir plus de vingt-cinq ans et qui se présenta comme Macario. Curieux les noms qu'ils donnent aux gamins en Argentine. Je lui tendis mon passeport et il s'absorba dans la consultation du *check in* sur un ordinateur portable.

– Julián Cucurell, dit-il tout en regardant l'écran, ça y est, je t'ai trouvé. Tu es enregistré pour quinze jours, c'est possible ?

– Oui.

– Formidable, tu vas avoir le temps de faire toutes les balades. En général, les touristes ne restent pas plus d'une semaine.

Je souris.

– C'est bien de prendre son temps, continua-t-il. Il y a des excursions qui perdent beaucoup quand le ciel est couvert comme aujourd'hui. Si tu en as la possibilité, ça vaut la peine d'attendre le soleil pour les faire.

Il scanna mon passeport et je lui payai la moitié de la réservation.

– Viens que je te montre ta cabane.

Je suivis Macario à travers le pré jusqu'à une petite construction en bois très correcte, avec deux chambres, une salle de bain et une cuisine-salle à manger équipée d'une cheminée.

– Ah, autre chose, parfois le signal wifi n'arrive pas bien jusqu'ici. Ça dépend des jours. Si tu ne peux pas te connecter, tu t'approches un peu de la réception et ça fonctionne. Et pour quoi que ce soit d'autre, tu me trouves là-bas.

– Tu as toujours vécu ici ?

Macario sourit.

– Presque personne n'est d'ici. Ma famille est venue quand j'avais dix ans.

– Bon, mais ça fait longtemps que tu es là. J'ai une question. En venant du terminal, j'ai vu une affiche proposant des randonnées à cheval, Aurora, je crois que ça s'appelle. Comment sont les gens qui s'en occupent ? Tu me les recommandes ?

Qui aurait dit qu'un jour je poserais ce genre de question, moi qui ai peur des chevaux.

– Oui, les excursions sont très jolies. En plus, Rodolfo et Laura, le couple propriétaire, connaissent un tas de choses. En ce moment ils font de moins en moins de sorties parce que Rodolfo a trop à faire. Cela fait deux ans qu'il est le maire du village. Entre ça et les chalets qu'il est en train de construire sur le terrain, il n'a plus assez de temps pour rien d'autre.

Putain. Le squatteur de mon terrain n'est rien moins que le maire du patelin.

CHAPITRE 5

Le lendemain je fus réveillé par le son du métal heurtant du métal. En regardant par la fenêtre, je vis Macario aidé d'une femme en train de déposer devant ma cabane une espèce de barbecue tellement lourd qu'ils pouvaient à peine le porter à eux deux. C'était un bidon métallique de deux cents litres posé à l'horizontale sur quatre pieds, avec une cheminée à une extrémité.

En m'apercevant à travers la vitre, Macario me salua et désigna l'engin :

– On appelle ça un *chulengo*. On te l'amène au cas où tu aies envie de faire des grillades.

Je levai le pouce en guise de remerciement ; j'étais toujours partant pour des grillades. Puis j'entrai dans la salle de bain pour me doucher.

Sous le jet d'eau chaude, je passai en revue quelles seraient mes premières démarches. Aujourd'hui c'était samedi et je devrais attendre lundi pour me rendre à la mairie avec les papiers officiels et le testament. Mais je n'allais pas rester tout le week-end les bras croisés.

Je quittai la cabane vers onze heures. Bien que le ciel fût aussi nuageux que la veille, sur les étroits trottoirs déambulaient des touristes avec des sacs à dos de toutes les tailles.

Inévitablement, la balade m'amena au terrain de mon oncle. Près du chalet avec la pancarte réception, je vis une femme de mon âge en train de brosser un cheval gris. Je longeai la petite clôture en troncs et entrai par la porte où était accroché le panneau en bois annonçant « Randonnées à cheval Aurora ».

– Bonjour, la saluai-je, sans trop m'approcher de l'animal.

– Bonjour, me répondit-elle en relevant la tête pour m'offrir le sourire que les commerçants ont toujours à leur disposition. Elle avait les yeux marron et les cheveux châtains.

– J'aimerais avoir des renseignements sur les randonnées. En quoi ça consiste, le prix et tout le reste.

Après avoir donné deux tapes sur le cou du cheval, elle me tendit sa main pour que je la serre.

– Bien sûr. Je m'appelle Laura. Suivez-moi.

Je fus surpris en entendant son prénom. D'après ce qu'avait dit Macario, Laura était l'épouse du maire. Cependant, mes préjugés me la faisaient voir trop jeune pour être mariée à un politique.

Nous entrâmes dans la réception et elle me tendit un prospectus en noir et blanc avec les prix et les descriptions des différentes options. Je lui posai plusieurs questions sur la plus chère, auxquelles elle répondit avec patience et amabilité. À un moment, elle mentionna qu'Aurora était l'entreprise de randonnées à cheval la plus ancienne d'El Chaltén.

– Ça fait longtemps que tu vis ici ?

– Non, deux ans. Mais Rodolfo, le propriétaire de l'entreprise, est l'un des premiers habitants. Il est arrivé au début des années quatre-vingt-dix.

– En sachant que le village a été fondé en 1985.

– Formidable ! Un touriste bien informé.

– Ne le crois pas. J'ai simplement lu un truc à ce sujet.

Laura regarda à droite puis à gauche et me dit sur un ton complice :

– À El Chaltén, les gens adorent dire qu'ils font partie des premiers habitants. Ceux qui exagèrent le plus sont arrivés après 2000. Mais bon, pour la famille de Rodolfo, je crois que c'est mérité. À cette époque, ici, il n'y avait rien. Mais alors rien de rien.

– Ça valait la peine. Je pense qu'aujourd'hui un terrain comme celui-ci vaut une fortune.

– Une fortune et demie. Mais qui voudrait vendre ? Et pourquoi ? Les terres, c'est tout un problème parce que le village est dans un parc national et que, par conséquent, il ne peut pas s'agrandir. Il y a des gens qui vivent ici depuis huit, dix ans et qui n'arrivent toujours pas à obtenir un terrain pour y construire leur maison. Il y en a même qui ont commencé à construire sur des terrains ne leur appartenant pas.

– C'est-à-dire qu'ici aussi il y a des squatteurs ?

La femme acquiesça sans se sentir visée.

– Nous proposons aussi des balades sur le glacier Viedma. Tu as déjà marché sur un glacier ?

– Non. C'est dangereux ?

– Pas si tu y vas avec un expert. Rodolfo accompagne des gens depuis des dizaines d'années. C'est une expérience inoubliable. Si tu peux, ne quitte pas El Chaltén sans y aller. C'est cher, mais des souvenirs pour la vie, ça n'a pas de prix.

– Ça me paraît intéressant, répondis-je pour dire quelque chose.

– Puis-je te proposer une autre activité ?

– Non, merci. En réalité je suis resté sur ce que tu m'as dit à propos des terrains. C'est bizarre. Celui-ci, c'est le terrain qu'ils ont donné à la famille de Rodolfo quand elle est arrivée ici ?

– Pourquoi tu me demandes ça ?

– Parce que j'ai entendu dire qu'il appartenait à un dénommé Fernando Cucurell.

Elle leva les yeux de la pile de prospectus. L'amabilité avait disparu de son visage.

– Toi, tu n'es pas un touriste.

– Je m'appelle Julián Cucurell. Fernando Cucurell était mon oncle. Il vient de mourir et je suis son unique héritier.

– Et pourquoi n'as-tu pas joué franc-jeu en me disant ce que tu voulais ? Pourquoi me fais-tu perdre mon temps à t'expliquer les excursions ? Tu ne vois pas que je travaille ?

– Pardon, je ne voulais pas te déranger.

– Moi, ce qui me dérange beaucoup, c'est que tu me mentes.

Elle appuya fermement les mains sur le comptoir et sortit de la réception. Je la suivis jusqu'au cheval où elle s'arrêta.

– Excuse-moi, sérieusement.

– Écoute, mon gars, si tu as des renseignements à demander à Rodolfo, reviens plus tard et tu le trouveras, dit-elle tout en reprenant le brossage du cheval.

– J'ai déconné. Je regrette, insistai-je.

Laura lâcha un soupir et se tourna vers moi. Puis elle agita la brosse en l'air comme si elle effaçait la craie sur un tableau noir.

– Tu es pardonné, dit-elle en se forçant à sourire. Maintenant, si tu le permets, je dois travailler.

De sa main libre, elle me montra la sortie.

CHAPITRE 6

Vers sept heures du soir, on frappa à ma porte. J'ouvris sur un fringant sexagénaire avec une épaisse chevelure blanche, comme ces modèles dans les publicités pour des audiophones ou des prothèses dentaires. Ou, dans son cas, pour des lunettes, car il en portait une paire avec une monture fine assez moderne. Il me rappela le père d'Anna, lui aussi un de ces hommes qui après soixante ans peuvent encore exhiber de larges épaules et un ventre plat. Il tenait une enveloppe à la main.

– Je suis Rodolfo Sosa, se présenta-t-il, le propriétaire des Randonnées à cheval Aurora.

– Entrez, dis-je en m'écartant pour le laisser passer.

– Non, ce n'est pas nécessaire.

– Écoutez-moi. Je suppose que vous venez suite à la discussion que j'ai eue avec votre femme. Je lui ai présenté mes excuses, et je fais de même avec vous.

L'homme fit un pas vers moi. Malgré toutes les tractions et flexions à mon actif, je n'étais pas sûr d'avoir le dessus.

– Venez, suivez-moi, me dit-il, et il commença à s'éloigner de ma cabane. N'ayez crainte, je ne mords pas.

J'hésitai un instant, ne sachant que faire. Finalement je conclus que je n'avais rien à gagner en prolongeant le malentendu. Je me dépêchai de le rattraper.

– *Cette* Laura-là n'est pas ma femme, dit-il quand je le rejoignis. Ma femme aussi s'appelle Laura, mais la fille avec laquelle tu as parlé est une guide qui travaille avec nous. Elle nous aide pour les chevaux et les excursions.

– Ah !

– Elle a un caractère très spécial, ajouta-t-il.

– Maintenant je comprends. Quoi qu'il en soit, j'ai mal agi avec elle.

Rodolfo Sosa s'arrêta brusquement et pencha la tête pour me regarder par-dessus ses lunettes.

– Oui, tu as mal agi. Ici on aime les gens qui vont droit au but.

Je ne trouvai rien à lui répondre. L'homme reprit sa marche jusqu'à ce que nous arrivions aux Randonnées Aurora.

– Donc, tu dis que ce terrain t'appartient, dit-il en montrant les chalets.

– J'ai le testament qui me désigne comme héritier. C'est écrit noir sur blanc : un demi-hectare, rue San Martín, entre Huemul et Los Cóndores, parcelle 7, lot 2.

Sosa secoua la tête et éclata de rire.

– Alors, nous sommes voisins. Le mien, c'est le lot 1. Le lot 2, c'est celui-là.

Je regardai vers où pointait son doigt.

– L'hôtel abandonné ?

– Il appartient à Fernando Cucurell.

– Mais l'acte de propriété dit que c'est un terrain vague.

– C'est sûrement parce que ça n'a pas été actualisé.

Je crus mourir de honte. En voyant l'image satellite, j'ai supposé que le demi-hectare de mon oncle était le terrain où il n'y avait rien de construit.

– Il tombe en morceaux, mais c'est un beau bâtiment, ajouta-t-il.

J'acquiesçai tout en observant en détail l'hôtel. Il avait un seul niveau. Les volets en bois étaient gris par manque d'entretien et quelques gros galets avec lesquels étaient construits les murs extérieurs étaient tombés, laissant des trous cimentés me rappelant la façade de l'église Sant Felip Neri. S'il n'avait pas été en si mauvais état, cet endroit n'aurait pas été très différent des résidences secondaires dans les montagnes que ma mère dessinait pour les riches.

– Si tu es réellement l'héritier de Cucurell, c'est cet hôtel qui t'appartient et pas mon terrain.

– J'ai le testament, si tu veux je te le montre.

L'homme leva les mains en signe de paix.

– Je te crois. Maintenant tu dois montrer ces papiers à la bonne personne.

– Je dois m'excuser. Entre les documents et les photos sur internet, j'ai cru que c'était votre terrain. À aucun moment je n'ai voulu insinuer... putain, quelle mauvaise façon de commencer, non ?

L'homme posa une de ses grosses mains sur mon épaule.

– Tout le monde peut se tromper, gamin. Ce n'est rien. En plus, ici, les actes de propriété ont mis longtemps à arriver et ne reflétaient pas forcément ce qu'il y avait sur le terrain. La majorité des gens s'est contentée d'enregistrer leur terrain et n'a jamais fait de mise à jour.

– Vous savez en quelle année a été construit l'hôtel ?

– Houlà ! Avant 1990, sûrement.

– Apparemment, cela fait longtemps qu'il est abandonné.

– Très longtemps. Au moins vingt-cinq ans.

Je montrai le porche en bois qui protégeait la grosse porte, fermée.

– Hier, il y avait quelqu'un d'assis là-bas.

– Danilo, un gamin du village.

– Non, c'était un homme plus âgé que moi. Autour des cinquante ans.

– C'est lui, Danilo. Quand tu le connaîtras, tu comprendras.

Sosa me sourit, un peu gêné, et fouilla dans ses poches jusqu'à ce qu'il trouve un trousseau de clés. Tout en cherchant, il parut se rendre compte qu'il avait toujours l'enveloppe à la main.

– Ah, ça doit-être pour toi. C'était sous la porte de ta cabane. Je l'ai ramassée avant de frapper, pour ne pas qu'elle s'envole.

– Merci.

Il n'y avait rien d'écrit sur l'enveloppe, ni devant ni derrière. Je la mis dans ma poche pour ne pas l'ouvrir devant lui.

– Je suppose que tu as un tas de questions.

– Beaucoup. Du jour de sa construction à pourquoi il a fermé.

L'homme me fit signe de le suivre. Il longea son terrain jusqu'à l'hôtel. Cependant, en arrivant devant la porte, il ne fit que lui jeter un regard en passant et nous traversâmes la rue.

– Où va-t-on ?

– Suis-moi.

Nous marchâmes dans le village jusqu'à ce que, en passant devant la pharmacie, une femme intercepte Sosa pour l'interroger sur l'extension du réseau de gaz naturel. Le maire me fit signe et je m'éloignai pour les laisser discuter.

J'en profitai pour ouvrir l'enveloppe. J'y trouvai un papier avec un message imprimé en Comic Sans :

Vendez l'hôtel et allez profiter de l'argent ailleurs. Vous n'êtes pas le bienvenu à El Chaltén.

CHAPITRE 7

Quand Sosa parvint à se débarrasser de la femme et que nous reprîmes notre marche, j'eus la sensation d'être suivi. Je me dis que c'était probablement une impression suscitée par la lecture de la lettre anonyme. Malgré cela, je me retournai plusieurs fois. Les quelques touristes et autochtones que je vis ne paraissaient pas me prêter la moindre attention.

– Un problème ? me demanda Sosa alors que je me retournai une troisième fois.

– Non, aucun.

Nous arrivâmes devant un petit édifice au toit très pentu d'où émergeaient des fenêtres style mansarde. Dans la cour flottaient deux drapeaux, celui de l'Argentine et un autre bleu, rouge et blanc que j'identifiai, grâce à mes incursions sur Wikipédia, comme la bannière de la localité. Une plaque au-dessus de la porte principale annonçait : « Municipalité d'El Chaltén ».

Sosa regarda de chaque côté, comme quelqu'un se préparant à voler une voiture. Puis il ouvrit la porte avec une des clés du trousseau.

– Entre, vite. S'ils me voient, ils vont venir me demander quelque chose, dit-il en fermant la porte à clé de l'intérieur. Tu ne sais pas comme c'est compliqué d'être le maire d'un petit patelin. Ils vont chez moi à n'importe quelle heure, pour n'importe quoi. Ce que je fais pour toi, ouvrir la mairie un samedi, est une exception. Ne t'y habitue pas.

Un crack, l'élu. Nous nous connaissions à peine et je lui devais déjà une faveur que je ne lui avais même pas demandée.

– Merci, lui dis-je.

Nous laissâmes derrière nous le comptoir d'accueil du public pour suivre un couloir avec des bureaux de chaque côté.

– Voici mon bureau, dit Sosa en désignant une porte fermée sur laquelle était fixé un écriteau doré indiquant « Bureau du Maire ». Mais ce que je veux te montrer est de l'autre côté.

 Nous continuâmes jusqu'au bout du couloir pour ensuite grimper un escalier en bois menant à une mansarde dans laquelle il y avait trois tables encombrées de piles de documents et des classeurs adossés aux murs.

– C'est le bureau du cadastre. C'est ici que je travaillais avant d'être maire.

Il se dirigea sans hésiter vers un classeur, ouvrit l'un des tiroirs et parcourut un à un les dossiers en carton tout en chuchotant des noms de famille.

– Contreras... Cortés... Cucurell ! Ça y est, je l'ai trouvé, dit-il en sortant un dossier.

Il l'ouvrit et déplia sur une table un plan de l'hôtel.

Finalement, avoir fait deux années d'architecture et avoir une mère architecte me servaient à quelque chose.

– C'est pour que tu connaisses mieux l'hôtel Montgrí.

– L'hôtel Montgrí ?

– Oui. C'est son nom.

Je souris. Le Montgrí était une petite montagne près de laquelle avaient grandi mes parents et aussi, je le supposai, mon oncle. Ça me semblait surréaliste d'entendre ce nom à l'autre bout du monde.

Le plan avait été dessiné à la main. Le rez-de-chaussée de l'hôtel était rectangulaire et allongé. On entrait par un petit côté dans une réception jouxtant une salle à manger. De là s'ouvraient deux portes, l'une sur une vaste cuisine et l'autre, sur un couloir central qui donnait accès à huit chambres, quatre de chaque côté.

À l'autre bout de la parcelle se trouvait une maison de cent mètres carrés qui, comparée à l'hôtel, paraissait petite. Je supposai que Fernando Cucurell avait vécu ici. Seul, j'imaginai, car s'il avait eu une famille, je ne serais pas son héritier.

– Si tu veux connaître la date de construction, tu as une piste ici. Le projet a été présenté par un certain Remigio Uceta, architecte, en 1987, dit Sosa en indiquant une signature sur la feuille qui accompagnait le plan. Avant cette date ce n'était pas possible. Il faudrait regarder dans les archives du service qui délivre les autorisations pour trouver quand l'hôtel a ouvert au public, mais cela n'a jamais été dans mon secteur de compétence. Tu vas devoir revenir lundi.

– Aucun problème. En attendant, pourrais-tu me mettre en contact avec quelqu'un qui connaissait mon oncle à cette époque ?

– Écoute, d'après ce que je sais, en 1987 il n'y avait que douze maisons ici. Dans les livres ils disent qu'El Chaltén a été fondé en 1985, et c'est vrai, mais il n'a pas vraiment démarré avant le milieu des années 90. Quand je suis arrivé, en 92, il y avait vingt-deux maisons et cinquante-deux habitants. Ma femme et moi étions les numéros 53 et 54. À cette époque, une grande partie de la population était des militaires qui venaient pour une saison puis repartaient. N'oublie pas que le motif de la fondation du village fut de planter un drapeau pour résoudre un conflit avec le Chili.

– Oui, j'ai lu quelques trucs sur le sujet.

– Beaucoup de ces policiers et gendarmes retournèrent chez eux dès qu'ils le purent. Nous étions très peu à vouloir rester. Pour que tu te fasses une idée ; notre fils fut le premier bébé à naître à El Chaltén, huit ans après sa fondation.

– Vous avez connu l'hôtel quand il était ouvert ?

– Non. Quand nous sommes arrivés, il était déjà fermé. Mais il n'était pas construit depuis longtemps, car tout était neuf.

– Et vous pensez à quelqu'un qui aurait pu le voir en activité ?

– J'y réfléchis. Mais c'est difficile. Entre ceux qui sont partis et ceux qui sont morts, il en reste peu de cette époque. Pense que ceux qui sont arrivés à l'âge de quarante ans en ont maintenant plus de soixante, et à cet âge les gens veulent se rapprocher d'un hôpital. D'ici au chirurgien le plus proche, il y a deux cent vingt kilomètres.

– Je comprends.

– Ne t'inquiète pas, je vais finir par trouver quelqu'un. Mais fais attention, parce que c'est un petit village et, après tout ce temps, les gens peuvent mêler la réalité avec les rumeurs. Encore plus si nous parlons d'un hôtel abandonné depuis si longtemps.

– Quelles rumeurs exactement ?

– Des conneries. Il y a des gens qui parlent juste parce que l'air est gratuit.

– Ça m'intéresse.

Sosa haussa les épaules. C'est ton problème, voulait dire le geste.

– Jusqu'au milieu des années 90, le tourisme ne fonctionnait qu'en été. L'hiver était trop rude et les chemins, très précaires. Les gens qui travaillaient dans ce secteur d'activité partaient fin mars et ne revenaient pas avant le mois d'octobre. On raconte que le type qui construisit l'hôtel, c'est-à-dire ton oncle, ferma à la fin de la première saison, salua tout le monde en leur disant à l'année prochaine, mais ne revint jamais. Il y en a même qui disent qu'il s'est pendu dans l'hôtel.

– C'est impossible, parce que Fernando Cucurell est mort il y a quatre mois. J'ai ses cendres dans mon chalet.

– Je te l'ai dit, ce sont des rumeurs, rien de plus.

– J'aimerais bien entrer.

– Tu as les clés ?

– Il y a un instant, je pensais encore que ce n'était qu'un terrain.

– C'est vrai, s'en amusa Sosa. Alors tu vas devoir faire appel à un serrurier. Ici il n'y en a pas, mais j'en connais un très bon à Calafate ; tu veux que je le contacte ?

Je fis le compte. Si quelqu'un devait faire deux heures de route pour ouvrir la porte, ça n'allait pas être bon marché.

– Je peux l'ouvrir, proposai-je. La porte et les volets sont en bois. Avec un pied-de-biche, c'est sûr qu'ils cèdent.

– D'accord, mais c'est une mauvaise idée. Tu as bien observé ces ouvertures ? Ce type de menuiserie ne se fait plus.

– Je viens d'apprendre que j'ai hérité d'un hôtel, alors abîmer une porte ne me paraît pas être un gros problème.

Le type afficha un sourire qui ne me plut pas du tout. Avant de parler, il ajusta ses lunettes sur l'arête du nez et se frotta la barbe.

– Écoute, Julián, ici nous vivons du tourisme. L'hôtel est dans la rue principale, où il y a une forte activité commerciale et où passent la plupart des gens. Si on te voit en train de forcer la porte avec une barre de fer, quelqu'un va appeler la police. Rien de ce qui ressemble à un cambriolage ne joue en notre faveur, tu me comprends ? C'est pour ça que je te demande de t'en tenir au plan durant quelques jours, jusqu'à ce que tu puisses entrer comme une personne civilisée. L'hôtel est fermé à double tour depuis des décennies, il peut encore attendre un peu.

– Au cours de toutes ces années, personne n'est entré ?

– Personne.

– Et l'homme sous le porche ?

– Non plus. D'une certaine façon, nous t'attendions.

– Je ne comprends pas.

– C'est ce que je te dis ; pour nous la tranquillité est ce qu'il y a de plus important. C'est ce qui nous fait manger et nous fait connaître comme une destination touristique dans le monde entier. Tous les ans, ponctuellement, quelqu'un paie les impôts locaux et la taxe professionnelle de l'hôtel. C'est une propriété privée, et s'ils veulent la laisser fermée la municipalité ne peut rien y faire.

– Qui paie les impôts ?

– Ça, il faudrait le demander à Margarita, c'est elle qui s'occupe de la section impôts. Elle pourra aussi te donner la date d'agrément de l'hôtel. Passe lundi, je te la présenterai.

J'acquiesçai. Sosa fit une photocopie du plan et me la donna.

– Julián, je ne veux pas être impoli, mais je dois y aller. En plus, j'imagine que tu as beaucoup de problèmes à régler. Si tu as besoin, pour quoi que ce soit, maintenant tu sais où je travaille. Et si tu ne me trouves pas ici, je suis chez moi.

– Merci, mais je ne veux pas être un de plus à toquer chez vous pour demander une faveur.

– Ton cas est différent. Tu ne me déranges pas, au contraire.

Je me demandai ce qui le poussait vers tant de bonnes dispositions à mon égard.

– Si tu te demandes pourquoi je t'aide, dit-il, comme s'il lisait dans mes pensées, c'est parce que j'aime beaucoup ce village. Si cet hôtel reprenait vie, El Chaltén serait un endroit encore plus agréable. Et ici, souviens-t'en, plus c'est agréable, mieux nous vivons.

CHAPITRE 8

Quand on frappa à la porte de ma cabane, à huit heures et demie du matin, cela faisait déjà deux heures que j'étais réveillé. Entre les derniers contrecoups du *jet lag* et la surprise de la veille, ce qui me surprenait le plus, c'était de ne pas avoir passé la nuit entière éveillé.

Je sortis du lit, enfilai mon pantalon et ouvris sans demander qui c'était. Je me retrouvai face à la robuste carrure de Rodolfo Sosa.

– Je te réveille ?

– Pas du tout. J'étais encore au lit, mais les yeux ouverts comme un hibou.

– Tant mieux. J'ai de bonnes nouvelles, dit-il en s'ouvrant un passage vers l'intérieur. Demain un serrurier vient de Calafate pour un travail à la station-service, on va pouvoir en profiter pour qu'il t'ouvre l'hôtel. Mais attention, tant que l'on n'a pas la confirmation qu'il t'appartient, tu ne peux pas t'y installer. Par contre entrer pour regarder ça ne va faire de mal à personne, non ?

– Merci.

L'homme fit claquer la langue comme si ça le dérangeait que je le remercie.

– Tu as un truc de prévu pour aujourd'hui ?

– Je ne sais pas. Me balader un peu, je suppose.

– Et... tu es dans la capitale nationale du *trekking*. As-tu déjà marché sur un glacier ?

– Je n'en ai pas eu l'occasion.

– Alors, c'est ton jour de chance. Je devais accompagner un groupe au Viedma, mais ils se sont décommandés hier au dernier moment. Tu aimerais y aller ? C'est une expérience dont tu te souviendras toute ta vie.

À quelques mots près, c'était ce que m'avait dit Laura, son employée.

– D'accord.

– Génial. Mets ce que tu as de plus chaud et allons-y.

– Maintenant ?

– Oui, maintenant. Il ne faut pas attendre, même si le temps est couvert, il fait beau. La météo change très vite ici. Je t'attends chez moi en préparant des sandwichs. Ne tarde pas.

Je ne savais pas si je devais me méfier de l'amabilité bon enfant de Sosa ou reconnaître, bien malgré moi, que j'avais rencontré le seul politicien au monde qui m'était sympathique.

Vingt minutes plus tard j'étais chez lui. Dans la cour, Laura – l'employée – sellait une jument blanche. Elle me salua de loin en levant le menton. Rodolfo Sosa sortit de la plus grande des constructions, qui devait être son habitation, avec deux sacs en toile sur le dos. En me voyant, il indiqua une camionnette type pick-up taille porte-avions. Il jeta l'un des sacs à l'arrière et mit l'autre, long et fin, entre les sièges.

– C'est une carabine ?

– Oui, une Winchester 1892. Si nous avons de la chance, nous verrons quelques guanacos. Tu manges de la viande ?

– Oui.

– Alors, tu ne peux pas quitter la Patagonie sans avoir goûté au guanaco.

Il mit le véhicule en marche et parcourut à vitesse réduite les cinq cents mètres qui séparaient sa maison de la sortie du village, saluant par la fenêtre comme s'il était le président nouvellement élu. Les touristes lui renvoyaient un sourire timide, tandis que les habitants répondaient avec des gestes amicaux ou, dans certains cas, des regards peu amènes.

Après avoir traversé le pont qui enjambe le río Fitz Roy, nous pénétrâmes dans la campagne sauvage, laissant derrière nous le village et les montagnes occultées par les nuages. Rapidement, je vis apparaître sur notre droite la vaste étendue d'eau qu'avait longée, en sens inverse, le bus qui m'avait amené d'El Calafate il y avait deux jours.

– Ça, c'est le lac Viedma, l'un des plus grands d'Amérique du Sud. Quatre-vingts kilomètres de long et vingt de large.

– Presque rien.

– Ici, tout est grand, pour le meilleur ou pour le pire. Le paysage, les distances, tout. Il y a des touristes qui me disent que, quand ils sont en Patagonie, ils se sentent comme rapetissés.

Quelques minutes plus tard, nous abandonnâmes le bitume pour un chemin empierré – *ripio*, ils appellent ça, ici – qui prenait la direction de l'eau. Je croisais les doigts pour ne pas rencontrer de guanacos qui donneraient à Sosa l'opportunité de dégainer la carabine.

Les paysages étaient magnifiques. Je pris tout un tas de photos avec mon portable et me sentis idiot quand ma première réaction fut de les partager avec Anna.

Dans un coin de l'écran, le téléphone indiquait que je n'avais pas de réseau. J'étais sans moyen de communication, au milieu de nulle part, assis à côté d'un type apparemment sympathique, et armé. Que pouvait-il m'arriver ?

Après un virage apparut un petit embarcadère auquel était amarré un canot gonflable. Il pouvait contenir une vingtaine de personnes.

– Quelqu'un d'autre vient avec nous ?

– Non, nous sommes les seuls. C'est pour ça qu'il faut être prudent, car si nous avons un problème, on est cuit. Ou plutôt, congelé.

– Je me tiens tranquille.

– T'inquiète pas, gamin. Il y a des années que je fais ça.

Il se gara près du canot et cacha la carabine sous les sièges.

– Personne ne vient ici, mais ce n'est pas pour ça que je vais laisser une arme à la vue.

Sosa chargea le second sac en toile dans l'embarcation et me fit signe de monter à bord. Ensuite il démarra le moteur, largua les amarres et nous nous éloignâmes lentement de la côte, évitant des icebergs toujours plus gros.

– Il faut faire très attention à ne pas heurter un morceau de glace, m'expliqua-t-il en m'en montrant un plus haut que notre bateau. S'il a pu couler le Titanic, imagine-toi avec nous.

Je me félicitai, au nom de l'humanité, que le type se fût consacré à la politique et pas à la psychologie.

Il y avait peu de vent et la surface du lac était calme. Je me penchai pour toucher l'eau.

– Elle est glacée.

– Elle ne dépasse jamais les trois degrés. Le coupable est là-bas, dit Sosa en indiquant devant lui.

Nous venions de contourner une péninsule et maintenant la proue pointait vers une énorme masse de glace qui prenait naissance dans les nuages et descendait vers nous sur plusieurs kilomètres. Elle se terminait par un mur irrégulier et acéré dans lequel je distinguai toute une gamme de teintes bleutées.

– C'est impressionnant.

– Avais-tu entendu parler du glacier Viedma ?

– Non. Seulement du Perito Moreno.

– Le Perito monopolise toute l'attention. Il est magnifique, je ne le nie pas, mais sa renommée lui vient de son côté populaire. N'importe qui peut y aller en voiture et rester toute la journée, assis sur un banc en bois, à observer le glacier en prenant un maté. Celui-ci, par contre, c'est comme un cheval sauvage. Peu parviennent à le voir, et encore moins à le monter.

Nous longeâmes le front du glacier jusqu'au versant de roche noire sur l'autre rive du lac. Nous amarrâmes le canot à un embarcadère encore plus rustique que celui que nous venions de quitter. Sosa descendit le premier et me fit signe de le suivre.

Après avoir marché en silence sur une centaine de mètres, l'homme s'arrêta et indiqua ses pieds :

– Ici commence la glace.

S'il ne me l'avait pas dit, j'aurais pensé que nous étions toujours sur la roche. À la différence du front du glacier, où la glace mourait avec grandeur – bleus profonds et falaises tranchantes – sur les bords elle épousait le relief du sol rocailleux et ressemblait à du verre grisâtre, sale, comme si quelqu'un avait jeté de la terre dans l'eau avant de la congeler.

– Roche broyée, m'expliqua Sosa. Le glacier pousse si fort qu'il la pulvérise et se salit.

Il s'assit sur un rocher et sortit du sac deux paires de crampons. Il mit les siens en m'expliquant le processus pour que je l'imite. Quand je fis les premiers pas, j'eus la même sensation que durant la brève et néfaste époque où je fus un môme *dark* et succombai à la mode des chaussures à plateforme.

À mesure que nous avancions, la glace sous nos pieds devenait plus propre, plus blanche et moins lisse. J'avançais avec tous les muscles tendus, du cou jusqu'au gros orteil, comme si je marchais sur du flan. En revanche, Sosa avait le pas aussi sûr que s'il était chez lui en chaussons.

Après cinq cents mètres de montée, alors que j'avais la langue qui pendait, une crevasse de deux mètres de large nous obligea à nous arrêter.

– Tu es fatigué ?

– Pas du tout, mentis-je.

– Tant mieux, parce qu'à partir de maintenant, nous devons progresser avec beaucoup de prudence. La glace paraît stable, mais en réalité elle bouge en permanence. Si nous passons au mauvais endroit, une crevasse comme celle-ci peut s'ouvrir sous nos pieds en une seconde et même se refermer sur nous.

– À présent, je comprends pourquoi les touristes préfèrent le Perito Moreno.

– Si tu fais ce que je te dis, tu n'as pas à t'inquiéter, répondit Sosa en riant. Règle numéro un, ne t'approche jamais trop près d'une paroi plus haute que toi. Il est impossible de survivre à l'effondrement d'un bloc de glace.

J'acquiesçai en silence.

– Tu es devenu sérieux comme un chien sur une barque, mon gars. C'est pas grave. Regarde où tu es, Julián, dit-il en montrant le paysage bleu et blanc devant nous, c'est incroyable, non ? Ça fait trente ans que je vis ici, et je suis toujours surpris.

– Ce n'est pas pour rien. C'est un lieu unique.

Nous gardâmes le silence, observant tous ces pics blancs haut comme des clochers, qui se perdaient dans les nuages. La glace paraissait immobile, mais elle n'arrêtait pas d'émettre des craquements, se rompant en des endroits hors de notre vue. Certains aussi forts que le grondement du tonnerre, d'autre nous arrivant de loin, à peine audibles par-dessus le vent et le murmure incessant de l'eau.

– Il y a un ruisseau ? demandai-je.

– Il y en a des centaines.

Sosa indiqua la crevasse qui nous avait arrêtés. Dans le fond bleu électrique coulait une eau cristalline. Le maire commença à longer la faille et me fit signe de le suivre.

Après avoir contourné un bloc de glace plus haut qu'une maison, je découvris que l'eau se jetait dans un puits de la taille de ma salle à manger. En me penchant, je vis qu'il devenait de plus en plus sombre avec la profondeur et semblait ne pas avoir de fond.

– Attention, me dit Sosa. Ne t'approche pas trop près. Tu tombes là-dedans et jamais tu ne racontes ton histoire.

Je reculai. Nous nous appuyâmes sur une protubérance arrondie et transparente, qui ressemblait aux sculptures que l'on voit dans les hôtels de glace. Sosa ouvrit le sac et sortit un petit marteau.

– Je crois que le moment est arrivé, dit-il.

– Le moment de quoi ?

Sans me répondre, il sourit et frappa la glace avec le marteau à cinquante centimètres de l'endroit où j'appuyais ma main gantée. Un morceau de la taille d'une pastèque m'aurait écrasé le pied si je ne l'avais pas retiré à temps. La manœuvre me fit perdre l'équilibre et, quand je tentai de faire un pas de plus en arrière pour me stabiliser, je me rendis compte que sous mes crampons il n'y avait que le vide.

Je m'étalai sur la glace dure comme le granite, essayant en vain de m'accrocher pour freiner ma chute.

CHAPITRE 9

Quand j'arrêtai de glisser, mon cœur battait à mille à l'heure.

– Ça va ? me parvint la voix de Sosa au-dessus de ma tête.

En haut de la paroi, le visage du maire d'El Chaltén, un sourire jusqu'aux deux oreilles, se découpait sur le gris du ciel. Je regardai vers le bas. Mes pieds étaient à moitié immergés dans l'eau. J'avais chuté dans la crevasse qui s'ouvrait sur le puits sans fond. Quelques mètres plus loin et, comme l'avait dit Sosa, jamais je ne racontais mon histoire.

– Que t'est-il arrivé ? Je t'ai fait peur ?

Sans répondre, j'attrapai la main qu'il me tendait et escaladai la paroi en plantant les crampons dans la glace.

– Excuse-moi, gamin. Je ne pensais pas que tu étais à ce point froussard.

– Je ne suis pas froussard. J'ai perdu l'équilibre. On fait quoi ?

Sosa rangea le marteau dans le sac à dos, sortit deux gobelets en acier inoxydable, mit un morceau de glace dans chacun et répartit le contenu d'une flasque en deux parts égales.

– Ce que j'allais te dire avant que « tu perdes l'équilibre », dit-il en dessinant des guillemets avec les doigts, c'est que personne ne peut marcher sur un glacier sans faire ça. Tu aimes le whisky ?

– Oui.

En réalité je détestais le whisky, mais je pouvais difficilement lui demander de changer pour un mojito.

Sosa leva son verre.

– Pour que ton séjour à El Chaltén soit un succès.

– Pour cet endroit magnifique.

Nous bûmes en silence. L'alcool coula dans ma gorge avec la douceur d'une râpe à fromage. Cela allait au moins me servir à calmer les battements de mon cœur toujours emballé suite à la chute.

Après deux gorgées, Sosa toussota, mal à l'aise.

– Écoute, gamin, je préfère que tu apprennes ça de ma bouche plutôt que ce soit toi qui le découvres dès que tu vas fouiller un peu. À la mairie, nous sommes en train de faire les papiers pour récupérer l'hôtel. Il y a si longtemps qu'il est abandonné que ça fait peine à voir. Il enlaidit le village, et ici nous vivons du tourisme. En outre, Chaltén est dans un parc national et il est impossible de s'étendre de quelque côté que ce soit. Ce serait génial comme auberge municipale ou comme maison de la culture.

Il me regarda dans les yeux et, une fois encore, me mit une main sur l'épaule.

– Mais oublie ça. Maintenant que tu es apparu, et si tu es qui tu dis être, cet endroit t'appartient et nous n'allons pas te mettre des bâtons dans les roues.

J'acquiesçai. Sans trop savoir quoi répondre, je pris une bonne gorgée de whisky.

– Ce qui est important, c'est que tu fasses tous les papiers et règles la succession.

– Et que je comprenne pourquoi mon oncle a abandonné le Montgrí. Il y a sûrement quelqu'un qui se souvient de l'homme qui a construit le premier hôtel du village.

En entendant ça, Sosa claqua des doigts plusieurs fois et agita l'index en le pointant vers le haut, comme s'il venait d'avoir une idée.

– Je suis un désastre.

– Qu'est-ce qu'il y a ?

– Il y a que le Montgrí ne fut pas le premier hôtel de Chaltén. Bon, ce fut le premier hôtel-hôtel, mais avant même qu'il y eût un village, les Parcs nationaux avaient une auberge là où aujourd'hui fonctionne le centre d'information.

Je me rappelai la construction en pierre de deux étages devant laquelle nous étions passés en sortant du bourg.

– Je ne vous suis pas. Qu'est-ce que cela a à voir avec mon oncle ?

– Juanmi Alonso était un des réceptionnistes de l'auberge. Quand celle-ci était complète, c'est sûr qu'il envoyait des clients au Montgrí et vice versa. Il a obligatoirement connu ton oncle. Il travaille toujours pour les Parcs nationaux et habite à deux rues de ta cabane.

Je me mordis la langue pour ne pas demander à Sosa pourquoi il n'avait pas commencé par là.

– Je vais aller le voir.

– Tu devrais, mais en ce moment il n'est pas au village. Avant-hier je l'ai rencontré au supermarché où il m'a dit qu'il achetait des vivres parce qu'il allait réparer le pont du río Blanco, qui a été endommagé par les pluies que nous avons eues ces dernières semaines. Avec son ancienneté, il pourrait être le chef du parc, mais il fait partie de ces types qui se plaisent au milieu des bois.

– Vous savez quand il revient ?

– Aucune idée. Mais je le connais bien, et il ne reviendra pas avant d'avoir remis le pont en état. Pour les touristes qui n'ont pas le courage de traverser en sautant de pierre en pierre, le pont est l'unique passage pour aller à la Laguna de los Tres, l'une des balades les plus populaires du parc. C'est sûr, tu ne peux pas partir sans la faire.

Je souris.

– Effectivement, je ne peux pas, parce que la dernière volonté de mon oncle fut que ses cendres soient répandues là-bas.

– Ça n'a rien d'idiot. C'est un endroit magnifique.

– C'est loin ?

– Neuf, dix kilomètres. En quatre heures tu es là-bas.

– Quatre heures ?

– Ou cinq. Ça dépend de la vitesse à laquelle tu marches. C'est dur, mais le paysage est admirable.

– D'accord. Possible que j'y aille demain et qu'en passant je parle avec ce Juanmi Alonso.

– Non ! Demain, n'y pense même pas.

– Pourquoi ?

– Parce qu'il va y avoir du brouillard toute la journée, et aller à la Laguna de los Tres quand le temps est couvert, c'est comme aller au musée les yeux bandés. Ton oncle mérite que tu l'emmènes là-bas un jour ensoleillé.

J'acquiesçai en silence, me demandant s'il me donnait ce conseil avec une bonne intention, ou s'il essayait de diriger mes pas comme un chien en train d'aboyer derrière un troupeau de brebis.

– Que vas-tu faire avec l'hôtel ? demanda-t-il en reservant du whisky dans les gobelets. Je suppose que tu vas le mettre en vente.

– Je ne sais pas encore.

– Quelle alternative as-tu ? Tu vas rester vivre à un demi-monde de ta maison ?

– La vérité, c'est que ça m'arrange de passer un certain temps loin de Barcelone. En plus, mon boulot c'est de retaper les maisons, je pourrais donc restaurer l'hôtel moi-même.

– Je ne veux pas briser tes illusions, mais sais-tu qu'ici en hiver on ne peut pratiquement rien faire dans la construction ? Ne pense même pas faire du ciment parce qu'il gèle et casse. Pour avoir du matériel, là aussi c'est compliqué. Nous avons une quincaillerie avec les équipements de base, mais pour le gros œuvre, tu dois faire venir les matériaux de Calafate ou de Río Gallegos. Il y a même des gens qui commandent directement à Buenos

Aires. Et s'il neige trop fort, la route peut être coupée. Pour finir... ici, quand il fait froid, il fait très froid.

– D'accord. Alors je pourrais peut-être rester là cet hiver, faire ce que je peux, et dès le printemps continuer le reste.

– Écoute-moi un peu, Julián. As-tu une idée de combien peut valoir ce que tu as ?

– On m'a dit trois cent mille dollars.

Sosa éclata de rire.

– Qui t'a dit ça ?

– Le notaire de Barcelone.

– Ce type n'en a aucune idée.

– Il vaut moins ?

– Plus.

Je me redressai un peu, en faisant attention à ne pas glisser de nouveau.

– C'est normal. Sur les documents, l'hôtel construit sur le terrain n'est pas mentionné. Le notaire se référait au prix du terrain nu, je suppose.

– Même si c'était une terre pelée, elle vaudrait beaucoup plus que ça.

– Combien ?

– Ce que tu veux.

– C'est-à-dire ?

– C'est-à-dire que pour ce terrain tu peux demander ce que tu veux. Il n'existe pas, et probablement il n'existera jamais plus, un demi-hectare en vente à El Chaltén. Ce qui veut dire que si tu demandes un million de dollars, on va te le donner. Et si tu en demandes deux, au pire ça prendra un peu plus de temps, mais tu finiras par trouver quelqu'un avec beaucoup de fric qui les paiera.

En d'autres circonstances, j'aurais été convaincu que ce type se payait ma tête, mais il me disait ça avec un naturel qui me paraissait impossible à feindre.

D'après lui, j'étais devenu millionnaire en une nuit.

CHAPITRE 10

La camionnette de Sosa faisait des bonds sur la piste en mauvais état qui nous ramenait vers le bitume. Je devais leur donner raison, à lui et à son employée, marcher sur un glacier est inoubliable.

Je supposai qu'à ma place, la majorité des touristes consacrerait le trajet retour à commenter ce qu'ils venaient de voir ou à regarder les photos de l'excursion. Moi, par contre, je ne pouvais que penser à ce que m'avait dit Sosa une demi-heure auparavant.

Un million ? Deux ? Que fait-on quand on se retrouve d'un coup avec autant d'argent ? C'était comme gagner à plusieurs loteries en même temps.

– Tu as perdu ta langue ? me demanda Sosa.

– Non. Je réfléchissais.

– C'est beaucoup de fric, non ?

– Plus que beaucoup.

– Je peux te donner un conseil ? Renseigne-toi bien. Ce que tu as vaut beaucoup d'argent, mais les gens savent que tu n'es pas d'ici et que tu souhaites vendre rapidement pour rentrer chez toi. Ils vont chercher à te faire baisser le prix.

– Vous croyez qu'il y en aurait beaucoup à être intéressés ?

– Il y en aurait trop. Ce qui est plus difficile à trouver, c'est la personne qui a de quoi payer le vrai prix. Mais il y a beaucoup d'étrangers qui gardent en permanence un œil sur le village. Des gens qui ont beaucoup d'argent. C'est l'un d'entre eux que tu devrais rencontrer.

Je passai le reste du voyage à écouter les histoires de personnes qui étaient arrivées à El Chaltén dans les années 90 et qui, vingt ans plus tard, avaient vendu leurs terrains une somme suffisante pour s'acheter quatre ou cinq propriétés à Buenos Aires.

Nous nous quittâmes devant El Relincho. J'entrai dans mon chalet décidé à avaler tout ce que je pourrais trouver dans mon réfrigérateur, mais en voyant la lettre de menace sur la table, la fringale me quitta sur le champ. Bien sûr, la balade ne m'avait pas fait oublier ce bout de papier, mais elle avait au moins évité que je ne pense qu'à ça.

Je restai presque une heure assis face à la lettre posée sur la table. D'un côté, celui qui l'avait écrite se sentait très contrarié par mon arrivée à El Chaltén. D'un autre côté, ça ne paraissait pas lui poser de problème que j'hérite de l'hôtel, à condition que je le vende et m'en aille dans la foulée.

Bien qu'épuisé, je ne pouvais pas passer le reste de la journée dans la cabane sans que ma tête explose à force de trop penser. Je décidai de sortir prendre l'air.

Toujours assis sous le porche de l'hôtel Montgrí, je retrouvai l'homme qui m'avait salué le premier jour. Je levai la main et il en fit autant avec un geste aimable. Cependant, à peine avais-je posé un pied sur le terrain de l'hôtel qu'il abandonna sa chaise comme un automate et sortit de la protection de l'auvent pour me barrer le passage.

– Bonjour, dis-je en le voyant venir vers moi comme une locomotive.

À mi-chemin il s'arrêta, regarda le sol et frappa du pied comme quelqu'un qui écrase une araignée. Puis il continua jusqu'à moins d'un mètre de moi et m'observa de haut en bas. Bien que l'âge commençât à couvrir son visage de rides et à raréfier ses cheveux, il y avait quelque chose d'infantile dans son regard.

– Bonjour, répétai-je. Tu es Danilo ?

L'homme ne se sentit pas visé et continua de me scruter. J'allais à nouveau le questionner quand je remarquai que son visage se contorsionnait en un sourire auquel il manquait une incisive. Ses yeux se posèrent sur les miens, et de ce regard émanait un sentiment de paix.

– Tu es revenu ! s'exclama-t-il en m'étreignant. Je pensais ne jamais te revoir.

Avec ce geste et cette façon de parler, sa force excessive et son regard d'enfant prirent tout leur sens. Je compris pourquoi Sosa avait parlé de cet homme comme d'un gamin spécial du village.

Le commentaire de Danilo fit que pour la première fois j'envisageai que mon oncle Fernando et moi nous nous ressemblions physiquement. Je me demandai si je devais lui dire qu'il se trompait.

– Regarde comme je me suis bien occupé de la pelouse, dit-il en montrant le manteau d'herbe qui entourait l'hôtel et la maison à l'autre bout du terrain.

– Elle est magnifique, c'est vrai. C'est toi qui l'as coupée ?

– Oui, répondit-il avec fierté, se frappant la poitrine avec le poing sans lever les yeux du sol. Il regardait l'herbe comme s'il cherchait quelque chose.

– Merci beaucoup.

Pour toute réponse, Danilo émit un grognement et de nouveau frappa fortement le sol avec son pied. Puis il appuya avec sa semelle comme s'il éteignait un mégot.

– Les fourmis, dit-il. Elles sont très dangereuses.

Je me penchai pour observer l'herbe. Je finis par trouver une bestiole ; elle était noire, de taille moyenne, avec une allure de fourmi.

– Elle pique ? demandai-je en la pointant du doigt.

– Pire que ça. Bien pire.

Je me redressai et décidai de ne pas poursuivre sur ce sujet.

– Je te disais merci pour l'entretien du gazon.

Danilo fit claquer sa langue et me serra encore une fois dans ses bras. Après s'être écarté de moi, il laissa une de ses mains calleuses sur ma nuque.

– Si mon ami Fernando me demande de m'occuper de l'hôtel, je m'en occupe, dit-il en me regardant dans les yeux. Sa joie de me revoir semblait immense.

– Tu l'aimais beaucoup, Fernando ?

– Je l'aime beaucoup, corrigea-t-il en me donnant une claque sur l'épaule. Tu as des bonbons ?

– Non, je n'en ai pas, dis-je en palpant mes poches.

– Fernando me donnait toujours des bonbons, dit-il, déçu.

– Danilo, je ne suis pas Fernando.

– Et... non. Parce que Fernando me donnait des bonbons. Maintenant on ne donne plus de bonbons, tu sais ? L'autre jour j'en ai acheté tout un tas et j'ai voulu en offrir à un petit enfant sur la place, mais sa mère lui a dit qu'on ne devait pas parler aux étrangers et elle l'a emmené. Maintenant, le monde est plus laid qu'avant.

Et il avait bien raison. Moi aussi, quand j'étais petit, j'avais eu mon fournisseur de bonbons. C'était un homme en fauteuil roulant que nous appelions Don Quichotte, parce qu'il avait de longues moustaches et une barbe pointue. Je devais avoir sept ou huit ans, et mon meilleur ami à l'école se nommait Pau Roig. À cette époque, je considérais ce gamin comme mon frère, pourtant je ne l'ai pas revu depuis, et il ne m'a pas manqué. Don Quichotte rangeait son fauteuil à côté de la grille de la cour de l'école et nous regardait jouer pendant la récréation. Puis, juste avant que ne retentisse la cloche annonçant le retour en classe, il nous jetait discrètement une poignée de bonbons que Pau et moi récupérions comme s'il s'agissait d'un trésor.

– Moi aussi j'ai eu quelqu'un qui m'a donné des bonbons, dis-je. Mais aujourd'hui ce n'est plus possible ; il y a beaucoup de gens méchants.

– Fernando était très gentil. Quand nous construisions l'hôtel, il me donnait un taaaaas de bonbons, dit-il en faisant un geste ample avec les mains.

– Tu as aidé Fernando à construire cet hôtel ?

Danilo me regarda avec un mélange de surprise et de douleur, comme on regarde un ami qui vient de vous porter un coup bas.

– Tu ne te souviens pas ?

– Ça fait très longtemps, m'excusai-je. Rafraîchis-moi la mémoire. Toi, que faisais-tu ? Tu portais les pierres ? Tu coupais le bois ?

– Je chassais les fourmis.

– C'est vrai, dis-je en claquant des doigts. Tu chassais les fourmis.

– Les fourmis mangent le bois.

Ça, ce sont les termites, que je sache ; mais je considérai qu'il valait mieux ne pas le contredire.

– Tu as jeté un coup d'œil à l'intérieur, pour voir s'il y avait des fourmis ?

Ma question fit que les traits de son visage se durcirent.

– On ne peut pas entrer.

– Pourquoi ?

– Fernando a dit qu'on ne devait pas entrer, alors moi je surveille.

– Tu surveilles l'hôtel pour que personne n'entre ?

Danilo acquiesça avec orgueil.

– Ça fait combien de temps que tu montes la garde ?

– Ouuuuuh ! Très longtemps. Ici il n'y avait presque rien, dit-il en montrant les constructions basses et élégantes de l'autre côté de la rue, chacune avec sa pancarte d'hôtel, auberge, *lodge*, *bed and breakfast* et tous les synonymes qui existent pour un lieu où dormir.

– Merci pour ta surveillance, Danilo. Maintenant, après tout ce temps, je vais entrer.

– On ne peut pas entrer, insista-t-il en se plantant devant moi.

Je levai la main en signe de paix. Il était préférable de revenir quand il ne serait plus là.

– D'accord. Si on ne peut pas, on ne peut pas. C'est comme tu dis, Danilo.

Danilo hocha la tête. Je le quittai en lui tendant la main, qu'il serra avec la force d'une presse hydraulique.

De retour à son poste sous le porche, il tua une autre fourmi.

CHAPITRE 11

Le jour suivant, après avoir attendu le serrurier pendant trois heures, je reçus un message de Sosa m'informant que la voiture du gars avait rendu l'âme à mi-chemin et qu'une dépanneuse la remorquait pour la ramener à El Calafate. Le maire me disait de ne pas m'en faire, parce que ceux de la station-service en avaient trouvé un autre qui devrait être là dans deux jours. Je marchais de long en large devant le petit porche de ma cabane, le téléphone à la main, cherchant comment je pouvais dire à Sosa de manière plus ou moins diplomatique que, après avoir traversé la moitié de la planète, je ne pouvais pas attendre deux jours entiers qu'un type vienne pour ouvrir la porte avec un passe en cinq minutes.

Je m'arrêtai à côté du bidon en métal pour les grillades que m'avait laissé Macario. Je soulevai le couvercle. À l'intérieur, sur une grille couverte de graisse, je trouvai un sac de charbon de bois et une petite pelle en acier pour remuer les braises.

Je regardai autour de moi. Les deux cabanes de chaque côté de la mienne étaient fermées. La seule personne visible était une jeune touriste appuyée contre le mur extérieur de la réception, elle était plongée dans son téléphone. Sans me faire remarquer, je me dirigeai vers la rue, la pelle à la main.

Le long des deux cents mètres entre le Relincho et l'hôtel Montgrí, je croisai à peine une paire de touristes. À deux heures de l'après-midi, la majorité était encore en randonnée.

Je supposai que Danilo avait pris une pause pour aller déjeuner car sa chaise devant le porche était vide. Je fis le tour de la demi-parcelle, essayant de passer le plus inaperçu possible depuis la propriété de Sosa.

L'hôtel était rectangulaire. Un des petits murs, du côté opposé à l'entrée, était protégé par des saules. Je passai par-dessus la barrière faite de troncs et courus sur ma parcelle pour aller me réfugier derrière les arbres comme si j'étais un malfaiteur.

La façade arrière se révéla être un mur de pierre et ciment très solide avec une porte robuste et une petite fenêtre à côté. D'après les plans, les deux ouvertures donnaient sur le couloir qui distribuait les huit chambres. J'essayai de forcer la porte avec la pelle, mais elle était tellement coincée dans le cadre qu'il me fut impossible de trouver un espace où insérer la pelle pour faire levier.

Après plusieurs essais infructueux, je me focalisai sur la fenêtre. Elle était petite et haute, presque une lucarne. Il ne me fut pas difficile de trouver un trou entre le mur irrégulier et le volet en bois. J'y introduisis le manche en métal de la pelle et tirai. Les fixations en métal sortirent de leur logement avec un grincement qui me fit mal aux dents. Une fois le volet ouvert, je brisai la vitre et mis ma veste sur le cadre pour ne pas me couper. J'ai toujours vu faire ça dans les films.

Je suis lourd, grand et n'ai jamais aimé l'escalade. En clair, ça me coûta énormément d'escalader ce mur et de passer par la fenêtre. À l'intérieur, comme si elles m'attendaient, il y avait une lampe et surtout une table qui promettait de m'aider à descendre le mètre et demi qui me séparait du sol. La tête la première, les mains appuyées sur la table, je rampai jusqu'à n'avoir plus que les cous-de-pied accrochés au cadre de la fenêtre.

Ce ne fut ni élégant ni silencieux. Après avoir libéré un pied, la table bascula et je tombai au sol avec l'agilité d'un sac de patates.

Je me relevai entouré d'un nuage de poussière et avançai dans le long couloir en direction de la réception, laissant de chaque côté les portes fermées des chambres.

Plus je progressais et plus la faible lumière qui filtrait par la fenêtre cassée se faisait rare. Les empreintes de mes pas dans l'épaisse couche de poussière confirmaient les paroles de Danilo : personne n'était entré ici depuis très longtemps.

Au bout du couloir, je franchis la porte qui donnait sur une grande pièce faisant office de salle à manger et de réception. Les fins rais de lumière qui se coulaient entre les lattes desséchées des volets donnaient à l'ensemble un aspect sinistre. Je distinguai le comptoir de la réception et des fauteuils en cuir disposés autour d'une table basse sur laquelle reposaient une tasse et une cuillère. Si elles n'avaient pas été recouvertes de la même poussière que le reste du lieu, j'aurais dit que quelqu'un venait de prendre le thé assis dans un de ces fauteuils.

Les plafonds étaient bombés et auréolés de taches brunes. La vitre de l'une des grandes fenêtres avait volé en éclats. Cependant il n'y avait pas de différence d'épaisseur entre la couche de poussière sur les bouts de verre tranchants jonchant le sol et celle des meubles ; cette vitre avait été brisée à l'époque même de l'abandon de l'hôtel.

La capacité d'adaptation de l'être humain est impressionnante quand une grande quantité de fric est en jeu. Quelques jours avant je rénovais des appartements dans Barcelone et maintenant j'étais là, entrant dans le plus pur style *Mission Impossible* et analysant des bouts de verre comme dans les épisodes des *Experts* que je regardais quand j'étais adolescent.

La porte va-et-vient sur un côté de la réception m'amena à la cuisine, qui était entièrement dans le noir. En utilisant la lampe de mon téléphone, je découvris des surfaces en acier inoxydable, un four industriel et un énorme réfrigérateur.

Je revins sur mes pas jusqu'au couloir qui donnait sur les chambres. Il y avait quatre portes de chaque côté. Celles de droite avaient des numéros impairs et celles de gauche des numéros pairs.

J'ouvris la première. La lampe révéla un lit double recouvert d'un édredon grenat. Sur un côté il y avait une armoire vide. La deuxième chambre était la copie conforme de la première. Et la suivante aussi, mais dans celle-ci le lit n'était pas fait. À part ce détail, chaque pièce se révélait aussi sombre, poussiéreuse et vide que la précédente.

Quand j'ouvris la numéro sept, j'avais une idée de ce que j'allais trouver...

Mais je tombai sur un tableau très différent :

Sur le lit gisait un homme âgé, regardant le plafond.

– Bonjour, dis-je.

Pour toute réponse il émit un gémissement, ou peut-être un mot murmuré que je ne parvins pas à comprendre.

J'éclairai le reste de la chambre ; nous étions seuls.

– Bonjour, réessayai-je, mais cette fois je n'obtins aucune réponse.

Sans franchir le seuil de la chambre, je balayai le corps avec le faisceau de la lampe. Il était étendu sur les draps, habillé, ses souliers aux pieds. Les bras étaient deux fins bâtons recouverts d'une peau ridée. Même de loin, et malgré l'obscurité, je remarquai les pommettes saillantes et les yeux caves.

J'avançai d'un pas et il lâcha le même gémissement, qui cette fois me parut être une espèce de sifflement, comme s'il respirait difficilement.

Quand je fus près de lui, je pus voir son visage et découvrir que la peau était un cuir desséché, immobile, et qu'à la place des yeux il y avait deux trous noirs.

Ce visage n'était pas celui d'un homme très vieux, mais celui d'une personne morte depuis plusieurs années.

Je reculai et mon dos heurta une paroi. La porte de l'armoire ? J'allais me retourner pour vérifier, mais le gémissement retentit une nouvelle fois et je partis en courant à toute vitesse.

Je regagnai l'extrémité du couloir, grimpai sur la petite table et sortis par la fenêtre. Je ne me souciai pas de la laisser ouverte et qu'on me voie courir comme un fou. Ma seule préoccupation était de m'éloigner de cet endroit.

Je regardai une seule fois en arrière. Ce ne furent que deux ou trois secondes, mais elles me suffirent pour apercevoir une silhouette cachée derrière un arbre, en train de m'observer.

CHAPITRE 12

Je passai deux heures dans les locaux du petit détachement de police à l'entrée du village. Un officier, dix ans plus jeune que moi, recueillit ma déclaration pendant que son adjointe se rendait à l'hôtel pour vérifier que, effectivement, il y avait bien un cadavre à l'intérieur.

– C'est-à-dire que vous êtes entré dans l'hôtel sans autorisation ?

– J'en suis le propriétaire.

– Et il est à votre nom ?

– Pas encore, mais je suis l'unique héritier.

– Alors, vous avez pénétré dans une propriété privée qui ne vous appartient pas.

– C'est important maintenant qu'il y a un mort dedans ?

– Tout est important, monsieur Cucurell.

Quand la policière revint de l'hôtel, elle était pâle. Elle nous parla d'une voix posée, alternant le regard entre son collègue et moi.

– Aucun doute, il y a bien un cadavre. Ses vêtements sont tachés de sombre au niveau de l'abdomen. Ça ressemble à un homicide datant de plusieurs années.

Je ne me rappelais pas cette tache, mais il est vrai que je n'étais pas resté près du corps plus de trois nanosecondes.

– Monsieur Cucurell, poursuivit la policière, nous allons appeler nos collègues de la brigade criminelle. D'ici là, ne retournez pas dans l'hôtel sans notre autorisation.

– Pour ça, vous n'avez pas à vous inquiéter.

Je n'y serais pas revenu, même s'ils m'avaient promis que dans la chambre huit, la seule que ne n'avais pas visitée, m'attendait Scarlett Johansson.

– Pendant ce temps, nous allons monter la garde devant la porte pour éviter qu'un autre curieux n'entre.

– Je ne suis pas un curieux, je suis le propriétaire.

– Vous signez votre déclaration et vous pouvez partir, me dit le policier en me tendant les feuillets sur lesquels il avait tapé mon récit.

Je lus, signai et quittai ma chaise.

– Où pensez-vous aller maintenant ? me demanda la femme.

– Au Relincho. C'est là que je loge.

– Je vous accompagne.

– Ne vous dérangez pas, je connais le chemin.

– Ça ne me dérange pas. Je vais du même côté.

Elle rappela à son collègue d'appeler la brigade criminelle et nous quittâmes le détachement. Je marchais les mains dans les poches, l'air de l'après-midi me glaçait le visage.

– J'estime que dans cinq heures la Criminelle sera là. Dix heures au plus, m'annonça la policière.

– Ils viennent d'El Calafate ?

– S'ils ont le personnel et l'équipement nécessaire. Sinon de Gallegos.

– Río Gallegos n'est pas à cinq cents kilomètres ?

– Correct, répondit-elle, comme si à la place de « cinq cents » elle avait entendu « cinq ».

– Je suppose que ce n'est pas tous les jours que vous voyez ça dans un village aussi tranquille que celui-ci ?

– Si la Criminelle confirmait que cette personne a été assassinée, ce serait le premier homicide de Chaltén.

– Le premier de l'histoire du village ?

– Oui. Ici, le plus compliqué que nous ayons, ce sont des touristes ivres. Et il y en a peu, car les gens qui viennent ici aiment la vie saine, marcher dans la montagne, escalader, ce genre de choses.

Je vais certainement être récompensé. D'un moment à l'autre ils vont enlever le buste en bronze de la place centrale pour y mettre le mien.

Quand nous arrivâmes à l'hôtel Montgrí, la policière désigna la porte principale, à présent grande ouverte.

– Bon, je reste ici, dit-elle. Excusez pour les dégâts, j'ai dû ouvrir avec un pied-de-biche.

– Ne vous en faites pas.

Je passai le reste de l'après-midi étendu sur le lit en pensant à ce mort. Pour la énième fois, je fus incapable de trouver sur internet la moindre référence à l'Hôtel Montgrí ou à Fernando Cucurell. Je ne me souvenais pas de la dernière fois où j'avais expérimenté cette sensation quasi frustrante d'internet ne trouvant pas de réponse. Mais le Montgrí était fermé depuis trente ans, bien avant que nous partagions en ligne tous les moments importants – ou moins importants – de nos vies.

Je ressortis vers dix heures moins le quart du soir. Les deux petits supermarchés du bourg – « ne cherche pas le moins cher, ils appartiennent au même propriétaire », m'avait dit Macario – fermaient à dix heures et je n'avais rien à manger. Il y en avait un pratiquement en face de mon chalet, mais je décidai d'aller à l'autre, un peu plus éloigné, ce qui me donnait une excuse pour passer devant l'hôtel.

Une intense lumière sortait par la porte toujours ouverte. Personne ne montait la garde. Dans la rue était garée une fourgonnette blanche avec inscrit sur le côté « Police de Santa Cruz. Division Criminelle ». Le ronronnement ininterrompu du générateur électrique qui illuminait l'intérieur du Montgrí rompait le silence de la nuit.

Je remarquai que quelqu'un arrivait par l'autre bout de la rue et marchait vers l'hôtel d'un pas décidé. Je la reconnus lorsqu'elle s'arrêta devant la porte, son visage étant éclairé par la lumière qui venait de l'intérieur :

c'était Laura, l'employée de Rodolfo Sosa. Elle regarda de chaque côté, se pencha pour passer sous le ruban en plastique qui barrait l'entrée et pénétra dans l'hôtel.

Disposé à savoir ce que cette femme venait faire ici, à mon tour je franchis le ruban et pénétrai dans la réception. Je passai la tête dans le couloir qui menait aux chambres ; il était vide. Par la porte ouverte de la chambre sept sortait un puissant faisceau de lumière. Je décidai qu'il valait mieux aller me présenter sous un quelconque prétexte, mais avant de faire un pas j'entendis un homme élever la voix et vis deux ombres se projeter dans le couloir. Elles sortaient de la chambre. Sans réfléchir, je me cachai derrière le comptoir de la réception.

Je perçus des pas qui approchaient.

– En quelle langue veux-tu que je te le dise, Laura ? Tu ne peux pas être ici et tu le sais très bien. Que veux-tu, bordel ? dit un homme dont je ne reconnus pas la voix. Je calculai qu'il était à moins de cinq mètres de moi.

– Ce que je veux ? À ton avis ? répondit l'employée de Sosa.

– Laura, ce n'est pas un jeu. Je travaille.

– Je vois. Et apparemment...

Les voix s'éloignèrent en direction de la sortie. Je n'entendis pas la suite de la conversation, mais j'en compris très bien la fin car Laura cria les dernières phrases.

– Tu parles sérieusement ? Après tout ce que j'ai fait pour toi ? Va te faire foutre, Ricardo. Bien foutre.

Quelques secondes après, les pas du dénommé Ricardo revinrent faire grincer le sol en bois. Avant qu'il ne pénètre dans le couloir, je parvins à lire le mot *CRIMINALÍSTICA* écrit sur le dos de son blouson.

Je restai quelques minutes caché derrière le comptoir. Quand je sortis de l'hôtel, Laura avait disparu.

Je me hâtai vers le supermarché, mais je n'avais pas parcouru plus d'une cinquantaine de mètres lorsque quelqu'un cria mon nom derrière moi.

CHAPITRE 13

Quand je me retournai, je vis Rodolfo Sosa qui marchait vers moi avec un sourire qui, même sous la lumière ténue de l'éclairage public, me parut faux.

– Julián, comment ça va ?

– Bien. Enfin, aussi bien que ça peut aller après ça, dis-je en indiquant l'hôtel.

L'homme secoua la tête et me renvoya un sourire condescendant.

– Je te l'ai dit ou je ne te l'ai pas dit que tu ne devais pas entrer par la force ?

– Que sous-entendez-vous ? Que vous saviez qu'il y avait un mort à l'intérieur ?

– Non. Mais si tu avais attendu le serrurier et si tu étais entré avec moi, nous aurions pu faire la déclaration ensemble, discuter avec mes contacts à Río Gallegos et essayer que tout cela se fasse avec un maximum de discrétion. Garder le contrôle, en quelque sorte.

– Le contrôle ?

Sans que s'estompe son sourire, le maire lâcha un soupir aussi long que la journée que j'étais en train de vivre. Puis il indiqua dans son dos avec le pouce.

– Demain vont entrer par là tous les journalistes de la province. Et si nous manquons un tout petit peu de chance, la semaine qui vient c'est la presse nationale qui va s'entasser ici. Je crois t'avoir déjà précisé que nous vivons du tourisme. Un touriste assassiné dans un hôtel, ce n'est pas bon, même si ça date d'une trentaine d'années.

En revanche, pour moi c'était génial.

– Comment savez-vous qu'il s'agit d'un touriste ?

Sosa ferma les yeux et secoua la tête.

– Ce n'est pas ça l'important.

– En quoi ce n'est pas important ?

– C'est une information confidentielle. Ce qui compte, c'est qu'à El Chaltén, il y a des règles. La tranquillité et la paix, c'est ce qui nous fait manger. Tu ne peux pas débarquer et tout détruire comme un éléphant dans un magasin de porcelaine.

– Ne mélangez pas tout. Je n'ai rien à voir avec ce scandale. Et quoi qu'il en soit, cet hôtel allait rouvrir et le cadavre allait apparaître.

– Je te comprends, dit-il et, fidèle à son geste favori, il posa sa main sur mon épaule. Mais cette fois elle me parut plus lourde. Mets-toi à ma place. Je suis nerveux. Personne n'est entré dans cet hôtel depuis des années, toi tu entres et tu trouves ça.

– Êtes-vous sûr que personne n'est entré depuis des années ?

– Danilo s'en serait rendu compte et m'en aurait parlé. Il me raconte l'histoire de chaque fourmi qu'il tue.

– Il s'occupe de l'hôtel avec tellement de méfiance, vous ne trouvez pas ?

– Non, arrête, Julián. Il est impossible qu'il ait quoi que ce soit à voir avec tout ça. Le seul être que Danilo est capable de tuer, c'est une fourmi.

– Je ne l'accuse pas. J'aimerais juste comprendre pourquoi tant d'obstination à veiller sur cet hôtel.

– Comme je te l'ai déjà dit, je n'étais pas à Chaltén quand l'hôtel s'est construit ni quand il était en fonctionnement. Danilo dit que Fernando lui a demandé de le surveiller. D'après ce qu'on dit, ton oncle aimait beaucoup Danilo et Danilo aimait beaucoup ton oncle.

– À moi aussi il a dit ça.

Sosa soupira, comme si trouver les mots lui demandait beaucoup d'effort.

– Danilo est différent, finit-il par dire. Il a les facultés intellectuelles d'un enfant de huit ans. Dans une communauté comme la nôtre, on aide une telle personne.

– Bien sûr.

– Ce que je veux dire c'est que, bien que ce soit ton hôtel, tu dois comprendre qu'en trente ans personne n'a jamais dit une seule fois à Danilo qu'il ne pouvait pas s'asseoir sous le porche, tondre le gazon ou tuer les fourmis. Il t'a même peint les troncs de la clôture deux ou trois fois. La dernière fois, c'est moi-même qui lui ai fourni la peinture sur le compte de la municipalité.

Une autre faveur en pleine figure sans que je ne lui aie rien demandé.

– Tous les jours, il passe des heures sous ce porche, Julián. L'hôtel Montgrí, c'est sa vie et s'il n'avait pas été là, au cours de toutes ces années quelqu'un aurait forcé une fenêtre pour entrer et faire des siennes. Même si tu ne t'en rends pas compte, Danilo t'a fait une faveur.

– Je comprends. Mais, pourquoi me dites-vous ça ?

– Pour que tu ne le soupçonnes pas.

CHAPITRE 14

Trouver un mort te laisse peu de temps pour la paperasse. Par exemple, la visite à la municipalité que j'avais prévue pour lundi, j'ai fini par la faire mardi matin.

La mairie avait un aspect très différent de celui du samedi après-midi où Sosa l'avait discrètement ouverte pour moi. Pour commencer, il y avait plus de véhicules sur le parking. Sérieusement, dans un petit patelin comme celui-ci, les gens se déplaçaient en voiture ?

À la réception, une employée arrêta de discuter avec la personne dont elle s'occupait pour s'adresser à moi.

– Bonjour, en quoi puis-je vous aider ?

– Je m'appelle Julián Cucurell...

– Ah, oui. Vous venez voir Margarita ?

Génial. À présent, même la réceptionniste de la mairie connaissait le nom de l'Espagnol qui avait hérité l'hôtel Montgrí avec un cadavre à l'intérieur.

– Rodolfo m'a prévenue que vous passeriez certainement aujourd'hui, ajouta-t-elle en ouvrant une porte à côté de son bureau. Venez, entrez.

Le couloir, qui trois jours avant était plongé dans l'obscurité et la quiétude, était à présent baigné par une lumière d'hôpital et inondé de voix provenant des portes de chaque côté. Je distinguai un fragment de conversation sur le football et un autre sur la nourriture. Apparemment, le travail acharné est une caractéristique de la fonction publique qui transcende les frontières.

En passant devant le bureau de Sosa, je vis par la porte entrouverte qu'il était en conversation avec un homme. La fille me dit de continuer jusqu'au bout du couloir et m'indiqua un bureau où me reçut une femme entre deux âges, brune, avec un sourire impeccable.

– Margarita, voici Julián Cucurell.

– Sois le bienvenu, Julián ! Je t'attendais.

Elle s'adressait à moi comme si elle me connaissait. Je lui souris et m'assis dans une chaise de l'autre côté du bureau. La fille de la réception nous laissa seuls et ferma la porte.

– Je pense savoir pourquoi tu es là, mais c'est mieux si tu me racontes. En quoi puis-je t'être utile ?

– Voilà, je suis le nouveau propriétaire de l'hôtel Montgrí.

– Ça, nous le savons tous. Tu es célèbre dans le village.

– Ça me réjouit. J'ai toujours voulu savoir ce que ressent Joaquín Sabina quand il sort dans la rue.

Contre tout pronostic, Margarita rit de ma plaisanterie.

– Je viens te voir parce que Rodolfo Sosa m'a dit que tu pourrais peut-être me fournir un peu plus d'informations sur l'hôtel.

La femme sourit et posa la main sur un dossier parmi la dizaine posée sur son bureau.

– Là-dedans je t'ai imprimé tout ce que j'ai pu tirer de l'informatique. Il y en a sûrement plus dans les archives papier, mais trouver quelque chose ici prend beaucoup plus de temps.

Il y avait à peine deux feuillets dans le dossier.

– Je t'explique. Ce document s'appelle la fiche de commerce. C'est une espèce de carte d'identité avec des renseignements sur chaque commerce du village. Tu vois ? « Hôtel Montgrí. Propriétaire : Fernando Cucurell. Adresse : San Martín sans numéro, entre Huemul et Los Cóndores. Début d'activité : 1er septembre 1990. Fin d'activité : Non applicable. »

– Que signifie non applicable ? L'hôtel est abandonné depuis des années.

– Oui, mais le système le met ainsi parce que personne n'a demandé la fermeture et qu'il n'y a pas eu de cessation automatique pour dette fiscale. L'autre feuillet que je t'ai imprimé est le résumé du paiement des impôts. Il ne commence qu'en 2002 parce qu'il s'agit de l'époque à laquelle a été mis en place le système informatique de la mairie. Comme tu peux le voir, tous les impôts sont à jour. Religieusement, chaque année, nous recevons un virement.

L'ongle couleur lilas parcourut la colonne de droite, où était mentionné le montant correspondant à chaque exercice fiscal. Les chiffres croissants furent mon premier contact avec l'inflation galopante dont tout le monde parlait en Argentine. Chaque année, les impôts augmentaient de vingt à trente pour cent.

– Qui effectue ces paiements ?

La femme indiqua l'en-tête de la page, où je lus « Fernando Cucurell. Boîte postale 108. 9405. El Calafate, Santa Cruz. Argentina ».

Le système génère automatiquement la facture et nous l'envoyons au titulaire. Dans ce cas, où l'option facture électronique n'est pas sélectionnée, nous l'expédions par courrier postal.

– Voyons si je comprends bien. Tous les ans vous envoyez la facture à cette boîte postale au nom de mon oncle et quelqu'un paie les impôts de l'hôtel ?

– Exact. Le dernier paiement a eu lieu cette année, il y a deux mois.

Deux mois. Mon oncle était mort depuis quatre.

– Je suppose que vous ne pouvez pas me dire qui effectue ces paiements.

– Bien sûr que non, répondit-elle en croisant les bras. C'est une information confidentielle.

Avant même de finir sa phrase, elle souriait déjà en me faisant un clin d'œil. Puis elle retourna le deuxième feuillet, me montrant un *post-it* jaune avec un numéro très long écrit à la main.

– Merci.

– Pour l'instant, c'est tout ce que je peux faire pour t'aider. Si tu as besoin de plus d'informations, comme je te l'ai dit, il faudra que nous cherchions dans les archives physiques. Mais c'est un labyrinthe de cartons remplis de papiers d'où personne ne sort vivant.

Je remerciai Margarita et quittai son bureau avec le maigre dossier sous le bras. En repassant devant le bureau de Sosa, je trouvai la porte ouverte. L'homme avec lequel il discutait était parti. Le maire, penché sur son téléphone, ne remarqua ma présence que lorsque je fus à quelques centimètres de son bureau. Cela me surprit de le voir en chemise et cravate.

– Julián, je vois que tu t'es levé tôt. Comment ça va ?

Dans son sourire, il n'y avait aucune trace de l'entretien un peu tendu que nous avions eu la veille.

– Encore un peu secoué par hier.

– C'est bien normal. Comment ça s'est passé avec Margarita ? demanda-t-il en indiquant la chemise sous mon bras.

– Bien. Elle m'a donné des informations très utiles.

– Tant mieux. Maintenant, tu sais que nous sommes là pour t'aider.

CHAPITRE 15

Après le repas, voyant se profiler un après-midi vide, je décidai d'appliquer la devise qui me permettait de rester concentré :

– Les peines sont atténuées par l'exercice, prononçai-je à voix haute.

Sur recommandation de Macario, je grimpai au Mirador de Los Cóndores, d'où l'on pouvait apprécier la vue sur tout le village et la confluence des deux cours d'eau à ses pieds. Je fis les pompes avec la plus belle vue de ma vie. Sans le brouillard, j'aurais même pu voir le Fitz Roy.

À dix heures du soir, on frappa à la porte de ma cabane. J'ouvris, pensant qu'il s'agissait de Macario, mais je me retrouvai face à Laura, l'employée de Sosa et la première détractrice que j'avais gagnée à El Chaltén.

– Je peux entrer ?

– J'allais me coucher.

– Avec un tel feu, ce n'est pas prudent. C'est même dangereux, dit-elle en indiquant la cheminée. En plus, ce que je viens te dire est important.

Elle montra le sac en toile qu'elle portait pendu à son épaule, comme si cela signifiait quelque chose pour moi. Le truc fonctionna et je m'écartai pour la laisser entrer.

– Je crois que nous devons oublier notre conversation de l'autre jour, me dit-elle sur le ton pragmatique de celle qui récite ses tables de multiplication.

– Ça me paraît être une bonne idée. Rien de bon n'en sortira si nous recommençons, dis-je, et je lui tendis la main. Je m'appelle Julián Cucurell.

– Ça, je le sais déjà. Moi, c'est Laura Badía, répondit-elle en accompagnant ses paroles d'une solide poignée de main. Puis elle quitta son manteau, le suspendit près de la porte et s'assit sur une chaise.

– Badía, c'est un nom catalan.

– Ça aussi, je le savais. Je viens te demander une faveur.

– En ce moment, je suis plutôt pour en recevoir que pour en donner.

D'une poche de son pantalon, elle sortit une chevalière et la posa sur la table.

– Regarde-la bien. Tu la reconnais ?

C'était un anneau avec un sceau argenté représentant une tête de loup de profil, montrant les crocs. D'après le diamètre, il appartenait probablement à un homme. La précision dans les détails était impressionnante. On distinguait un pli sur le museau là où le loup retroussait les babines pour montrer des dents parfaitement définies malgré la très petite taille.

– Ça me parle, dis-je, mais je ne sais pas d'où.

– Du cadavre que tu as trouvé. Il portait une chevalière semblable à celle-ci.

– Non, ça ne peut pas venir de là. Quand j'ai vu le mort, je suis parti en courant. Je n'ai pas pris le temps de regarder ses doigts.

– Parfois, il suffit d'une fraction de seconde pour que le subconscient enregistre un détail.

Je haussai les épaules. Sur le subconscient j'en savais autant que ma mère en cuisine.

– Demain, ils vont t'informer que le cadavre que tu as découvert dans l'hôtel était là depuis à peu près une trentaine d'années.

– Trente ans ! Il ne devrait pas être pourri ?

– Dans quatre-vingt-dix pour cent des cas, oui. Mais avec des températures basses et une atmosphère sèche, la matière organique peut se momifier. Le corps se déshydrate peu à peu sans que les bactéries prolifèrent pour le décomposer.

Balèze, l'employée de Sosa. Chevaux, subconscient et momies. Qui était-elle ? La sœur argentine d'Indiana Jones ?

– Ils vont aussi t'informer que, en plus des lacérations sur une main et d'une coupure à l'aine, le corps présentait une blessure à l'abdomen et une autre au niveau des lombaires, qui probablement sont responsables de la mort. À cause de l'état avancé de momification, ils ne savent pas si ces deux blessures correspondent à l'entrée et à la sortie d'un projectile d'arme à feu ou bien à deux perforations distinctes provoquées par une arme blanche.

– Tu es policière ?

La femme eut un geste de dépit.

– Plus maintenant. Mais je l'ai été pendant douze ans.

À présent son altercation dans l'hôtel avec le type de la Criminelle prenait tout son sens.

– Voyons si je comprends bien. Tu es là pour me raconter ce que la police va me dire demain.

– Non. Je suis là pour te demander une faveur.

– Quelle faveur ?

– Quand la police aura terminé son travail, je veux entrer dans l'hôtel avant que tu ne touches à quoi que ce soit. J'ai besoin de voir où était le cadavre, que tu m'expliques dans quelle position tu l'as trouvé et que tu me racontes le moindre détail dont tu te souviens.

– J'ai vu ce corps durant moins d'une minute.

– Il reste toujours quelque chose dans la mémoire, me dit-elle en montrant l'anneau.

– Bon, dis-je en levant les mains. Pourquoi tu ne m'expliques pas qui tu es vraiment et ce que tu as à voir avec ce mort ? Ensuite je décide si je t'aide.

– C'est une longue histoire.

– J'ai tout mon temps.

Laura Badía sortit de son sac en toile une pile de feuilles attachées par une pince en métal doré. Elles venaient juste de sortir de l'imprimante. Elle les orienta vers moi, pour que je lise la seule ligne imprimée sur la première page.

« Meurtres sur le glacier ».

DEUXIÈME PARTIE

MEURTRES SUR LE GLACIER

CHAPITRE 16

L'embarcation, un petit Zodiac gonflable de cinq mètres, flotte sur le lac glacé. À côté du catamaran, maintenant sans touristes, il ressemble à un caneton nageant près de sa mère.

Notre plongeuse est engoncée dans une combinaison sous laquelle elle porte une épaisse couche de vêtements qui l'isole du froid. En bientôt trente ans à la préfecture navale argentine, c'est la cinquième fois qu'elle plonge sous la glace. Elle charge sur son dos l'équipement de plongée, connecte le tuyau et respire deux ou trois fois dans le régulateur pour contrôler que tout fonctionne correctement.

Elle croise le regard de son collègue, un plongeur qui, malgré vingt ans de moins qu'elle, a suffisamment d'expérience pour faire ce qu'ils ont à faire. Tous deux hochent la tête. Avant de se jeter à l'eau, ils observent la surface pour être sûrs qu'il n'y a aucun morceau de glace trop proche. En fait, ils sont à une cinquantaine de mètres d'un iceberg de la taille d'un camion. Dix camions pour la partie immergée.

Elle bascule en arrière. Elle sent l'eau sur ses joues, la seule partie de son corps à découvert, elle est si froide qu'elle fait mal.

Elle sort la tête de l'eau et voit son camarade flottant à deux mètres d'elle. Tous deux nagent vers l'iceberg comme s'ils approchaient d'une bête endormie.

Un morceau de glace qui se détache d'un glacier a une forme capricieuse et irrégulière. À mesure qu'il fond, cette forme change et fait que l'iceberg bascule. Et trois mille tonnes de glace pivotant d'un seul coup détruisent tout ce qui se trouve sur leur chemin.

Ils plongent. La visibilité est mauvaise, quatre mètres au maximum. Au loin, les protubérances arrondies de l'iceberg s'estompent dans une obscurité bleutée.

Ils explorent la glace mètre par mètre en l'éclairant avec leurs lampes. Il y a deux jours, une excursion avec des touristes sur ce même bateau qui les attend à présent vide, a découvert le corps congelé de Dieu sait qui emprisonné dans le front du glacier Viedma. Après trente-deux heures de surveillance ininterrompue de la préfecture navale argentine, le bloc avec le corps est tombé dans l'eau. Vingt-quatre heures de plus et il était assez loin du front du glacier pour que plonger à côté ne soit pas un suicide.

Ce bloc est celui que nos plongeurs parcourent.

Elle sent qu'on lui tire le bras. Son camarade a trouvé une tache rougeâtre qui semble s'intensifier vers le bas. Mauvaise nouvelle. Plus ils devront aller profond et plus ce sera risqué.

À quinze mètres de profondeur, ils arrivent à l'origine de la trace. Tout comme ils l'ont vu sur les photos, il y a un corps en position fœtale, portant des vêtements de trekking, incrusté dans la glace. Le plongeur ne peut s'empêcher de toucher le visage ; il est aussi dur que le reste de l'iceberg. Il fait partie de l'iceberg.

Elle regarde son camarade, qui hoche la tête et sort du sac accroché à sa ceinture, un burin et un marteau. Elle en fait autant et ils se mettent au travail. Leur objectif est de dégager le corps de la glace, comme on enlève la partie véreuse d'une pomme.

Le son voyage plus vite dans l'eau. C'est pour cela que notre plongeuse entend chaque coup de marteau sur le burin comme si les chocs provenaient de l'intérieur de son propre crâne.

Au terme de vingt et une minutes d'immersion, son camarade se frotte les épaules avec les mains opposées pour lui faire comprendre qu'il a froid. Elle aussi ne va pas attendre longtemps avant de commencer à trembler de froid. Elle hoche la tête et indique vers le haut avec son pouce. Il est temps de remonter.

Elle plante un crochet dans la glace et remplit d'air la bouée attachée à l'autre extrémité du câble. Le ballon rouge et allongé monte à la surface. Il servira à guider les plongeurs jusqu'au corps, à condition que l'iceberg ne bouge pas trop et finisse par l'arracher.

Quand ils remontent à bord du catamaran, l'équipe d'assistance leur offre un café bien chaud. Notre plongeuse préférerait une flasque de cognac pour boire une gorgée.

Une heure plus tard, la paire de plongeurs qui les avait relevés remonte et c'est au tour de notre plongeuse d'y retourner. D'après ce qu'ils disent, il reste peu de travail.

Elle et son camarade se remettent à l'eau. Ils descendent ensemble en suivant le filin vers le bas de l'iceberg. En arrivant au cadavre, ils constatent que leurs collègues ont fait un travail impeccable. Ils ont enlevé la glace autour du corps de manière à ce qu'il ne soit relié à l'iceberg que par le côté gauche. Il ne va pas leur falloir beaucoup de temps pour le libérer.

Chaque coup de marteau terrorise la plongeuse. Il est impossible de connaître la fragilité de l'équilibre qui fait que l'iceberg flotte dans cette position et pas dans une autre. Il est toujours risqué d'enlever un morceau.

Au bout de sept minutes, le corps se détache et remonte à la surface avec un gros morceau de glace collé sur un côté, comme un rocher défiant la gravité.

Les pires craintes de notre plongeuse se vérifient : l'iceberg cherche un nouvel équilibre et pivote. La saillie sous laquelle ils travaillaient les pousse maintenant vers les profondeurs, comme une énorme pelle remuant deux minuscules pierres. Ils ne peuvent rien faire. La glace va faire d'eux ce qu'elle veut. À mesure qu'elle les entraîne vers le bas, la plongeuse ressent une douleur aiguë dans les oreilles. Le changement de pression est trop brusque, mais les tympans perforés sont le moindre de ses soucis. Le plus important, c'est qu'elle risque de mourir.

Cependant, la rotation du bloc de glace s'arrête aussi brutalement qu'elle a commencé. L'iceberg a trouvé un nouvel équilibre. La plongeuse fait des signes à son camarade pour qu'ils se sortent de là le plus tôt possible, mais il l'attrape par le bras et lui montre la cavité qu'ils viennent de creuser. Sous quelques centimètres de glace, on distingue un autre visage humain.

Il n'y a pas qu'un mort dans l'iceberg.

CHAPITRE 17

Je feuilletai le brouillon de *Meurtres sur le glacier*. Laura Badía écrivait un livre. Un livre avec des photos horribles qui de temps en temps interrompaient la monotonie des mots. J'allai à la dernière page.

– Ça va me prendre un certain temps pour lire deux cent quatre-vingt-treize pages. En général, je suis de ceux qui préfèrent attendre la sortie du film.

– Je te fais un résumé. Il y a un an et demi, apparurent dans le glacier Viedma deux cadavres avec cette même chevalière. Ils étaient pris dans la glace, durs comme des pierres. Devine à combien de temps on estime leur mort.

– Trente ans ?

– Trente ans.

– Qui étaient-ils ?

– On ne le sait pas. La police n'a jamais pu les identifier. Ils sont toujours à la morgue de Río Gallegos.

– Donc, si je comprends bien, dis-je en appuyant l'index sur les feuilles imprimées, tu penses que le mort que j'ai trouvé dans l'hôtel est relié à ceux découverts congelés dans le glacier ?

– Exactement.

– Et tout ça à cause d'un anneau ?

– L'anneau confirme, mais il y a d'autres indices.

Laura chercha parmi les pages jusqu'à trouver une photographie où l'on voyait, étendus sur une table, pantalons, chemises et chaussures.

– Regarde. Ce sont les habits qu'avaient les cadavres trouvés dans le glacier. C'est le genre de vêtements que portaient les touristes dans les années 90 ;

des premières marques d'entreprises multinationales. Ton mort avait les mêmes vêtements.

Ton mort. Le terme ne me plaisait pas du tout.

– Et toi, qui es-tu ? Une scénariste des Experts ?

– J'ai été la criminologue de la police de Santa Cruz durant plusieurs années. Ensuite j'ai laissé tomber et je suis venue vivre ici.

– Bien sûr, et maintenant tu enquêtes sur les crimes pour ton propre compte, comme un hobby. Normal.

Laura secoua la tête.

– J'ai travaillé durant un temps comme consultante sur le cas des cadavres du glacier. Il n'a jamais été résolu parce que la police a des problèmes plus urgents que ces deux morts datant d'une trentaine d'années.

– J'avais cru comprendre que dans un coin comme celui-ci la police n'était pas débordée.

– Mais dans le reste de la province, elle l'est. Chaltén peut faire penser à la Suisse, tout comme Calafate, mais ce sont des exceptions. La réalité des autres localités de Santa Cruz, où il n'y a pas un flux constant de touristes qui paient en dollars, est très différente.

– J'ai compris. La police n'y a pas prêté plus d'attention.

– Le strict nécessaire, mais pas plus. Pour moi, par contre, ça s'est transformé en une sorte d'obsession. Il y a plus d'un an que j'ai commencé à écrire ça, même si par moments je pense qu'avec les informations que j'ai, ce livre générerait plus de questions que de réponses. Ou, du moins, c'était le cas jusqu'à présent. Avec ce que tu as découvert, ça change tout. Tu comprends ?

– Pas trop.

– Ces gens ont disparu il y a trente ans, autour de 1990. Cette année ne te rappelle rien ?

– Eh bien non.

– Sosa dit que quand il est arrivé, en 92, l'hôtel était déjà fermé.

– Oui, c'est ce qu'il m'a dit.

– Tu es allé à la mairie demander les papiers de l'hôtel ?

– Oui.

– Donc tu auras vu que le plan a été présenté en 1987.

Putain. Sûr qu'elle était au courant la nana.

– Un hôtel comme celui-là ne se bâtit pas en un jour, ajouta-t-elle. Supposons qu'ils aient mis une année pour le construire. Cela veut dire qu'il aurait ouvert, au plus tard, entre 1988 et 1991.

– Le début d'activité se situe en 1990.

– Encore plus précis. Entre 1990 et 1991.

Laura leva le menton, comme pour m'inviter à emboîter la dernière pièce du puzzle.

– Donc tu crois que mon oncle est lié à ces meurtres.

– Tout au moins, qu'il savait quelque chose. Il ne t'a jamais parlé de quoi que ce soit à propos de l'hôtel ou de Chaltén ?

Je secouai la tête. Je pris l'anneau sur la table et jouai avec. J'allai même jusqu'à l'essayer sur plusieurs de mes doigts ; c'est à l'index qu'il allait le mieux.

– Comment as-tu obtenu cela ? lui demandai-je.

– Quand j'ai compris que l'intérêt pour le cas allait en diminuant, j'ai commencé à envisager l'idée d'écrire un livre et j'ai fait fabriquer une copie en alpaca. Les originaux sont en argent.

Laura revint à son manuscrit et chercha les photographies des chevalières des victimes. Elles étaient identiques à celle que j'avais dans la main, sauf que pour les vraies l'argent avait noirci avec le temps alors que celle de Laura brillait de tout son éclat. Sur une des photographies, je vis qu'il y avait une inscription à l'intérieur des anneaux. J'ôtai le mien et la vis.

– *Lupus occidere uiuendo debet*, déchiffrai-je à voix haute.

– C'est du latin. Ça veut dire « Le loup doit tuer pour vivre ».

– Le loup doit tuer pour vivre, répétai-je.

– Que s'est-il passé avec ton oncle ? Comment est-il mort ?

– Je n'en sais rien. Nous n'avions pas beaucoup de relations.

– Mais quelqu'un dans ta famille a dû te raconter certaines choses.

Je n'acquiesçai ni ne niai. Je restai à la regarder, décidé, la prochaine fois que je verrai mon père, à exiger qu'il m'explique qui avait été Fernando Cucurell.

– Ce qui veut dire qu'il n'y a aucun doute sur le fait que le cadavre de l'hôtel est relié aux deux autres, qui sont morts congelés dans le glacier ? demandai-je.

– Ils ne sont pas morts congelés.

– Tu m'as dit qu'ils étaient durs comme la pierre.

– Ils étaient congelés, mais ils ne sont pas morts à cause de ça. Ils ont été assassinés.

CHAPITRE 18

Laura. Un an et demi plus tôt.

Cela fait un an que Laura Badía n'est pas entrée dans une morgue. La dernière fois, c'était pour l'autopsie de Julio Ortega. Après il arriva ce qu'il arriva et elle dut quitter la police. Résoudre le cas que la presse avait fini par nommer *Le collectionneur de flèches* lui avait coûté son poste.

Maintenant la carte qui pend à son cou indique « Consultante externe ». Elle n'est plus policière, mais elle continue d'être l'une des meilleures criminologues de Patagonie. Et c'est pour ça qu'ils l'ont appelée.

Le cadavre est sur la table d'autopsie de la morgue de Río Gallegos depuis quarante-huit heures, quand ils l'ont ramené de Chaltén. À première vue il n'a pas changé, bien que Laura sache qu'il n'est plus dur comme un poulet congelé. Quand les officiers de la préfecture l'avaient déposé sur la table en acier inoxydable, le corps avait sonné comme une statue de marbre.

– Nous commençons ? lui demande la légiste qui est la seule autre personne dans la morgue.

– Oui. Laissez-moi une seconde que je mette les gants.

– Ce n'est pas nécessaire. Je vous demande de vous limiter à une simple observation.

Laura acquiesce. Comme elle regrette le docteur Luis Guerra. Après l'avoir secondé sur des dizaines d'autopsies, cela lui paraît bizarre de se borner à regarder. Mais elle n'est plus policière, et la docteure Vargas n'est pas Guerra, pas plus que Río Gallegos n'est Puerto Deseado.

La doctoresse parle fort pour que ses paroles soient nettement enregistrées par le téléphone qui se trouve dans la poche de poitrine de sa blouse.

– Le défunt est arrivé à la morgue en état de congélation totale. Quarante-huit heures plus tard, je procède à l'autopsie. Le corps a été trouvé collé à un bloc de glace détaché du glacier Viedma, avec ses vêtements. Il présente une blessure à l'abdomen.

La docteure Vargas dénude le cadavre avec une extrême dextérité. À aucun moment elle n'a besoin d'aide.

Laura remarque l'orifice sur le ventre. Elle a vu trop de trous semblables pour les confondre avec autre chose. C'est une blessure par balle.

– Il a la chair de poule sur le torse et les extrémités, observe-t-elle.

– Correct. Le plus probable est que le projectile n'ait pas entraîné une mort instantanée et que la victime ait développé une hypothermie avant de mourir.

La docteure Vargas continue son travail de routine, examinant chaque recoin du corps.

– On a dû les tuer sur le glacier, estime Laura. Si on les avait abattus ailleurs, la glace autour d'eux n'aurait pas été imprégnée de tout ce sang, comme on peut le voir sur les photos.

La docteure Vargas la regarde par-dessus ses lunettes, comme si elle observait un oiseau rare. Peut-être est-elle en train de se rendre compte que Laura n'est pas ici pour entraver son travail.

Après en avoir fini avec le premier cadavre, la docteure lui demande de l'aider à le remettre dans la chambre froide puis, une fois la table d'autopsie nettoyée, elles sortent le second. Pour celui-ci la conclusion est différente : mort consécutive à un traumatisme crânien.

– Je suis d'accord avec vous, mademoiselle Badía, dit la légiste quand elle a terminé la seconde autopsie.

– À quel propos ?

– Sur le fait que les cadavres n'ont pas été amenés sur le glacier. Ils présentent peu de blessures mis à part les fatales. Je dirais qu'ils sont venus par leurs propres moyens jusqu'à l'endroit où ils ont été assassinés.

CHAPITRE 19

Après avoir servi une tasse de camomille à Laura, je recommençai à feuilleter les pages qu'elle m'avait apportées.

– Si je comprends bien, dis-je, deux cadavres tués par balle ont fait surface dans un glacier.

– Un par balle, l'autre, le crâne défoncé.

– Se pourrait-il que l'un des deux ait assassiné l'autre, puis se soit suicidé ?

– On ne peut pas écarter cette hypothèse, mais c'est peu probable. L'analyse toxicologique faite après l'autopsie a révélé que tous deux avaient ingéré du diazépam, un sédatif très connu, autant à cette époque que maintenant. Ce qui est intéressant, c'est que le sédatif était dans le sang, mais aussi dans l'estomac des deux victimes. Ce qui veut dire qu'ils l'ont avalé peu de temps avant de mourir.

– Peut-être que quelqu'un les a amenés drogués sur le glacier pour les tuer.

Laura me sourit presque tendrement.

– Tout ce que je dis, tu y as pensé mille fois, non ?

– Je ne sais pas si j'ai pensé à tout, mais j'ai un an et demi d'avance sur toi. En général, quand il y a des homicides multiples, les victimes ont l'habitude de mourir de la même cause. Si c'est par armes à feu, toutes par armes à feu. Si ce sont des coups de couteau, toutes avec des coups de couteau. Quand tu étudies les archives, tu te rends compte qu'il est difficile de trouver des doubles meurtres où il y a un mort par balle et un autre avec un coup sur la tête. Ce n'est pas impossible, mais ce serait une anomalie statistique.

– Ils ont quelques précisions concernant le projectile?

– Un calibre 44. Probablement tiré par une winchester.

En entendant cela, je frissonnai.

– Sosa possède une winchester.

Laura acquiesça.

– Comme la moitié des chasseurs de Patagonie. La winchester 1892 est l'une des carabines les plus communes parmi les familles installées dans la région depuis plusieurs générations. Avant, il n'était pas nécessaire d'avoir une autorisation pour détenir une arme, et toutes les familles vivant dans la campagne possédaient au moins un fusil. C'était indispensable pour chasser les guanacos et faire fuir les pumas. Avec le temps, la loi est devenue plus stricte et il a fallu déclarer ces armes, mais tout le monde ne l'a pas fait. Il reste un grand nombre de carabines non enregistrées en Patagonie. Et, avant que tu ne me le demandes, celle de Sosa a bien ses papiers.

J'acquiesçai, réprimant l'envie de continuer à élaborer des théories. Mais proposer à Laura une hypothèse sur les meurtres du glacier, c'était comme suggérer à Messi comment tirer un pénalty.

– Incroyable, dis-je. Et ils sont restés congelés trente ans ? Je croyais que dans la glace on ne trouvait que des cavernicoles préhistoriques.

Laura secoua la tête.

– Tu as du sucre en poudre ?

J'indiquai le sucrier sur la table.

– Il m'en faut un peu plus.

– Bon, puisque tu aimes la camomille bien sucrée, dis-je en sortant du buffet de la cuisine un paquet d'un kilo.

Laura me demanda une tasse et la remplit à ras bord de sucre.

– Après l'Antarctique et le Groenland, le champ de glace de Patagonie est la troisième plus grande masse congelée du monde. Imagine, le sucre dans la tasse, c'est de la glace. Elle n'a aucun moyen de s'échapper. Elle est là, immobile, depuis les dernières glaciations. Mais le fait est que tous les hivers il neige.

Laura versa un peu plus de sucre et un fin filet blanc déborda sur un côté de la tasse.

– Ceci est un glacier. Un fleuve de glace qui avance constamment à mesure qu'il neige dans la montagne.

– Mais on m'a dit que le glacier Viedma reculait.

– C'est une image. En réalité il se rompt plus vite qu'il n'avance, c'est pour ça que chaque année le front est toujours plus en arrière. Mais si tu plantes un petit drapeau dans la glace, tous les jours tu vas le voir avancer. Un glacier ne peut qu'avancer ou fondre, mais en aucun cas reculer. Le front du glacier que tu vois aujourd'hui, c'est la neige qui est tombée dans les montagnes quand Colomb arrivait en Amérique.

– Alors comment peut-on trouver les corps de deux touristes morts il y a trente ans dans de la glace qui en a cinq cents ?

– Non, non. Cinq cents ans, c'est le temps que met la neige tombée là où naît le glacier pour parcourir les soixante kilomètres jusqu'au lac. Mais personne ne dit que ces corps viennent de là-haut. Le glacier, c'est comme un entonnoir, il rétrécit à mesure qu'il avance. Pour que passe la même quantité de glace dans un endroit plus étroit, la seule solution, c'est d'aller plus vite. Près du front, le Viedma avance entre un et deux mètres par jour.

– C'est-à-dire qu'il y a une trentaine d'années deux touristes sont allés se balader sur le Viedma où on les a assassinés. Ensuite leurs corps sont restés dans la glace jusqu'à ce qu'ils soient recrachés par le glacier l'année dernière.

– C'est du moins l'histoire que raconte le glacier.

– Que veux-tu dire ?

– Que nous ne savons pas ce que nous ne savons pas. Il peut y avoir trois autres morts dans le Viedma. L'arme, et même l'assassin, peuvent être là-bas. Il peut aussi rester d'autres indices toujours retenus par le glacier ou qui se sont détachés des années avant ces cadavres. La glace avance à la vitesse qu'elle veut et des morceaux se détachent de jour comme de nuit, avec ou sans public. C'est quasiment un miracle qu'il y ait eu un bateau avec des touristes en face juste au moment où un bloc de glace s'est détaché, révélant le premier corps. Six heures avant, ou six heures après, et personne n'aurait rien vu.

Mon cerveau travaillait à toute vitesse. Tuer trois personnes aurait pu être un motif suffisant pour abandonner définitivement un hôtel que l'on vient de construire.

– Pourquoi n'a-t-on jamais pu identifier ces cadavres ?

– Parce qu'il n'y a pas grand-chose dont on soit sûr. Deux hommes d'environ trente ans morts entre 1987 et 1992.

– Il n'y a pas de base de données des personnes disparues ?

Laura hocha la tête et but un peu de camomille.

– La Police fédérale en a une, mais il n'y a pas de correspondances. Si l'un des deux avait été dans la base, ils l'auraient identifié. Les corps sont dans un excellent état de conservation et on a pu recueillir tout un tas d'informations : ADN, couleur des cheveux, des yeux, profils dentaires, cicatrices, empreintes digitales, etc.

– On peut prendre les empreintes digitales de quelqu'un mort il y a trente ans ?

– S'il est aussi bien conservé que ceux du glacier, oui. Et s'il est momifié comme le tien, c'est également possible.

– Ce n'est pas le mien.

– Bon, tu comprends ce que je veux dire. Le processus de réhydratation est assez simple. Au mieux, nous avons de la chance et on va pouvoir l'identifier. Quant aux deux autres, personne n'a signalé leur disparition.

– C'est bizarre, non ?

– Extrêmement. S'il s'agissait d'une seule personne, il serait possible qu'elle n'ait pas de famille. Mais ils sont deux et n'ont aucun lien de parenté. Il paraît impossible qu'aucune des deux familles n'ait signalé la disparition. S'ils sont Argentins, il devrait y avoir au moins une plainte datant de cette époque à la Police fédérale. Et s'ils étaient étrangers, le ministère des Affaires étrangères aurait reçu la réclamation par l'intermédiaire d'une ambassade.

Je restai silencieux, passant en revue toutes ces informations. Laura remit le sucre dans le paquet.

– J'en suis là dans mon manuscrit, conclut-elle après un instant. Je pensais que, s'il devait se présenter une nouvelle piste, la glace allait nous la fournir. Jamais je n'aurais imaginé qu'un Espagnol, héritier de l'hôtel abandonné à côté duquel je travaille, allait me l'apporter.

Elle se leva et ramena le paquet de sucre dans le buffet de la cuisine puis décrocha son blouson du porte-manteau. Je remarquai que son regard restait sur la lettre de menace que j'avais laissée sur une étagère.

En deux enjambées, j'étais à côté pour la récupérer, mais elle me devança.

– C'est quoi, ça ? demanda-t-elle en lisant la lettre. Quand l'as-tu reçue ?

– Ça fait trois jours. Quelques heures après notre discussion.

– C'est-à-dire, avant que tu trouves le cadavre.

– Oui.

– « Vendez l'hôtel et allez profiter de l'argent ailleurs. Vous n'êtes pas le bienvenu à El Chaltén», lut-elle à voix haute. Pourquoi ne m'as-tu rien dit ?

– Je te connais à peine, et tu conviendras avec moi que ça n'a pas très bien commencé entre nous. En plus, tu étais la seule personne qui savait qui j'étais et pourquoi j'étais là.

– À quelle heure l'as-tu reçue ?

– Vers six ou sept heures de l'après-midi, quand Sosa est venu me voir. C'est lui qui me l'a donnée. Il m'a dit qu'il l'avait trouvée sous ma porte.

Laura secoua la tête et ferma les yeux.

– Quand tu as reçu la lettre, la moitié du village savait déjà qui tu étais.

– Quoi ?

– Ce matin-là, quand Sosa est venu chez toi, je lui ai dit que tu étais passé. C'était un samedi, et tous les samedis il déjeune avec son groupe d'amis. Ils sont environ une dizaine. N'aie pas de doute sur ce qu'il leur a raconté durant le repas.

– Tu y étais ?

Laura me sourit.

– Non, mais je connais mon chef. C'est un bon gars, mais la discrétion n'est pas son fort. C'est impossible qu'il ait gardé la bouche fermée. Et, dans un petit village comme celui-ci, une nouvelle aussi importante que l'apparition du propriétaire de l'unique hôtel abandonné voyage à la vitesse de la lumière. À sept heures du soir, la plupart des gens savaient qui tu étais.

– Mince.

– Qui que soit la personne qui a écrit cette lettre, c'est quelqu'un qui, trente ans après, ne veut toujours pas que la vérité soit connue.

– Ou alors, tout le contraire.

– Que veux-tu dire ?

– J'ai tourné et retourné cette menace dans ma tête pendant des heures. Ça ne te paraît pas un peu naïf ? C'est comme un joueur de poker qui laisse voir une carte pour induire en erreur. Ne m'a-t-on pas laissé ce mot, précisément, pour me pousser à chercher la vérité ?

– C'est un raisonnement un peu tiré par les cheveux.

– Peut-être. En tous cas, je n'envisage pas de faire ou de ne pas faire à cause d'une lettre anonyme. Je veux savoir qui était mon oncle.

Laura fronça les sourcils devant mes paroles.

– À quoi fais-tu allusion ?

J'hésitai à tout lui raconter. Je ne la connaissais absolument pas, mais le manuscrit qu'elle m'avait apporté représentait des mois, si ce n'est des années de travail. En cela, au moins, elle ne me mentait pas : elle enquêtait sur les meurtres du glacier.

– Je ne savais pas que mon père avait un frère avant que l'on ne m'appelle pour me dire que Fernando était mort et que j'étais son héritier.

Évidemment, Laura ne se contenta pas de cette phrase et me posa tout un tas de questions. Je lui racontai le peu que je savais : où, comment et quand était mort Fernando Cucurell, sa dernière volonté concernant ses cendres et aussi que mon père ne savait rien de lui depuis quarante ans.

– Il faudra beaucoup plus de menaces pour que je parte d'ici sans savoir qui était mon oncle et surtout, pourquoi il a abandonné l'hôtel il y a trente ans. En attendant, je vais continuer de chercher, et si ça t'arrange pour ton livre, ton aide sera la bienvenue.

Laura m'observa durant un instant avec une expression de contrariété dans le regard, comme si elle ne pouvait pas se décider à me dire ou pas ce qu'elle pensait.

– Qu'y a-t-il ? demandai-je.

– Je vais te parler franchement, parce que je ne supporte pas le mensonge.

– Ça, je l'ai compris dès le jour où nous nous sommes rencontrés.

– Vois-tu, Julián, je suis une personne très tenace. Trop, parfois. Il se peut que, si je continue mes investigations sur ces meurtres, le résultat ne te plaise pas.

– Tu veux dire que mon oncle pourrait être celui qui a tué ces trois touristes.

– Oui.

– C'était mon oncle, mais il ne faisait pas partie de ma famille. Comme je te l'ai dit, mon père et lui ont cessé de se parler avant ma naissance. C'est-à-dire, plusieurs années avant ces meurtres. Si nous découvrons que Fernando Cucurell était un monstre, ça ne me fait ni chaud ni froid.

Sans détacher le regard de la lettre, Laura revint s'asseoir.

– À la municipalité, ils t'ont fourni d'autres renseignements à propos de l'histoire de l'hôtel, mise à part la date d'autorisation d'ouverture ?

J'acquiesçai et dépliai sur la table la photocopie du plan et le récapitulatif des impôts payés.

– La femme de la mairie, Margarita, m'a aussi donné ça, dis-je en montrant le *post-it* collé au dos de l'une des feuilles. Je suppose que c'est un compte bancaire.

Laura examina les chiffres écrits à la main.

– Oui, c'est une CBU, une Clé Bancaire Unifiée. Les trois premiers chiffres indiquent la banque et les quatre qui suivent, la succursale.

Elle sortit son téléphone et tapa les numéros.

– 0, 8, 6 : Banque Santa Cruz. 9, 4, 0, 5 : Succursale El Calafate.

– La municipalité envoie les factures à une boîte postale située à El Calafate, observai-je. Il faut que je vérifie à qui appartient ce compte. Y a-t-il une Banque Santa Cruz à El Chaltén ?

– C'est la seule que nous ayons, rit Laura. Elle est à l'entrée du village.

– Demain dès l'ouverture, j'irai poser la question. Mais je ne pense pas qu'ils puissent me donner cette information.

– Elle est ouverte vingt-quatre heures sur vingt-quatre.

– Une banque ouverte vingt-quatre heures !

– Ce n'est pas une banque, mais un distributeur automatique de billets. La banque à proprement parler est à Calafate.

– Il faut faire deux cents kilomètres pour parler à quelqu'un ?

– Deux cent vingt. Et pas seulement pour la banque, mais aussi pour l'hôpital, pour le notaire... Pour presque tout. Bienvenue à El Chaltén. Elle se leva et ouvrit la porte.

– Où vas-tu ?

– À la banque. Tu viens ?

– Maintenant ? Deux cents kilomètres ?

– Bien sûr, s'amusa-t-elle.

– Nous allons arriver à l'aube, ils ne seront pas ouverts.

– Suis-moi et pose moins de questions.

Nous traversâmes le bourg. Quand nous arrivâmes au bout de la rue principale, là où le petit détachement de police surveillait l'unique accès à El Chaltén et où la rue se transformait en route, Laura éclata de rire.

– Que t'arrive-t-il ?

– Tu as cru que nous allions à Calafate ?

– Tu m'as menti ? Alors pourquoi m'as-tu amené ici ?

Elle désigna une petite construction carrée qui ressemblait à un container de transport maritime, mais avec des fenêtres. L'enseigne lumineuse installée dessus indiquait « Banco Santa Cruz ». Le logo, bien évidemment, était le fameux Fitz Roy, que je n'avais toujours pas pu voir.

Nous pénétrâmes dans le petit habitacle, semblable au local de n'importe quel distributeur automatique dans Barcelone, si ce n'est que le guichet, habituellement de l'autre côté du mur, se trouvait à plus de deux cents kilomètres.

– Les lundis, mercredis et vendredis un employé vient de Calafate pour remettre des billets, dit Laura en s'approchant de l'un des deux distributeurs.

Elle sélectionna sur l'écran l'option « Opération sans carte » puis « Dépôt en espèces ». La machine lui demanda d'entrer la CBU. Après avoir tapé les chiffres du *post-it*, l'écran afficha un message qu'elle lut à voix haute :

– Vérifiez que les données du compte sur lequel vous désirez faire un dépôt sont correctes. Titulaire : Étude González-Ackerman SARL. Compte courant en pesos.

Laura appuya sur la touche « annuler » et s'activa sur son téléphone.

– D'après ce que je vois, González-Ackerman est un cabinet d'avocats de Calafate.

– Ce qui signifie que durant toutes ces années, ils ont payé les impôts de l'hôtel ?

– Apparemment.

CHAPITRE 20

Le bus dans lequel j'étais monté à El Chaltén vers huit heures du matin arriva à El Calafate à onze heures moins le quart. L'étude González-Ackerman était en centre-ville, à quinze minutes à pied du terminal. Je décidai de marcher pour passer le temps jusqu'à onze heures trente, l'heure de mon rendez-vous.

Comparé à El Chaltén, El Calafate faisait plus ville. Dans la rue principale cohabitaient des bars, un casino, des agences proposant des excursions vers différents glaciers, des banques, des boutiques de souvenirs et des restaurants avec des fenêtres qui laissaient voir des agneaux entiers en train de rôtir au feu de bois. Les touristes aussi n'étaient pas les mêmes. Plus âgés et plus enrobés qu'à El Chaltén. Je supposai que c'était la différence entre devoir marcher des heures pour voir quelque chose et pouvoir y aller en voiture. Il semblait que Sosa avait raison quand il disait que le Perito Moreno était un glacier plus populaire.

Quand ce fut l'heure, je pris la direction de l'étude González-Ackerman. C'était une élégante maison en rondins dans une rue tranquille, principalement résidentielle, à deux cents mètres de la rue principale.

– Bonjour, me salua un homme de mon âge assis derrière un bureau.

– Bonjour, j'ai rendez-vous à onze heures et demie. Je suis Julián Cucurell.

– Si vous voulez bien me suivre, monsieur Cucurell. Maître Ackerman vous attend.

Le secrétaire m'amena par un petit couloir jusqu'à une porte où il frappa trois petits coups et ouvrit sans attendre de réponse.

– Maître, monsieur Cucurell.

L'avocate se leva et fit le tour du bureau pour venir me saluer. Elle avait une bonne cinquantaine, les cheveux teints en blond et la peau trop bronzée pour quelqu'un vivant dans un endroit connu pour son climat froid. Elle était mince, les pommettes saillantes et des rides autour de la bouche. Elle dégageait une forte odeur, mélange de parfum coûteux et de tabac.

– Merci, Marcello, dit-elle à son employé. Et elle me serra la main. Bienvenue en Patagonie, monsieur Cucurell. Prenez un siège, s'il vous plaît.

– Merci.

Je m'assis dans un fauteuil en cuir qui coûtait plus cher que l'ensemble des meubles de mon salon.

– D'après ce que m'a dit Marcello, vous êtes le nouveau propriétaire de l'hôtel Montgrí à Chaltén, c'est ça ?

– Exact. J'en ai hérité il y a peu, suite au décès de Fernando Cucurell. Je suis son neveu.

– Toutes mes condoléances pour cette perte familiale.

– Merci.

– En quoi pouvons-nous vous aider ?

– J'ai appris que votre étude payait les impôts de l'hôtel depuis de nombreuses années.

– Qui vous a dit ça ?

– Quelle importance ? dis-je en posant une copie du testament sur le bureau.

La femme prit quelques secondes pour feuilleter le document.

– J'ai besoin de savoir d'où vient l'argent avec lequel vous payez ces impôts.

L'avocate nia avec un sourire identique à celui que je présente à un démarcheur d'ONG pour lui faire

113

comprendre que c'est non avant qu'il ait le temps d'ouvrir la bouche.

– Je le regrette, mais je ne peux pas vous aider, monsieur Cucurell.

– Que voulez-vous dire ?

– Que même si cette photocopie, avec une certification qui n'a aucune valeur dans mon pays, est la reproduction fidèle d'un original en votre possession, je ne suis pas obligée de vous fournir quelque information que ce soit.

– Mais Fernando Cucurell était un de vos clients, n'est-ce pas ? C'est vous qui payez les impôts.

– C'est vous qui le dites. Je ne le confirme ni ne l'infirme.

– C'est ridicule. Mon oncle est mort et la seule information que je veux avoir, c'est d'où vient l'argent.

Elle haussa les épaules. J'allais tirer plus d'informations des cendres de mon oncle que de cette avocate.

– Pourquoi ne voulez-vous pas m'aider ?

– Qu'est-ce qui vous fait penser que je ne veux pas ? Vouloir est une chose, pouvoir en est une autre. Je ne peux pas révéler une information confidentielle, monsieur Cucurell. Vous aimeriez que votre avocat soit à ma place en train de divulguer des renseignements privés vous concernant ?

– Si j'étais mort, cela me serait égal.

L'avocate scella sa bouche avec un sourire pincé et je sus qu'elle n'allait plus la rouvrir. Je me levai et sortis du bureau en réprimant l'envie de claquer la porte.

CHAPITRE 21

À sept heures du soir, Laura et moi frappions à la porte de la plus grande des habitations du demi-hectare jouxtant l'hôtel Montgrí. Rodolfo Sosa nous ouvrit en manches de chemise, un maté à la main.

– Les deux en même temps ? Ça ne peut pas être une bonne nouvelle, dit-il en nous invitant à entrer.

L'intérieur était rustique et élégant à la fois. La charpente, faite de grosses poutres, restait visible et s'accordait parfaitement avec les murs de brique. Ma mère aurait approuvé.

– Je vous sers quelque chose ? Maté ? Café ?

– Si tu as préparé du maté, j'en prends un avec toi, répondit Laura.

– Moi aussi, dis-je, sans révéler que je n'avais jamais goûté à cette boisson que les Argentins semblaient vénérer. Tous deux me regardèrent, surpris, mais ne firent aucun commentaire.

Nous nous assîmes autour de la table de la cuisine. Par la fenêtre, une petite montagne se découpait sur un ciel de nuages pourpres.

– Quelle belle vue pour laver les assiettes, dis-je pour rompre la glace.

– Tu ne te lasses jamais d'un tel paysage, répondit le maire en tendant le maté à Laura. Tous les jours c'est différent. Et tu ne sais pas ce que c'est quand il n'y a pas de nuages. Derrière ce mont, il y a le Fitz Roy.

Il ne fallut que quelques secondes à Laura pour boire l'infusion et la repasser à Sosa avant de parler.

– Rodolfo, tu imagines pourquoi nous sommes ici, dit-elle.

– Pas besoin d'être un génie.

– Jusqu'à présent, nous n'avions pas fait le rapprochement entre la fermeture de l'hôtel Montgrí et les meurtres du glacier. Mais avec la découverte d'un corps portant une bague semblable à celles des deux autres, la relation coule de source.

– Jusque-là je te suis. Mais en quoi suis-je concerné ?

– Si nous pouvions consulter les archives municipales, peut-être pourrions-nous trouver quelque indice nous permettant de comprendre pourquoi Fernando Cucurell a ouvert l'hôtel seulement une saison. Au mieux, ça nous aiderait à avancer sur le cas.

Sosa nia de la tête, comme si ce n'était pas la première fois qu'on lui faisait cette demande.

– Laura, tu sais très bien que ces archives sont confidentielles. Il y a là les transactions, les dettes, les copies des actes notariés... Les ouvrir, c'est comme révéler l'historique médical d'une personne, sauf que, dans ce cas, il s'agit d'un village entier. Si c'est la police qui me le demande avec une ordonnance judiciaire, je n'aurais pas d'autre choix. Mais je ne peux pas les ouvrir à des civils.

Je remarquai que la mâchoire de Laura se contractait.

– Rodolfo, tu imagines l'intérêt que la police va porter à un nouveau meurtre vieux de trente ans. Zéro. Comme pour les deux précédents.

Sosa ouvrit la bouche pour lui répondre, puis il me regarda, aspira une gorgée de maté et parla.

– Tu sais pourquoi je t'ai embauchée, Laura ?

– Parce que je suis responsable, j'apprends vite et je travaille bien.

– Tout ça est vrai, mais je ne l'ai su qu'après. En grande partie, je t'ai embauchée pour te changer les idées, pour que tu laisses en paix tous ces meurtres.

– Tu parles sérieusement ? Tu ne peux pas balayer sous le tapis tout ce qui te dérange, Rodolfo. Il est important de connaître la vérité sur un homicide.

– Tu en es sûre ? Même après trente ans ? Qu'allons-nous y gagner ?

– Savoir.

– Il n'est pas toujours bon de savoir, Laura. Parfois cela amène des problèmes.

– Ça sonne comme une propagande de dictature militaire.

– Tu sais très bien ce que je veux dire.

– Oui, oui. Que ce patelin vit du tourisme, que la paix et la tranquillité sont la monnaie d'échange la plus forte que nous ayons. Je sais tout ça par cœur.

Un silence inconfortable s'installa dans la cuisine. Sosa me passa le maté.

Je le portai à ma bouche et aspirai avec la paille en métal – *bombilla*, ils l'appellent en Argentine. Le liquide bouillant me brûla la langue et les lèvres.

– Chaque fois que quelqu'un y goûte pour la première fois, il se brûle. Mais ne t'en fais pas, tu vas vite t'habituer.

En plus d'être brûlant, ça avait mauvais goût. Comment un pays tout entier pouvait être accro à un breuvage aussi exécrable ? Un autre grand mystère de l'idiosyncrasie argentine.

Grâce à mes péripéties avec le maté, la tension entre Sosa et Laura se relâcha un peu. J'en profitai pour leur raconter mon voyage à El Calafate.

– Hier, j'ai fait deux cent vingt kilomètres pour parler avec l'étude d'avocats qui paie les impôts de l'hôtel, et ça n'a servi à rien. La discussion a duré cinq minutes. Une journée entière à la poubelle.

– C'est notre quotidien, dit Laura.

– Bienvenue en Patagonie profonde, ajouta Sosa. Parfois tu voyages des heures pour rien.

– Je ne comprends pas l'attitude de cette avocate. Bien que son cabinet paie les impôts de l'hôtel depuis des années, elle n'a montré aucun intérêt à me reconnaître comme héritier et a refusé de me dire quoi que ce soit sur mon oncle.

– Elle n'en a pas l'obligation.

– Mais elle pourrait, si elle voulait, non ?

– Bien sûr, intervint Sosa. Surtout maintenant que ton oncle est mort. Sauf que...

– Sauf que quoi ?

– En Espagne, vous connaissez l'usucapion ?

– C'est quoi, ça ? Un médicament ?

– Une loi. En Argentine, la loi d'usucapion dit que si quelqu'un peut prouver qu'il a payé les impôts d'un bien immobilier durant vingt ans, il a le droit d'en réclamer la propriété.

– Que dites-vous ? C'est la municipalité qui envoie les factures au nom de mon oncle à une boîte postale elle aussi au nom de mon oncle.

– Oui, mais le compte qui effectue les règlements est au nom de l'étude.

Jusqu'à aujourd'hui, j'avais cru que mon oncle envoyait tous les ans l'argent des impôts à l'étude. Maintenant, pour la première fois, j'envisageai que, peut-être, les avocats payaient les impôts de leur propre initiative.

– Mais comment ont-ils accès à une boîte postale au nom de Fernando Cucurell ?

– Ça, ce n'est pas le plus compliqué. Au mieux, à l'époque, ton oncle leur a signé un pouvoir. Ou bien il leur a laissé un double de la clé de la boîte postale, m'expliqua Laura.

Je demeurai le maté à la main, essayant d'assimiler tout ça.

– Tu lui apprends à parler ? me demanda Sosa.

– Comment ?

– Au maté. Tu vas lui apprendre à parler.

Laura rit et me posa une main sur le genou.

– C'est ce qu'on dit quand on tarde trop à rendre le maté.

– Ah, pardon, dis-je. Et je le tendis au maire, qui le refusa en secouant la tête.

– Tu dois tout boire avant de le rendre.

– Cette boisson est trop compliquée pour moi. La prochaine fois je prends un café.

Laura et Sosa éclatèrent de rire à l'unisson.

– Vous pensez que le cabinet González-Ackerman paie les impôts pour acquérir le Montgrí ?

– Et... Je t'ai déjà dit que je suis arrivé ici en 92 et que l'hôtel était fermé. C'est-à-dire que ça fait au moins vingt-sept ans qu'il est abandonné.

– Oui, mais il faudrait vérifier qu'ils paient depuis cette date, souligna Laura.

– D'après ce que m'a expliqué Margarita à la mairie, c'est au moins depuis 2002, au moment de l'informatisation.

– Dix-sept ans, calcula Laura.

– Pour le moins, ajouta Sosa.

CHAPITRE 22

Nous quittâmes la maison de Sosa vers huit heures du soir. Avant de partir, Laura l'avait convaincu que, s'il ne voulait pas nous donner accès aux archives, au moins il demande à Margarita de chercher depuis quand González-Ackerman payait les impôts de l'hôtel.

En arrivant à El Relincho, où nos chemins se séparaient, Laura ne fit pas un geste pour me saluer.

– Peut-on aller chez moi ? Je veux te montrer quelque chose.

– Bien sûr.

Nous suivîmes une rue non goudronnée jusqu'à une petite construction faite de béton et de bois. À l'intérieur, la maison de Laura n'était pas très différente de ma cabane. Les seuls indices révélant que ce n'était pas une simple touriste qui vivait là étaient les papiers étalés sur la table et une photo sur une étagère. C'était un cliché en noir et blanc sur lequel une femme, ayant une certaine ressemblance avec Laura, visait l'objectif avec un pistolet.

– Ma tante Susana, dit-elle en remarquant que je m'étais arrêté sur l'image. Elle aussi était policière.

– C'est une belle photo.

– Sans doute.

Le soupçon de nostalgie qui apparut sur son visage ne dura qu'un instant. Ensuite, elle tourna le dos à l'étagère et désigna l'un des papiers sur la table. C'était la photocopie en couleur d'un ancien passeport espagnol, différent du mien. Une tache sombre et irrégulière rendait illisibles certaines parties.

– Le mort de l'hôtel avait ce passeport dans une poche. Apparemment, il se prénommait Juan et son premier nom de famille était Gómez. Le second est complètement recouvert par la tache de sang.

– Gerona, lis-je en indiquant le lieu de naissance. Ça me fit bizarre de prononcer ce mot. Pour moi c'était *Girona*, en catalan, même si j'étais en train de parler castillan.

– D'après le ministère de l'Intérieur d'Espagne, le seul Juan Gómez signalé disparu a été vu pour la dernière fois à La Coruña en 2015, et il avait seize ans.

– Impossible que ce soit le même.

– Exact, parce que le médecin légiste a estimé qu'au début des années 90 le mort de l'hôtel avait environ trente ans, comme les cadavres du glacier.

Je m'assis sur une des chaises en bois pour récapituler ces informations.

– Notre Juan Gómez est né à Girona et on le retrouve assassiné dans l'hôtel Montgrí, dont le propriétaire était de cette même province, résumai-je. Il est fort probable que mon oncle soit impliqué dans sa mort. Sinon, ce serait trop de coïncidences.

– Je t'ai dit que nous pourrions déterrer des choses qui n'allaient pas te plaire.

Je soupirai. J'avais fait le voyage jusqu'à El Chaltén en pensant que j'avais gagné à la loterie, et en fin de compte, comme gros lot, j'avais trois morts reliés à une branche de ma famille que je ne connaissais pas. Je devais encore parler avec mon père.

– Pourquoi ne m'as-tu pas parlé du passeport chez Sosa ?

– Quelqu'un t'a menacé et nous ne savons pas qui c'est.

– Tu crois que c'était lui ?

– Non, mais je te l'ai déjà dit, mon chef n'est pas très discret. À partir de maintenant, nous devons agir avec prudence.

– Nous devons ? Toi aussi ils t'ont menacée ?

– Pas directement. Mais je suppose que la lettre que tu as reçue concerne tous ceux qui veulent connaître la vérité sur ce qui s'est passé ici il y a trente ans.

– Je ne sais pas. J'en suis toujours à me demander si la menace est sérieuse ou si l'on est réellement en train de nous manipuler pour nous pousser à enquêter.

– Dans un cas comme dans l'autre, nous devons rester discrets.

– Dans un village comme celui-ci ? Comment pouvons-nous vérifier quoi que ce soit sans lever une perdrix ?

– Dans l'immédiat, en allant répandre les cendres de Fernando à la Laguna de los Tres.

– Je ne comprends pas.

– Aller accomplir la dernière volonté de ton oncle est l'excuse parfaite pour parler avec Juanmi Alonso. Tu m'as bien dit qu'il était là-bas pour réparer le pont, non ? Nous pouvons même y aller demain, je ne travaille pas.

– Il va faire soleil ?

– Je n'en sais rien, je n'ai pas regardé les prévisions météo. Je passe chez toi à huit heures. Prends un bon petit-déjeuner, tu vas en avoir besoin.

CHAPITRE 23

Le lendemain matin, vers sept heures, je fus réveillé par un pompier en train de frapper à ma porte comme s'il voulait la défoncer. Il ne me manquait plus que ça, un incendie.

– Qu'est-il arrivé ?

– Bonjour. Je viens vous informer que nous n'allons pas pouvoir emporter le corps avant demain.

Je me souvins que Laura m'avait dit que les pompiers étaient chargés de transférer le cadavre à la morgue de Río Gallegos.

– Pourquoi ?

– Ceux de la Scientifique de Calafate veulent attendre l'équipe envoyée par Río Gallegos.

– D'accord. Merci de m'avoir prévenu. Je ne crois pas que ça dérange le mort d'attendre un jour de plus.

Le pompier me répondit d'un sourire gêné et s'éloigna de la cabane.

Je sortis comme j'étais, en caleçon, et regardai vers le haut. C'était ce moment de la journée où la clarté commence à poindre d'un côté tandis que de l'autre il fait encore nuit. Le ciel était dégagé, sans traces des nuages qui le couvraient depuis une semaine.

Incroyable que tant de choses soient arrivées en si peu de temps.

Je m'habillai, préparai une tasse de café, puis m'approchai de la réception d'El Relincho, car ce matin le signal wifi était un peu faiblard. À l'intérieur il y avait un essaim de touristes en plein petit-déjeuner, je décidai donc d'aller m'asseoir à l'extérieur, contre un mur qui bientôt recevrait les premiers rayons de soleil.

Je lançai un appel vidéo auquel mon père répondit à la troisième sonnerie.

– Et maman ?

– Elle est dans la cuisine en train de préparer le repas.

– Maman qui cuisine ? J'espère que tu as sous la main le numéro de Télépizza.

– Tu exagères un peu. Je l'appelle ?

– Non, non, ça va.

Les yeux de mon père, légèrement décalés pour ne pas regarder la caméra, mais mon image sur l'écran, clignèrent deux ou trois fois.

– Comment ça se passe en Patagonie ?

– Papa, pourquoi ne m'as-tu jamais dit que tu avais un frère ?

– Je vois qu'on y va directement.

– Si tu préfères, je peux commencer par t'interroger sur le match du Barça.

Même avec l'image en basse résolution, qui bougeait par à-coups, je remarquai que mon père prenait une profonde inspiration.

– Bien, alors allons-y, fils. Si je ne t'ai rien dit sur Fernando, c'est parce que je pensais qu'il n'y avait rien à dire. Quel intérêt y avait-il à ce que tu saches que tu avais un parent avec lequel je n'avais plus aucune relation depuis avant ta naissance ?

– Tu ne crois pas que j'avais le droit de savoir ?

– Ce que je crois, c'est que j'ai fait ce qu'il y avait de meilleur pour toi.

– Pourquoi vous êtes-vous disputés ?

– C'est une vieille histoire qui n'a plus d'importance.

– Raconte-la-moi.

Mon père jeta un coup d'œil par-dessus son épaule, en direction de la cuisine.

– Toujours la même histoire, fils. Une femme.

– Vous êtes tombés amoureux de la même femme ?

124

– Ne me demande pas de te raconter ça, Julián.

– Maman ? Vous vous êtes querellés pour maman ?

– Ça n'a rien à voir avec ta mère. Mais respecte ce silence de vieux. Pour moi, mon frère est mort il y a des dizaines d'années et cette blessure est refermée et cicatrisée. S'il te plaît, ne remue pas cette partie de ma vie par simple curiosité.

– Papa, tu dois me comprendre, j'ai trouvé des choses très étranges sur ton frère. Pour chaque réponse que j'obtiens surgissent d'autres interrogations. Tu es le seul fil qui me relie à cet homme dont je ne sais absolument rien. Si tu préfères, je ne te demande pas pourquoi vous vous êtes éloignés, mais au moins parle-moi de lui. Raconte-moi comment il était.

Autre soupir et autre coup d'œil vers la cuisine.

– Fernando avait trois ans de plus que moi. Il était aussi plus beau et plus intelligent. Très orgueilleux, il avait beaucoup de mal à reconnaître une erreur.

– Sur ce point, vous vous ressembliez.

Mon père haussa les épaules, comme pour dire « pense ce que tu veux ».

– C'était un aventurier dans l'âme. Il a passé sa dernière année à Santa María de los Desamparados, le collège où nous étions, à organiser des excursions sous n'importe quel prétexte. Tout ce qui concernait l'exploration le fascinait. Il avait toujours un objectif en tête : escalader une montagne, traverser une région à vélo ou voyager dans des pays lointains.

– Ou construire un hôtel à l'autre bout du monde, par exemple.

– Par exemple, rit mon père.

– Tu savais qu'il était parti en Patagonie?

– Non. Comme je te l'ai déjà dit, nous n'avions plus aucun contact depuis avant ta naissance. Je crois que la dernière fois que nous nous sommes vus, c'était en 1983.

– Je suppose aussi que tu n'as aucune idée d'où il a sorti l'argent pour acheter un demi-hectare ici et y construire un hôtel. Pas plus que tu ne sais s'il est venu seul ou s'il était marié.

Mon père haussa les épaules.

– Était-il célibataire avant votre dispute ?

– Oui. La dernière fois que nous nous sommes vus, il était seul.

– En 1992, il a signé un testament en ma faveur à Barcelone. Donc, tu ne l'as pas su ?

– Non. Je n'ai plus jamais eu de nouvelles de Fernando. Et je supposais que lui non plus n'en avait pas eu, jusqu'à ce que ta mère, quand nous avons parlé depuis le bateau de croisière, nous raconte qu'elle l'avait rencontré plusieurs années après dans Barcelone.

– Sais-tu s'il avait un ami ou une connaissance qui se nommait Juan Gómez, né à Gijona?

– Ça ne me dit vraiment rien, mais un nom comme celui-là, je peux très bien l'avoir oublié. Pourquoi ?

J'envisageai de raconter à mon père que Juan Gómez m'avait fait la blague de m'attendre mort dans l'hôtel. Mais, tout comme il m'avait caché l'existence de Fernando pour ne pas me faire de peine, je pensai que, bien qu'il se fût querellé avec son frère, apprendre ça le contrarierait. Je décidai de ne rien lui dire.

– Rien d'important. Ici, dans le village, ils m'ont dit que c'était son ami, mais beaucoup d'années ont passé et il est difficile de faire la différence entre la vérité et les simples rumeurs.

– Ah, les rumeurs et les villages. Tu peux m'en parler à moi qui ai grandi à Torroella.

Sur l'écran apparut la moitié du visage de ma mère.

– Salut, mon petit, comment vas-tu ? Pas trop froid ?

– Je vais très bien, maman. Nous parlions du frère de papa.

Ma mère parut surprise.

– Écoute, Julián, intervint mon père. Ce qu'ils disent là-bas n'a aucune importance, tu dois savoir que ton oncle était une bonne personne.

– Pas si bonne que ça si tu es resté quarante ans sans lui parler.

– Ça n'a rien à voir.

– Bien sûr que si. Toi, tu es l'une des meilleures personnes que je connaisse.

– Julián, protesta ma mère.

– Laisse-le, Consuelo. Écoute ce que je te dis, Julián. Ton oncle n'avait rien d'un saint, mais moi non plus et tu le sais bien. J'ai eu des périodes très difficiles. Comme pour vous, avec Fernando, je ne me suis pas bien comporté en plusieurs occasions.

Les « périodes très difficiles » auxquelles mon père faisait allusion, c'étaient ses années d'alcoolisme. Beaucoup d'entre elles avant de connaître ma mère, et deux années lors d'une rechute quand j'étais enfant.

– Il n'y a pas un bon frère et un mauvais frère, tu comprends ? Il y a une relation qui s'est rompue. Quand quelqu'un abat un arbre avec une hache, il y a un responsable évident, mais si c'est le vent on ne peut accuser personne. Cependant, le résultat est le même.

Avec ces derniers mots, mon père considéra que le débat était clos. Je n'essayai pas de renchérir car je savais que ce serait en vain. Et, bien qu'en Espagne il fût à peine midi, ma mère annonça que l'omelette était prête.

CHAPITRE 24

Laura arriva à ma cabane peu de temps après la discussion avec mes parents.

– Prêt pour une journée d'aventure ? me demanda-t-elle.

– Aventure rime avec torture, dis-je après avoir fait passer un morceau de pain grillé avec une gorgée du second café au lait de la journée. Je ne suis pas un grand marcheur.

– Tu vas adorer. En plus, aujourd'hui c'est parfait.

– C'est vrai, le jour s'est levé sur un ciel sans nuages, dis-je en sortant avec la tasse à la main. Il est où, le fameux Fitz Roy ?

– D'ici on ne le voit pas, il est derrière ce mont, dit-elle en indiquant la même colline que la touriste espagnole le jour où nous sommes arrivés. Mais dans une heure tu vas le voir dans toute sa splendeur.

Dix minutes plus tard, nous suivions la rue principale, dans la direction opposée à l'hôtel et à la sortie du village. Les randonneurs semblaient s'être multipliés avec le soleil. Arrivés au bout de la rue, nous suivîmes les pancartes qui balisaient le chemin de la Laguna de los Tres, l'excursion standard d'El Chaltén.

– Tu n'avais pas beaucoup de chance avec le temps, jusqu'à présent, hein ? dit Laura, regardant derrière elle comme si elle attendait quelqu'un.

– Ni avec le temps ni avec le reste.

– Oh, c'est vrai. Le pauvre petit pour qui tout le monde a de la peine. Cela ne doit pas être facile de devenir millionnaire du jour au lendemain.

Nous pénétrâmes dans le sous-bois par un sentier étroit et escarpé. Laura regarda de nouveau derrière elle.

– Tu as un problème ?

– Non, aucun. Et elle poursuivit sa marche.

Il n'y avait pas dix minutes que nous progressions lorsque j'entendis un coup de feu. Sans s'arrêter, Laura sortit un téléphone de sa poche.

– C'est un message de ma tante. Elle vit à Puerto Deseado et adore m'envoyer des photos de ses plantes.

– C'est un coup de feu qui te prévient quand tu as un message ?

– Oui, dit-elle comme si c'était le plus normal au monde.

Tout en marchant, Laura rédigea un message pour sa tante dans lequel elle faisait l'éloge d'une fougère et l'informait qu'elle serait sans réseau toute la journée car elle partait en excursion.

– Si elle met plus de quinze minutes pour me répondre, je ne lirai pas son message avant de rentrer. Dans un kilomètre, il n'y a plus de couverture.

– Un autre mot qui rime avec torture.

Nous continuâmes notre ascension. De temps en temps, nous nous rangions sur un côté pour laisser passer un touriste motivé. La majorité nous saluait avec un sourire essoufflé et un accent étranger.

Tandis que je marchais, mes poumons me demandaient de ne surtout pas parler. Laura n'avait pas ce problème.

– La randonnée en montagne te plaît ?

– Bien sûr. Comment ne pas aimer marcher sur des caillasses jusqu'à en avoir des ampoules ?

– N'exagère pas. En plus, tu as l'air en forme.

– Dans une demi-heure, tu ne diras pas la même chose.

À son expression, je sus que Laura prenait mes paroles pour de la fausse modestie. Cela m'était déjà arrivé. Après tout, entre mon travail dans le bâtiment et mes exercices de musculation, j'avais une apparence physique dont je ne pouvais pas me plaindre. Même à trente-cinq ans, avec la lumière adéquate, on devine mes abdominaux. Mais les jambes, c'est une autre histoire. Elles ont toujours été mon point faible. Le sport d'endurance, ce n'est pas pour moi. J'ai la morphologie d'un danseur de flamenco et la capacité pulmonaire d'un ministre du Vatican.

Après un bon moment passé à grimper, nous arrivâmes à une petite pancarte en bois indiquant kilomètre 1.

– Il nous en reste neuf, annonça Laura.

Je passai en revue mon corps. Mille mètres de côte avaient fait que la plante de mes pieds commençait à être douloureuse et mes quadriceps enflés, comme les rares fois où j'avais fait des exercices de flexion des jambes. Le sac à dos me pesait comme si à la place des cendres d'une seule personne je transportais celles d'une ville entière.

Deux kilomètres plus loin, j'avais le corps couvert de sueur, la langue pendante et une soif atroce. Laura, au contraire, était fraîche comme une laitue.

Alors que je commençais à envisager la possibilité de faire demi-tour, nous arrivâmes à un panneau mentionnant « *Mirador del Fitz Roy* ». Je fus surpris de le trouver au milieu des bois, là où les cimes des arbres permettaient à peine de deviner la couleur du ciel. Laura nous fit prendre un chemin secondaire et nous émergeâmes sur une espèce de balcon naturel à flanc de montagne.

Une seconde me suffit pour comprendre l'obstination avec laquelle les deux touristes espagnoles voulaient le voir. Le Fitz Roy apparaissait comme une masse grise en forme de dent de requin se découpant sur un ciel bleu sans nuages.

– N'est-ce pas majestueux ? me dit Laura.

– Ça l'est.

Je m'assis sur une pierre sans lâcher du regard ses parois verticales. À mi-chemin entre la cime et la base, on distinguait une ligne horizontale de neige. Plus bas, au pied de la montagne, naissait la magnifique forêt verte que nous venions de traverser en une heure de marche.

– Ça l'est, répétai-je. C'est impressionnant.

Jusqu'à cet instant, j'ignorais qu'un paysage puisse vous nouer la gorge. Je ressentais une joie étrange et douce à la fois, empreinte de paix. Ce qui s'en approchait le plus était la première fois où j'avais vu Anna. Je sais que ça fait un peu cucul de dire ça, mais j'avais l'impression que nous nous connaissions d'une vie antérieure, et que c'était dans celle-ci que nous nous rencontrions. Pourvu que mon histoire avec cette montagne se termine mieux.

– Je t'envie, me dit Laura. La première fois est unique. Et un jour comme celui-ci, c'est un privilège. Ce doit être la dixième fois que je viens ici et, même si elles sont toutes magnifiques, il n'y en a aucune autre comme la première. Pourtant, il te manque la meilleure partie.

– La partie où je reste une semaine au lit pour récupérer.

– Non, la partie où... c'est mieux si je ne te dis rien. Je ne veux pas *spoiler*.

Nous mangeâmes des sandwichs jambon-fromage que Laura avait achetés à la boulangerie du village. Entre deux bouchées, nous accédions aux demandes des touristes qui nous prêtaient leurs téléphones pour les photographier devant la montagne. Certains proposaient de nous rendre la faveur. Les deux premières fois, nous acceptâmes et posâmes ensemble en ce lieu merveilleux.

J'eus beaucoup de mal à me mettre debout pour reprendre la randonnée. Après une heure et demie de marche, je repérai une tente entre les troncs des arbres.

– Le camping Poincenot, annonça Laura. C'est sûr que les gars des Parcs nationaux campent ici ; le pont du río Blanco est tout près.

À mesure que nous avancions, d'autres tentes apparurent. Près de certaines, des gens étaient assis sur des troncs, mangeant des fruits ou chauffant de l'eau sur des réchauds portables. La plupart avaient l'apparence de touristes étrangers.

Le camping Poincenot était très différent de tous ceux que j'avais vus auparavant. Un camping espagnol a, au minimum, un bar et une piscine. Certains proposent des activités pour les enfants et possèdent même une discothèque. Celui-ci, par contre, n'avait ni réception ni emplacements délimités. Son infrastructure se limitait à une pancarte qui disait : « Bienvenue à Poincenot » et une petite cabane en bois de la taille d'une armoire sur laquelle on pouvait lire : « Toilettes sèches ».

Laura désigna trois tentes de couleur vert pétrole. Elles étaient plus grandes et plus robustes que celles des touristes et aussi plus sales car elles étaient là depuis plus longtemps.

– Bonjour. Il y a quelqu'un ? demanda-t-elle en tapant du plat de la main sur la fermeture à crémaillère.

Silence.

– Ils sont sûrement en train de travailler sur le pont. Allons-y, c'est à un kilomètre, pas plus.

Sans même envisager l'option de nous asseoir pour les attendre, Laura se mit en marche. En sortant du bois, nous nous retrouvâmes face au Fitz Roy. Ou, plus exactement, sa moitié supérieure, car une colline nous cachait la base.

– Regarde. Tu vois les gens en train de monter ?

– Où ?

– Là-bas.

– Non, je ne les... Mince, bien sûr que je les vois ! Comme ils sont minuscules !

On aurait dit des fourmis de toutes les couleurs. Toutes grimpant sur un sentier qui, depuis notre point de vue, n'était qu'un fil gris sur le flanc de la montagne.

– C'est la partie la plus difficile de la randonnée ; le dernier kilomètre avant d'arriver à la Laguna de los Tres. La bonne nouvelle, c'est que le pont est avant.

La mauvaise, c'était que tôt ou tard il faudrait remonter pour éparpiller les cendres que je transportais dans le sac à dos.

Après la traversée d'une zone humide, le chemin descendait par un pré vers un cours d'eau.

– C'est le río Blanco. Le pont est là, tu le vois ?

J'eus du mal à le situer. J'avais imaginé un grand pont en acier, mais pas quelques planches de bois décolorées se confondant avec les pierres quasiment blanches du lit de la rivière. En plus, d'habitude les ponts traversaient d'une berge à l'autre, celui-ci, en revanche, était parallèle à la berge. Il s'était renversé sur un côté, l'une de ses rambardes dans l'eau, l'autre pointant vers le ciel.

– Il a dû énormément pleuvoir pour le démolir de cette façon, dit Laura.

En nous approchant, nous découvrîmes quatre hommes en chemises et pantalons kaki en train de manger au bord de l'eau. La rivière, d'un gris laiteux, ne faisait pas plus de trois mètres de largeur, mais le fort courant projetait de temps à autre des lambeaux d'écume.

– Bonjour, les gars. Comment ça va ? dit Laura, tout en dévalant le sentier.

En la reconnaissant, ils levèrent la main pour la saluer. Quand nous arrivâmes près d'eux, le plus âgé, un homme avec peu de cheveux, carré d'épaules, nous indiqua les rochers pour s'y asseoir. Ce devait être Juanmi Alonso. Les autres étaient trop jeunes.

– Vous voulez un maté ? demanda-t-il, et il allongea le bras pour prendre de l'eau dans la rivière avec sa tasse en métal.

– Non, merci, dis-je.

– Espagnol ? demanda l'autre.

– Oui.

– Juanmi, dit Laura, lui c'est Julián Cucurell, le neveu de Fernando Cucurell, le propriétaire de l'hôtel Montgrí.

L'homme écarquilla les yeux.

– Tu es le neveu de Fernando ?

Sans attendre ma réponse, il se mit debout et fit deux pas pour venir se planter devant moi. Je serrai sa main rêche et forte.

– Je suis Juan Miguel Alonso. J'étais très ami avec ton oncle. Comment va le Castillan ?

Je le regardai bouche bée.

– Oui, oui, je sais bien que vous n'êtes pas Castillan. « Catalan, putain », qu'il me répétait sans cesse. Comment il va ? Il est venu avec toi ?

– Il est décédé il y a quatre mois.

– C'est pas vrai, le pauvre. Que lui est-il arrivé ?

– Un accident.

Alonso resta silencieux. Un des jeunes se leva et se racla la gorge.

– Nous allons finir de fixer les rambardes, Juanmi. Mais toi continue de discuter avec eux.

– C'est un peu long à expliquer, dis-je dès que nous fûmes seuls.

– Assez long, corrigea Laura.

L'homme haussa ses épais sourcils gris et annonça à ses camardes qu'il les attendrait au camping avec le repas prêt.

Génial. Encore de la marche, pensai-je.

– Vous alliez à la Laguna de los Tres ? demanda-t-il en montrant derrière lui tandis que nous nous éloignions du fleuve.

– Oui. La dernière volonté de mon oncle est que ses cendres soient éparpillées là-bas. Maintenant que j'y pense, je me demande si c'est possible. Ça vous paraît bien ?

L'homme, qui devait avoir l'âge de mon père, mais avançait avec la force d'un taureau, s'arrêta d'un coup et se tourna vers moi.

– Tu sais ce qui me paraît bien ? C'est que tu arrêtes avec ton vouvoiement. Dis-moi tu, bordel, cria-t-il d'une voix âpre, imitant très mal l'accent espagnol.

– Très bien. Alors je te tutoie.

– Bon, en ce qui concerne les cendres, il n'y a pas de problème. C'est interdit, mais l'Espagnol le mérite.

– Comment vous êtes-vous connus ?

– Nous avons débarqué presque en même temps à El Chaltén, quand ici il n'y avait rien d'autre que quatre cinglés et douze chalets construits par le gouvernement à la fondation du village. Je me suis installé ici en janvier 87. Je crois que ton oncle est arrivé deux mois plus tard.

– Qu'était-il venu faire ?

– La même chose que moi et la majorité des autres. Chercher une nouvelle vie. Et une aventure. El Chaltén était déjà un endroit bien connu des amoureux de la nature, surtout les montagnards. Les touristes sont antérieurs au village. Tu comprends ce que je veux te dire ?

– Pas vraiment.

De nouveau il s'arrêta et fit demi-tour.

– Que ce lieu est un aimant à aventuriers depuis bien avant 1985, dit-il en montrant les pics plus petits de chaque côté du Fitz Roy. Celle-ci, c'est l'aiguille Goretta, du nom de la première Italienne à atteindre le sommet d'un huit mille. Cette autre, l'aiguille Poincenot, un alpiniste français qui s'est noyé dans le río Fitz Roy dans les années 50. Imagine alors, quand on fonde le village, qui vient de son plein gré dans un endroit où il n'y a rien d'autre que des montagnes ? Un fanatique de la montagne. Et ton oncle en était un.

Juanmi Alonso renoua avec le passé.

– En plus, c'était un grand bâtisseur. Il savait travailler le bois et, avec les colons qui continuèrent d'arriver, il ne manqua pas de travail. L'hôtel Montgrí fut le premier endroit où loger pour les touristes. Avant, il n'y avait que l'auberge des Parcs nationaux qui, comme je te l'ai déjà dit, est antérieure à la fondation.

– Il y a un truc que je ne comprends pas, intervint Laura. Si le gouvernement argentin a fondé Chaltén pour mettre fin à un différend de souveraineté avec le Chili, ce n'est pas bizarre qu'il donne un demi-hectare à un étranger ?

– Bizarre non, impossible. Il fallait absolument être argentin pour qu'ils t'octroient une terre.

– Alors, comment a fait mon oncle ?

– Il a montré ses papiers d'identité.

– Que veux-tu dire ?

– Que l'Espagnol Cucurell avait aussi la nationalité argentine.

CHAPITRE 25

– Mon oncle était argentin ?

– Sur les papiers, oui. En réalité il était plus espagnol que les castagnettes, mais il avait la double nationalité. Ses parents émigrèrent à Buenos Aires juste avant sa naissance et peu après retournèrent en Espagne.

Mon père ne m'avait jamais parlé d'un quelconque séjour de mes grands-parents en Argentine. Peut-être parce qu'il n'en savait rien ? Il était plus jeune que mon oncle et, selon son extrait de naissance, que j'avais vu de mes propres yeux, il était né en Espagne. Ou alors il savait, mais ne m'en a pas parlé, tout comme il ne m'a jamais dit qu'il avait un frère.

Quand nous arrivâmes au camping, Alonso nous indiqua les troncs à côté des tentes marron. J'appréciai de pouvoir enfin m'asseoir. Il alluma un feu et s'installa en face de nous avec un couteau à la main et un tas de pommes de terre à ses pieds.

– Quelle a été la vie de ton oncle ? me demanda-t-il tout en épluchant la première patate.

– En fait, je n'en sais rien. Je n'étais même pas au courant que j'avais un oncle avant qu'on ne me téléphone pour me dire que j'étais son héritier.

– Un rêve de gamin. Le tonton d'Amérique mort avec un héritage. Zéro tracas et tout bénéfice.

Je me limitai à sourire. Un oncle suspecté de triple assassinat, dont mon père ne voulait pas me parler, ne me paraissait pas correspondre à « zéro tracas ».

– J'aimerais en savoir un peu plus sur l'histoire de cet hôtel. Sais-tu d'où Fernando a sorti l'argent pour acheter le terrain ?

– Au cours des premières années qui ont suivi la fondation du village, il était assez facile d'obtenir un terrain quand tu avais un projet touristique. Après, tout a dégénéré ; le copinage politique, comme partout. Une fois qu'il fut clair que Chaltén avait un fort potentiel comme destination touristique, oublie ton projet. Bon, tu dois déjà le savoir, même s'il tombe en morceaux, aujourd'hui l'hôtel vaut des millions de dollars.

– C'est ce qu'on dit.

– Ton oncle est arrivé pile au bon moment, et il était bourré d'enthousiasme. Personne ne pouvait l'arrêter. C'était le genre de type capable de te vendre un ventilateur en Antarctique. Il n'avait pas un radis, mais au baratin personne ne lui arrivait à la cheville: « *Bien sûr qu'il avait un investisseur en Espagne, qu'il allait créer trois emplois, que tout le village bénéficierait de ces d'hébergements supplémentaires pour les touristes* »... C'est comme ça qu'il a fini par obtenir le terrain pour construire l'hôtel. En plus, c'était un type qui savait tout faire, un homme-orchestre. Il était capable d'accompagner un groupe de touristes le matin et de monter un mur de l'hôtel l'après-midi.

– C'était souvent qu'il guidait des touristes ?

– Pour l'époque, oui. Même s'il n'y en avait pas autant qu'aujourd'hui.

– Il emmenait des gens au glacier Viedma ?

Alonso leva les yeux de sa pomme de terre à moitié pelée. Il resta silencieux un instant, comme s'il réfléchissait.

– Je ne crois pas qu'il allait jusqu'au glacier Viedma. Je ne me souviens plus très bien, mais je crois qu'il préférait la forêt. Il l'adorait. Je lui enseignais les baies et les racines comestibles et tu ne peux pas savoir comme il apprenait vite. En deux ans il était devenu un véritable expert. Il y avait des touristes qui arrivaient et le demandaient, lui. Pourtant, à cette époque, il n'y avait pas internet. Tout ça faisait qu'il avait toujours du travail. Et entre-temps, il bâtissait son hôtel.

– Je suis venu persuadé que j'avais hérité d'un terrain. C'est en arrivant que j'ai découvert qu'il y avait un hôtel dessus.

– Double surprise.

– Triple, rectifia Laura. À l'intérieur, il y avait un mort.

Je la foudroyai du regard.

– Dès que tu seras rentré au village, tu en entendras parler, dit-elle à Juanmi, même si ses paroles m'étaient destinées.

– Un mort ? demanda Alonso, ouvrant grand les yeux.

Quelque chose dans son attitude me sembla exagéré.

– Oui, un cadavre momifié qui était là depuis une trentaine d'années, dis-je.

L'homme posa les questions de rigueur. Comment ? Quand ? Pourquoi ? Laura y répondit sans donner une once d'information en plus de ce qu'il allait découvrir en arrivant à El Chaltén.

– L'hôtel n'est pas resté ouvert très longtemps, non ? lui demandai-je.

– Une seule saison. De septembre 1990 à mars 1991. Vous ne le saviez pas ?

– Les dates exactes, non, confessai-je. Pourquoi mon oncle est-il parti pour ne plus jamais revenir ?

– Je ne l'ai jamais su. En mars 1991, je suis passé lui dire au revoir parce que je partais quelques jours construire une plateforme en bois sur le sentier du mont Torre.

– Tu ne t'occupais pas de l'auberge à cette époque ?

Le visage d'Alonso se durcit.

– À cette époque j'étais en charge de l'auberge parce que c'était moi le plus jeune, et je devais faire ce qu'on me demandait, mais je profitais de n'importe quelle opportunité pour aller sur le terrain. Regarde-moi, j'ai plus de soixante ans et je continue de clouer des planches. Avec mon ancienneté, je pourrais être le chef du parc des Glaciers et avoir un bureau avec vue sur le Perito Moreno, mais je préfère une vie simple, à l'air libre, loin des bureaux.

– Pardonne-moi si la question t'a offensé.

D'un geste il m'indiqua que je n'avais pas à m'excuser. Il jeta les pommes de terre, les oignons, la sauce tomate et les champignons en conserve dans une marmite qu'il mit sur le feu. Ensuite, il ajouta des morceaux de viande séchée, il arrosa le tout de vin et mit le couvercle.

– Tu étais en train de nous dire qu'en 1991 tu avais rendu visite à Fernando, reprit Laura.

– Oui. Il ne lui restait que quelques jours avant de fermer et partir en Espagne pour y passer l'hiver. Il en avait très envie car il n'y était retourné qu'une seule fois depuis qu'il vivait à Chaltén. Je m'en souviens comme si c'était aujourd'hui. Nous avons discuté dans l'hôtel, bu quelques verres de vin, je lui ai souhaité un bon voyage et demandé qu'il me rapporte une outre de vin. Il a protesté en disant qu'il n'y avait pas ça en Catalogne et on s'est emmêlés dans une de ces chaleureuses discussions entre amis dont on connaît le début, mais pas la fin. Nous nous quittâmes une fois le vin terminé. Le jour suivant, je partais travailler sur le sentier. C'est la dernière fois que je l'ai vu.

Tous trois, nous gardâmes le silence. Moi je dessinais sur le sol avec un bout de bois.

– Était-il marié ?

– Nooon ! Un célibataire dans l'âme. Je ne sais pas si une femme aurait pu le supporter. C'était un type très particulier.

– En quoi ?

– Premièrement, il était très orgueilleux, et têtu. Même s'il savait qu'il avait tort, il ne changeait jamais d'avis. Il préférait se taper la tête contre le mur plutôt que d'avouer que tu avais raison.

– Mon père m'en a dit quelques mots.

– Deuxièmement, il ne s'écrasait devant personne. S'il devait te dire d'aller te faire foutre, il le disait. Par contre, il avait le don de le faire sans t'offenser. Je ne sais pas comment l'expliquer ; il était direct et diplomate à la fois.

– Donc, il est arrivé seul à El Chaltén, et seul il en est reparti ?

– Plus seul que le chiffre 1, comme il disait.

– Te rappelles-tu l'avoir vu avec ça ? lui demanda Laura en sortant la chevalière de sa poche.

Juanmi Alonso prit la bague dans la paume de sa main calleuse et l'examina à la lumière. Puis il l'essaya à son annulaire. Elle lui allait à la perfection.

– Non, ça ne me dit rien. Mais elle me plaît bien. Elle appartenait à Fernando ?

– Non, mais le mort de l'hôtel Montgrí et les deux autres trouvés dans le glacier il y a un an et demi, en portaient une identique.

– Les cadavres du glacier Viedma ?

Laura acquiesça et lui donna la version courte de ce qu'elle m'avait raconté. En résumé, que les trois cadavres portaient le même anneau et qu'ils étaient morts à la même époque.

– C'est-à-dire qu'il y a trente ans, quand l'hôtel était ouvert, il y a eu trois meurtres ?

– Nous ne savons pas si c'est arrivé pendant que l'hôtel était ouvert, précisa Laura. Ça pourrait aussi bien être peu de temps après.

Alonso secoua la tête et se leva pour remuer le ragoût.

– J'ai du mal à croire que dans un endroit aussi tranquille de tels événements aient pu se produire et que nous ayons continué nos vies comme si de rien n'était, dit-il en montrant autour de lui avec la cuillère en bois.

– Mon oncle ne paraît pas avoir fait comme si de rien n'était. Qui construit un hôtel, l'ouvre une seule saison, puis le ferme pour toujours ?

– Je ne sais pas. Je me suis souvent demandé ce qui était arrivé à Fernando, mais jamais je n'aurais imaginé qu'il puisse y avoir un mort dans son hôtel.

J'entendis des pas derrière moi. Les trois compagnons d'Alonso revenaient de la rivière, couverts de sueur. Ils s'assirent à côté de nous autour du feu et commencèrent à parler du pont.

Le ragoût était délicieux. Tandis que nous mangions dans des assiettes en métal, Juanmi nous conta des histoires sur les premiers explorateurs européens de la région. Apparemment, les montagnes autour de nous commencèrent à avoir une renommée mondiale dans les années 50. Beaucoup parmi ceux qui voulurent être les premiers à atteindre ces sommets y laissèrent la vie. Et, d'après lui, aujourd'hui encore, il y a un mort de temps en temps.

– Il faut combien de temps pour revenir à Chaltén ? demandai-je à Laura en terminant la pomme que l'on m'avait offerte en guise de dessert.

– Pas plus de deux heures, ce n'est que de la descente.

– Alors, si nous voulons arriver avant la nuit, nous devrions monter à la lagune maintenant, non ?

– Vous n'allez pas partir ! protesta Alonso. Restez pour la nuit. Reposez-vous, ou si vous préférez marcher un peu plus, allez jusqu'au glacier Piedras Blancas, à une heure d'ici, il est magnifique. Ensuite vous revenez, vous dînez avec nous et dormez ici. Nous avons une tente et deux sacs de couchage en réserve. Demain, en pleine forme, vous montez à la lagune et vous éparpillez les cendres de Fernando. La météo prévoit un ciel dégagé, comme aujourd'hui.

Laura et moi nous nous regardâmes.

– Si vous ne voulez pas dormir dans la même tente, Julián tu peux venir avec Carlos et moi, et nous laissons la tente à Laura. Nous allons être un peu serrés, mais les nuits sont fraîches, alors c'est plutôt mieux.

– Ce n'est pas la peine, dit Laura, je peux dormir avec Julián.

– Sûre ? demandai-je.

– Au pire, que peut-il arriver ? Que tu te rendes compte que je ronfle ? Je te le dis tout de suite, je ronfle.

CHAPITRE 26

Pour ronfler, elle ronflait. Comme une tronçonneuse. Incroyable que de tels grondements puissent sortir de ce petit corps.

Quand je me réveillai, le lendemain matin, Laura n'était plus dans la tente. J'entendis sa voix et celle d'Alonso de l'autre côté de la toile. Je ne parvenais pas à comprendre ce qu'ils disaient car ils parlaient à voix basse. Je supposai que c'était pour ne pas me réveiller.

Ce fut compliqué de m'habiller puis de m'extraire de la tente. Mes cuisses et mes mollets protestèrent avec une douleur aiguë à chaque mouvement. La dernière fois que j'avais eu de telles courbatures, c'était quand Anna m'avait convaincu de m'entraîner avec elle pour une course de dix kilomètres. Je n'avais pas dépassé le troisième entraînement.

– Le pauvre, il n'a pas encore digéré le *jet lag*, dit Laura quand je passai la tête hors de la tente.

Elle était assise sur un tronc à côté de Juanmi Alonso, qui tenait une thermos entre ses pieds et buvait un maté.

– Je t'attendais pour te dire au revoir avant de partir travailler sur le pont. Nous avons un imprévu.

– Que s'est-il passé ?

– Rosales a dû revenir au village. Ce matin on l'a prévenu par radio qu'ils transportaient son fils à Calafate pour l'opérer de l'appendicite.

– Le pauvre.

– Dans trois ou quatre jours, je serai de retour à Chaltén et, si tu veux, nous pourrons poursuivre la discussion. Laura sait où j'habite.

Beaucoup de questions sont restées en suspens. Hier soir, après le repas, Alonso est retourné au pont et nous, nous avons marché, contre ma volonté, jusqu'au glacier Piedras Blancas. Nous nous sommes revus à la tombée de la nuit, mais la présence des autres m'a empêché de remettre le sujet sur le tapis.

– Merci. Sûrement que je t'ennuierai avec quelques questions supplémentaires.

– Avec plaisir.

Je fis honneur à un thé avec du lait concentré et un demi-paquet de gâteaux secs en un temps record et nous nous mîmes en marche. Tandis que nous descendions vers la rivière, Alonso sortit d'une poche un petit sac en plastique contenant une poudre grise semblable à de l'argile.

– Hier soir, j'ai écrit une lettre à ton oncle pour lui raconter ce qu'avait été ma vie et aussi pour lui demander ce qu'avait été la sienne, et j'ai ajouté : « Dans quoi t'es-tu fourré, l'Espagnol ? », comme s'il allait la lire.

Il leva en l'air le petit sac et sourit avec nostalgie.

– Ensuite je l'ai brûlée. J'aimerais que tu la lui donnes.

Je hochai la tête et mis le sachet dans ma poche.

Nous nous séparâmes en arrivant au río Blanco. Alonso rejoignit ses camarades, Laura et moi quittâmes nos chaussures pour traverser en sautant de pierre en pierre. Sur l'une d'elles, je perdis l'équilibre et me retrouvai avec de l'eau jusqu'aux genoux. De toute ma vie, je n'étais jamais entré en contact avec une eau aussi froide. C'était certainement moins douloureux de mettre les pieds dans une rivière infestée de piranhas que dans cette eau glacée.

Dès l'autre rive, nous entreprîmes l'ascension. À mesure que nous gravissions la pente rocailleuse, j'enlevais régulièrement une épaisseur de vêtement et ma conversation avec Laura s'espaçait. Ou plus exactement, ce sont mes réponses qui se raréfiaient. Je tirais la langue depuis une dizaine de minutes, tandis qu'elle continuait comme si de rien n'était.

Nous nous arrêtâmes pour nous reposer sous le dernier arbre avant que le terrain ne soit plus que de la roche sans la moindre végétation.

– Regarde là-bas, dit-elle en indiquant derrière moi.

En me retournant, je découvris un paysage grandiose. En bas, dans la rivière, Alonso et ses compagnons se distinguaient à peine des pierres grises. Plus loin commençait le bois où nous avions passé la nuit et, derrière, un grand lac.

– À présent, c'est nous les fourmis, dit-elle. C'est là qu'étaient les personnes que nous avons vues hier.

– Là-bas ? Mais s'il leur restait les trois quarts du chemin pour arriver en haut... Ne me dis pas...

– Nous pouvons rentrer si tu veux.

– Sûrement pas.

Et nous poursuivîmes notre marche sur un chemin rocailleux durant ce qui me parut une éternité. J'avais mal jusque dans les cheveux, et, même dans mon cas, ça veut dire beaucoup. Plus je regardais vers le sommet, plus il y avait de gens arrêtés, essayant de reprendre leur souffle.

– On arrive, je te le promets, dit-elle un peu essoufflée.

Cela me réconforta de savoir qu'elle était humaine.

Vingt minutes plus tard, un couple de Nord-Américains, qui était quelques mètres devant nous, commença à répéter « *Oh, my god !* » comme un disque rayé.

En arrivant au sommet de la pente, toute la fatigue s'évanouit d'un coup et, si j'avais été yankee, moi aussi j'aurais crié « *Oh, my god !* ». Cependant, il me vint quelque chose de plus espagnol :

– Putain !

Se découpant sur un ciel entièrement bleu, le Fitz Roy dominait un paysage de rêve. À ses pieds il y avait un

146

glacier d'où jaillissait un filet d'eau blanche qui serpentait sur la roche jusqu'à une lagune turquoise.

– La Laguna de los Tres, dit Laura.

Je m'assis, appuyant mon dos contre un rocher.

– Certains disent qu'elle s'appelle ainsi à cause des trois glaciers qui l'entourent. D'autres, pour les trois aviateurs français, dont Saint-Exupéry, l'auteur du *Petit Prince*, qui aidèrent à cartographier la zone frontière avec le Chili.

Les paroles de Laura n'étaient plus qu'un bruit de fond. L'origine du nom ne m'intéressait absolument pas. La seule chose qui avait de l'importance, c'était le paysage que j'avais devant moi. Elle parut le comprendre car elle arrêta de parler.

À nos pieds, sur la pente rocheuse qui descendait vers la lagune, se reposaient plusieurs touristes. Même ceux qui étaient en groupes plus importants – sept ou huit – gardaient le silence ou chuchotaient. Il y avait en ce lieu quelque chose de particulier, une espèce d'harmonie fragile qui semblait devoir se briser avec une parole plus haute que nécessaire.

Je ne sais combien de temps je restai immobile, regardant devant moi, les larmes au bord des yeux. Comme lorsque nous nous étions arrêtés au mirador, je ressentis une connexion spéciale avec cette montagne.

Après un bon moment, nous descendîmes jusqu'à la berge. Nous longeâmes les eaux turquoise, nous éloignant un peu des touristes, jusqu'à ce qu'une paroi rocheuse nous interdise d'aller plus loin. Ici, au pied du Fitz Roy, je sortis du sac à dos l'urne contenant les cendres d'un oncle que je ne connaissais pas. Un oncle qui peut-être était un assassin, une victime, ou les deux à la fois.

– Cette lettre, c'est ton ami Juanmi qui te l'envoie, chuchotai-je en versant le contenu du sachet dans l'urne.

Dos au vent, j'agitai le récipient en l'air. À chaque mouvement, un dense brouillard blanc s'éleva pour ensuite disparaître.

Le jour de ma mort, ça ne me dérangerait pas de finir dans un endroit comme celui-ci.

CHAPITRE 27

Cette nuit-là, je dormis comme cela ne m'était pas arrivé depuis des années. Je m'écroulai sur mon lit, sans force pour réfléchir à l'hôtel, aux morts, ou à quoi que ce soit. Deux jours de marche font des miracles pour le sommeil.

Quand je m'éveillai, quelqu'un avait glissé une enveloppe sous ma porte. C'était une lettre de la police m'informant qu'ils avaient fini leurs investigations dans l'hôtel et que je pouvais y entrer.

Le plus sensé aurait été de me remplir un peu l'estomac avant d'entamer une journée qui promettait d'être longue. Mais si on faisait toujours ce qui est sensé, le monde marcherait plus comme une montre suisse et moins comme la circulation au Vietnam.

Après m'être brossé les dents, je sortis du chalet. Je résistai à l'envie d'aller sur la gauche, vers l'hôtel, et pris la direction de la maison de Laura. L'excuse : elle m'avait demandé de la laisser jeter un coup d'œil à l'intérieur avant que je touche quoi que ce soit. La vérité : j'avais un peu la trouille de retourner là-bas tout seul.

Laura ouvrit la porte de sa maison avec un café à la main et la tête de quelqu'un qui est debout depuis un bon moment. Quand je lui eus expliqué que nous étions autorisés à entrer dans l'hôtel, elle ne mit pas cinq minutes pour se préparer.

– Dis-moi, tu n'as pas de courbatures ? demandai-je tandis que nous marchions vers l'hôtel.

– C'est quoi, ça ?

– Tu sais bien, quand tu fais beaucoup d'exercice et que le lendemain tu as mal partout. Comment vous appelez ça ici ?

– On dit « j'ai mal aux muscles à cause d'hier ».

– Vous n'avez pas de mot pour ça ?

– Non.

– Ce serait trop concis pour vous, n'est-ce pas ? Un Argentin ne dit pas « j'ai des courbatures », mais « je ressens une douleur désagréable et constante au niveau des quadriceps et des ischiojambiers ».

– Avec quoi as-tu déjeuné ? De la confiture de clown ?

– Tu ne vas pas répondre à la question ?

– Quelle question ?

– Si tu as des courbatures ?

– Non. Et toi ?

– J'ai l'impression qu'un train m'a roulé dessus. Une roue sur les mollets et l'autre sur le cul. Ce matin j'ai eu du mal à m'asseoir sur la cuvette des WC.

– Merci pour la carte postale.

– J'en ai de bien pires, si tu veux.

– Non, s'il te plaît, je viens de déjeuner.

En passant devant la parcelle de Sosa, deux chevaux s'approchèrent de la clôture et Laura les caressa tandis que je restais à une distance raisonnable.

L'hôtel Montgrí n'était plus fermé par les rubans en plastique de la police. Je poussai la porte principale qui s'ouvrit sans résister, mais avec un grincement qui me fit mal aux dents. En premier j'ouvris les fenêtres de la réception et de la salle à manger. Je ne voulais pas revoir cet endroit dans la pénombre.

À la lumière naturelle, la salle ne me faisait plus peur. C'était plutôt la sensation, chargée d'émotion, d'entrer dans un lieu où le temps s'était arrêté. J'emmenai Laura à la chambre 7. Ici, la police avait laissé les volets ouverts et le soleil bas de cette matinée d'automne entrait à travers les rideaux râpés.

Même après le passage des pompiers et de l'équipe de la police scientifique, sur le matelas on distinguait encore assez nettement une silhouette humaine se découpant sur l'épaisse couche de poussière. Il y avait une tache brune au centre de la toile défraîchie.

– Certainement du sang, dit-elle.

– On peut le savoir après tant d'années ?

– Oui. Bon, ça n'a pas encore été confirmé, mais, d'après les blessures, c'est quasiment sûr.

– S'il a été tué par balle, la police aurait dû la trouver incrustée dans le matelas ou le mur, non ?

– Il n'a peut-être pas été tué par balle, ou alors ils l'ont trouvée. Je sais juste ce qu'ils veulent bien me dire.

Laura se pencha pour examiner de près le matelas. De temps en temps, elle touchait la toile du bout des doigts ou inclinait la tête pour l'observer sous une autre perspective.

Un sifflement interrompit le silence. Il était identique à celui que j'avais perçu le jour où j'ai découvert le mort.

– Tu as entendu ça ?

– De quoi parles-tu ? répondit Laura, tandis qu'elle s'accroupissait pour étudier le sol.

– Ce son. Écoute.

Le sifflement se répéta.

– C'est le vent qui s'infiltre par un quelconque interstice, dit-elle sans cesser d'inspecter du regard les lattes poussiéreuses truffées d'empreintes de chaussures de policiers.

J'examinai la fenêtre. Laura avait raison. L'autosuggestion m'avait amené à penser que le sifflement, qui provenait du vent s'introduisant par une fissure, était un gémissement humain. Je me félicitai de ne pas en avoir parlé.

– Ça, c'est l'entrée d'une cave, dit Laura en indiquant un anneau fixé entre les lattes du parquet.

– Aucune cave ne figure sur le plan. La police ne l'aura pas vue ?

– Bien sûr que si. Regarde, il y a des traces dans la poussière. Ils l'ont vue et ils l'ont ouverte.

Laura tira sur l'anneau et révéla une ouverture carrée. En nous éclairant avec nos téléphones, nous descendîmes un escalier en bois qui grinça sous mon poids. Nous étions dans un petit local d'à peine deux mètres sur deux. Le sol était en terre grise et les murs de brique, blancs de salpêtre. Il y avait une légère odeur d'humidité et la pièce était vide.

– Il n'y a rien ici.

Nous remontâmes et elle reprit son examen approfondi du lit.

– Si tu trouves le temps long, tu n'es pas obligé de rester avec moi, dit-elle après un certain temps de silence.

– Pas question.

Pas question, du moins dans un premier temps. Après, je perdis l'intérêt pour ses rares gestes répétitifs. Le comble fut quand je la vis rester presque cinq minutes sans bouger à côté de la tête de lit.

– Bon, je vais peut-être jeter un coup d'œil aux autres chambres. On se retrouve après.

Elle leva un pouce sans même me regarder.

J'allai de chambre en chambre, ouvrant les fenêtres, toussant à cause de la poussière des rideaux. Je ne trouvai rien d'inhabituel. Des lits faits, d'autres pas, des dessus-de-lit passés de mode couverts de poussière et des armoires dans lesquelles pendaient des cintres vides. Dans la cuisine aussi, rien d'anormal, pas plus que dans le hall de la réception au-delà de la fenêtre cassée que je connaissais bien depuis ma première visite.

Je sortis de l'hôtel pour me diriger vers la maison où avait vécu mon oncle, à l'autre bout de la parcelle. Du coin de l'œil, je crus déceler un mouvement sur le trottoir d'en face. À première vue, il n'y avait personne, mais j'avais la sensation de quelque chose d'anormal. C'est alors que je remarquai une paire de jambes près du tronc d'un arbuste.

Je me dis que ça ne voulait rien dire. Il pouvait s'agir de quelqu'un qui s'était arrêté là pour répondre à un message, par exemple. Je continuai vers la maison, bâtie sur le même modèle que l'hôtel, mais en plus petit.

Quand j'eus suffisamment avancé pour que l'angle de vue me permît de distinguer la personne sur le trottoir d'en face, les pieds reculèrent un peu afin que l'arbre continuât de s'interposer entre nous. Cette fois, j'étais sûr qu'il ne voulait pas être vu.

Je changeai de direction et marchai tout droit vers l'arbre. Un homme engoncé dans un manteau, la capuche mise, sortit en courant de derrière le feuillage.

– Hé ! criai-je tout en le poursuivant. Viens ici !

Le type courait vite, mais je n'avais pas l'intention d'abandonner même si je devais cracher mes poumons.

Il traversa la rue principale puis s'engagea dans une rue latérale en direction du Río de las Vueltas. Peu à peu, la distance entre nous diminua. Quand il ne lui resta plus qu'une vingtaine de mètres d'avance, il s'arrêta d'un coup et appuya les mains sur ses genoux. Son dos montait et descendait comme un piston.

Je ralentis, m'approchant prudemment. Quand je fus assez près pour percevoir son souffle, il se tourna vers moi et me sourit en découvrant une dentition clairsemée.

– Comment ça va, Fernando ?

C'était Danilo.

– Tu m'espionnes ? demandai-je.

– Un peu, oui.

– Pourquoi ?

– Les bonbons.

– Danilo, je ne suis pas Fernando. Et je n'ai pas de bonbons.

– Je sais.

– Alors que veux-tu ?

– Des bonbons, répéta-t-il sur le ton le plus naturel.

Il aurait été facile d'attribuer cette réponse à sa différence. Cependant, quelque chose me disait que c'était moi qui ne le comprenais pas.

– Danilo, je peux te poser une question?

– Bien sûr, mon ami.

– Tu savais ce qu'il y avait dans l'hôtel ?

– Des lits. Des tables. Des chaises.

– Non, je parle de la personne. Dedans, il y avait une personne morte.

Son expression changea au ralenti. Elle passa de l'étonnement à la confusion. Il fronça les sourcils, serra fortement les paupières et secoua la tête si brutalement que j'eus peur qu'il se fasse mal.

– Non, non, non. Mort, non. Il n'était pas mort. Il était saoul ! Fernando, tu as dit qu'il était saoul ! Saoul, tu as dit, Fernando. Pas mort. Mort, non.

De l'une des maisons d'en face sortit une femme.

– Danilo, que t'arrive-t-il ?

Mais Danilo continuait de secouer la tête et de crier. De ses yeux jaillissaient de grosses larmes qu'il s'empressait de sécher.

– Que lui as-tu fait ? me demanda la femme.

– Moi ? Rien.

– Comment rien ? Je t'ai vu, tu courais derrière lui. Que lui as-tu fait ?

– Rien, vraiment.

La femme s'approcha de moi et me parla à voix basse, les yeux dans les yeux.

– Tu es l'Espagnol de l'hôtel, c'est ça ? Écoute-moi bien, gamin, ici tout le monde se connaît et nous nous protégeons mutuellement. Apparemment, tu n'as pas compris que Danilo est incapable de se défendre tout seul, non ? Écoute, je vais te le dire clairement, si tu reviens à t'approcher de lui, c'est moi qui mets le feu à cet hôtel, tu m'as comprise ?

– Madame, je ne lui ai...

Elle me tourna le dos pour embrasser Danilo. Elle murmura à son oreille pour le tranquilliser, et quand elle se retourna, elle me foudroya du regard.

– Viens, Danilo. Entre un instant, je vais te donner des bonbons.

CHAPITRE 28

En retournant à l'hôtel, j'eus l'impression de porter un éléphant sur mon dos. Bien que la réaction de Danilo me laissât clairement penser qu'il savait quelque chose, je me sentais comme un vrai salopard pour l'avoir fait pleurer.

Je pénétrai sur ma parcelle, passai sans m'arrêter devant l'hôtel et me dirigeai vers la maison de Fernando.

Je n'eus aucun problème pour ouvrir la porte, le cadre était éclaté au niveau de la serrure. En y regardant de plus près, je remarquai que les fentes du bois n'avaient pas toutes le même aspect. L'intérieur de certaines était marron clair alors que pour d'autres il était gris et sec comme le reste du cadre. La porte avait été forcée deux fois. Une fois, par la police, il y avait quelques jours. Une autre, plusieurs années en arrière.

À l'intérieur de la maison, la lumière qui entrait par la fenêtre révéla une vaste salle à manger avec une table, un canapé et une cheminée construite avec les mêmes pierres rondes que les murs extérieurs. C'est donc là qu'avait vécu mon oncle durant quatre années.

J'étais sur le point de passer la porte qui communiquait avec le reste de la maison quand je repérai un détail. Dans l'épaisse couche de poussière qui recouvrait la table étaient dessinés quatre cercles parfaits. Je supposai que la police avait emporté deux verres et deux assiettes.

Dans le réfrigérateur, je trouvai des pots de confiture dont le contenu était devenu noir, une bouteille de lait complètement sèche et des légumes qui semblaient s'être changés en cendre.

Je m'employai à examiner les trois chambres. Le sol était couvert d'empreintes, mais la police ne semblait pas avoir prêté trop d'attention à la maison. Je remarquai quelques tiroirs ouverts sans poussière à l'intérieur et les marques sur le sol d'un meuble déplacé, mais pour le reste, tout paraissait intact.

Dans la plus grande des chambres, je trouvai un lit double défait. Sur la table de nuit, il y avait une pipe et un briquet et dans l'armoire, des vêtements d'homme et de femme. Dans la deuxième chambre, il y avait deux lits individuels, avec les draps là aussi en désordre. Sur le sol, un petit train en bois et une poupée blonde avec une robe qui avait été rose.

J'allais m'accroupir pour ramasser les jouets lorsque j'entendis un cri et sentis quelque chose se planter dans mes côtes. Je lançai un cri et me retournai par réflexe. Laura se tordait de rire.

– Tu t'es fait dessus ! me dit-elle quand elle put s'arrêter de rire. Pardon, je voulais te faire peur, mais pas autant. Je regrette.

À nouveau elle éclata de rire. Elle ne pouvait pas s'en empêcher, elle était enchantée de m'avoir mis au bord de l'infarctus.

– Tu as trouvé quelque chose d'intéressant ?

– Danilo était en train de nous espionner.

– C'est maintenant que tu t'en rends compte ?

– Tu le savais ?

– Évidemment. Le jour où nous sommes allés à la Laguna de los Tres, il nous a suivis à travers tout le village jusqu'au sentier.

– Et à toi ça te paraît normal ?

– Danilo a passé presque toute sa vie à surveiller l'hôtel, c'est logique qu'il veuille savoir qui tu es.

– Quand je lui ai dit qu'il y avait un mort dans l'hôtel, il a eu comme une attaque de panique. Il s'est mis à crier que non, qu'il n'était pas mort, qu'il était saoul. Qu'a-t-il voulu dire ?

– Je n'en ai aucune idée.

– Tu ne trouves pas ça bizarre ?

– Oui et non. Son cerveau fonctionne d'une manière qui pour nous autres est difficile à comprendre. Et quant à sa réaction, pour lui c'est normal. Parfois il peut crier la même phrase vingt fois de suite à une fourmi.

Sans même me laisser le temps de répondre, Laura se mit à examiner la maison avec la même minutie que pour l'hôtel. Avant qu'elle ne s'immerge dans cette sorte de transe et que je la perde, je lui montrai les vêtements dans l'armoire et les jouets sur le sol.

– Juanmi Alonso nous a dit que mon oncle était un célibataire endurci. Cependant, une famille a vécu ici.

Laura acquiesça.

– Une famille qui est partie sans faire les lits et en laissant de la nourriture dans le frigo.

CHAPITRE 29

Comme je l'avais imaginé, la matinée fut longue. Quand Laura termina son examen de la maison, nous avions dépassé l'heure du repas. Nous arrivâmes juste à temps dans une pizzeria où, après nous avoir attribué une table, ils refusèrent deux touristes arrivés derrière nous, leur disant que la cuisine venait de fermer.

– Les petits avantages de jouer à domicile, m'avait-elle dit en nous asseyant.

Je revins à ma cabane peu avant quatre heures de l'après-midi. Je m'allongeai sur le lit pour une sieste, mais à peine avais-je posé la tête sur l'oreiller que mille questions se bousculèrent dans mon esprit. Tout en jouant avec la chevalière que m'avait laissée Laura, je pensais à Fernando Cucurell. Qui abandonne du jour au lendemain sa maison et son commerce ? Et pourquoi laisser un mort dans la chambre quand on a une cave à sa disposition pour le cacher ? S'il y avait une réponse logique à tout cela, de toute évidence j'étais incapable de la trouver. Depuis mon doigt, le loup argenté paraissait se moquer de moi.

Comprenant que je ne pourrais pas trouver le sommeil, j'allumai mon ordinateur. Le signal wifi était bon cet après-midi. J'appelai en vidéo Xavi, le frère d'Anna et peut-être la seule personne à pouvoir m'aider. Il répondit à la seconde tonalité.

– Julián, mon pote. Tu es en Patagonie ?

– Je vois que les nouvelles vont vite.

Entre le visage carré et les dreadlocks de Xavi, je n'arrivais pas à distinguer un seul centimètre de ce qu'il y avait derrière lui. Le connaissant, il pouvait être n'importe où. Xavi était informaticien et avait un de ces jobs de rêve.

Bien que sa maison fût à Barcelone, il n'y vivait pas la moitié de l'année. Il passait l'été à faire de la plongée sur la Costa Brava et l'hiver à skier dans les Pyrénées. Et pendant ses moments libres, il ouvrait l'ordinateur pour travailler.

– Et toi, où es-tu ?

– Chez moi. Je viens juste de revenir de la maison d'Anna.

– C'est quoi exactement la maison d'Anna ?

– Elle a loué un appartement dans le Born. Je l'aide pour le déménagement.

Je ne sais pas où je trouvai la dignité de ne pas faire de commentaires. Même si, lors de notre funeste conversation téléphonique le lendemain de l'histoire avec Rosario, c'était moi qui avais dit à Anna que notre relation était arrivée à son terme, ça me paraissait un peu rapide qu'elle ait déjà trouvé un nouveau logement. Je me demandai si elle y vivait seule ou avec sa veuve argentine.

– Quand je pense qu'il y a quatre mois nous célébrions le Nouvel An tous ensemble, mec. Quelle vacherie ce qui vous est arrivé à ma sœur et à toi.

– Ce qui nous est arrivé ? Je crois plutôt que la vacherie, c'est elle qui me l'a faite.

– Je ne me mêle pas de ça, Julián. Quand un couple se sépare, il y a rarement un seul coupable.

– Et toi, ça ne t'énerve pas un peu ?

– Moi ? Pourquoi ?

– Pour rien. C'est tout à fait normal que ta sœur se mette avec la nana qui était avec toi l'année dernière.

Xavi sourit, comme s'il s'était attendu à cette remarque.

– Cette fameuse nuit de Noël il ne s'est rien passé entre Rosario et moi, Julián. C'est vrai, nous avons parlé un moment seul à seul et c'est ensemble que nous sommes partis de chez vous, mais ce n'est pas allé plus loin. De toute manière, si nous voulons rester potes, le mieux est que nous laissions ma sœur et ses histoires en dehors de ça, qu'en penses-tu ?

– Tu as raison, convins-je. De fait, je t'ai appelé pour te demander un service qui n'a rien à voir avec elle.

– Tout ce que tu veux, mec.

– J'ai besoin d'en savoir le plus possible sur le frère de mon père. Note : Fernando Cucurell Zaplana.

Xavi éclata de rire et secoua la tête. Les dreads virevoltèrent comme dans un clip de Lenny Kravitz des années 90.

– Tu crois que je travaille pour la CIA ?

– Tu es hacker, oui ou non ?

– Je suis consultant en sécurité informatique.

– Ce n'est pas la même chose ?

– Autant la même chose qu'un vétérinaire et un dompteur. Les deux travaillent avec des animaux.

– Alors, tu ne peux rien faire ?

– Il y a peut-être d'autres moyens : voir ce que je peux tirer de mes contacts, quelles informations sont publiques...

– Tout peut me servir.

– As-tu interrogé ton père à propos de son frère ?

– Oui, mais ils ne se parlaient plus depuis avant ma naissance. Et il m'a fait clairement comprendre qu'il ne souhaitait pas aborder le sujet.

– Peut-être a-t-il ses raisons.

– Que veux-tu dire ?

– D'après ce que m'a dit Anna, tu es là-bas pour régler l'héritage d'un oncle que tu ne connaissais pas, c'est ça ?

– Oui.

– Donc tu ne vas pas trop le regretter. Il est mort et il t'a tout laissé. Profites-en. Que vas-tu gagner à fouiller dans le passé ?

Je lâchai un soupir. En partie, parce que les paroles de Xavi étaient la copie conforme de la lettre de menace que j'avais reçue la semaine dernière, et en partie parce que, si je ne lui racontais pas la vérité, mon ex-beau-frère n'allait pas me comprendre. Alors je racontai.

– Un mort ? Tu as trouvé un mort dans l'hôtel ?

– Comme je te le dis. Momifié. On l'a assassiné il y a une trentaine d'années. À l'époque même où mon oncle a abandonné l'hôtel du jour au lendemain, comme si la terre l'avait avalé.

– Tu veux dire que ton oncle l'a tué puis s'est enfui ?

– Je n'en sais rien.

Xavi se passa les deux mains dans les cheveux, rassemblant les dreadlocks qu'il laissa ensuite tomber dans son dos.

– Hallucinant, mec. Quatre mois plus tôt, tu mangeais les raisins de Noël avec moi et aujourd'hui tu es propriétaire d'un hôtel à l'autre bout du monde avec en supplément un mort à l'intérieur.

– La vie te réserve de ces surprises.

– Pour toi, dernièrement, ce sont des coups de pied au cul.

– Merci, Xavi. Si un jour je suis au bord du suicide, c'est toi que j'appellerai, dis-je en le gratifiant d'un doigt d'honneur qui occupa tout l'écran.

– Que voient mes yeux ? Ça ne fait pas un mois que tu es dans les montagnes et déjà tu t'es transformé en hippie. Avec bague et tout le reste. Pour quand les dreads ?

Je me rendis compte que j'avais toujours la chevalière au doigt.

– Ça ? Ce n'est pas à moi. Tu penses que je pourrais mettre un truc aussi moche ? Regarde, dis-je en mettant la bague devant la caméra.

Je bougeai le doigt de manière à ce que la tête du loup soit au premier plan. Xavi fronça les sourcils façon sudoku difficile.

– Que fais-tu avec un anneau de la Fraternité des Loups ?

– La quoi ?

– D'où tu le sors ?

– Non. Toi d'abord. Tu connais cet anneau ?

162

Xavi me fit signe de l'attendre et sortit de l'écran. Je restai quelques secondes à regarder sa chaise vide. Quand il revint, il approcha de la caméra une bague identique à celle que m'avait donnée Laura.

– Putain, comment t'as eu ça ?

– Chaque membre de la Fraternité des Loups en avait une.

– La Fraternité des Loups ? De quoi es-tu en train de parler ?

– Une société secrète d'élèves de Santa María de los Desamparados. Une espèce de club d'étudiants.

Santa María de los Desamparados était le seul collège de Torroella de Montgrí, le village où avaient grandi mes parents et mon oncle. C'était aussi le village où j'étais né, bien que le travail de ma mère nous ait amenés à Barcelone quand j'étais encore un bébé.

Xavi et Anna, eux aussi, étaient de Torroella. Je les ai connus l'été où nous sommes allés redonner un coup de jeune à la façade de la maison de mes grands-parents avant de la vendre.

– Xavi, il est très important que tu m'expliques tout ce que tu sais, dis-je en me massant les tempes.

– La Fraternité des Loups était une espèce de club dans lequel tu ne pouvais entrer que sur invitation. Dans ma famille c'était une tradition. Mon grand-père en fut membre, ensuite mon père, et pour finir, moi. Mais, je te préviens, après moi c'est mort car je ne pense pas avoir d'enfants.

– Comment ça « une espèce de club » ?

– Avec des réunions dans le style secte ou loge plus ou moins maçonnique.

– J'ai besoin que tu sois plus précis.

– Tu as entendu parler des fraternités et des sororités aux États-Unis ?

– Non.

– Tu vis où, mec ? Dans un pot de yaourt ? Ce sont ces clubs universitaires avec des noms de lettres grecques : pi, delta, gamma...

– Ah, oui, j'ai déjà entendu ça dans un film.

– C'est ça. Ce sont des sociétés qui existent depuis très longtemps, avec des origines très solennelles, mais qui de nos jours ont perdu toute signification. Les membres se réunissent pour s'alcooliser et faire subir des sévices aux nouveaux venus. Voilà, la Fraternité des Loups ressemblait un peu à ça de mon temps. Nous procédions à un quelconque rituel de temps en temps, mais ce n'était qu'un prétexte pour boire, fumer et parler de gonzesses.

– Rituel ?

– Bon, ça peut paraître très sérieux. En fait, nous jouions au ouija, nous tirions le tarot, enfin ce genre de conneries. Mais tout ça était secondaire. C'est comme un groupe de retraités qui se réunit pour jouer aux cartes. Les cartes ne sont qu'un prétexte, tu comprends ? L'important, c'est d'être ensemble, de se raconter des anecdotes et, surtout, de sentir que tu fais partie d'un groupe. Vu de maintenant, ce n'était rien d'autre que des enfantillages.

– Des enfantillages plutôt élaborés, tu ne crois pas ? Des chevalières en argent avec une tête de loup...

– En argent ? T'as vu ça où, mec ? Cette bague est en laiton.

Xavi approcha une nouvelle fois la sienne de la caméra et je remarquai que le métal était doré.

– Tu sais ce que signifie l'inscription ?

– Quelle inscription ?

– À l'intérieur : *Lupus occidere uiuendo debet*.

Xavi nia de la tête et me montra l'intérieur de sa bague, entièrement lisse.

– Je ne sais pas de quoi tu me parles.

Peut-être que sa chevalière était en laiton, meilleur marché que l'argent, parce que Xavi était né plus de vingt ans après les victimes. De nos jours les choses sont de moins bonne qualité.

– As-tu vu celle de ton père ou de ton grand-père ?

– Celle de mon père est identique, en laiton et sans inscription. Mon grand-père n'en avait pas car à cette époque, ce symbole n'existait pas. Il est arrivé après. Mais comment se fait-il que tu en possèdes une ? Tu n'as pas grandi à Barcelone ?

– Exact.

– Seuls les membres de la Fraternité possèdent une bague, et la Fraternité appartient à un collège de Torroella, pas de Barcelone.

J'inspirai à fond, me demandant ce que je devais lui raconter. J'optai pour le chemin le plus facile. En trois minutes, je lui avais tout déballé.

– J'y crois pas, me répondit mon ex-beau-frère quand j'eus terminé mon résumé. Trois membres de la Fraternité morts ?

– C'est ça. Deux dans le glacier et un dans l'hôtel. Quelles sont les probabilités que je tombe sur trois meurtres à l'autre bout du monde reliés au collège dans lequel a étudié mon oncle ?

– Aucune.

– Tu m'as compris.

– Laisse-moi quelques jours et je verrai ce que je peux trouver sur Fernando Cucurell. Mais ne te fais pas trop d'illusions.

– Merci, mon pote. Quelques informations supplémentaires sur cette fraternité me serviraient aussi, surtout vingt-cinq ans avant que tu en fasses partie.

– J'en parlerai avec mon père pour voir ce qu'il sait.

– Tu es un grand, Xavi. Si tu étais une femme, je me mettrais avec toi.

– Tu en es sûr ? Regarde comme ça t'a bien réussi avec ma sœur.

CHAPITRE 30

Vers six heures du soir, je m'approchai des Randonnées à cheval Aurora où je trouvai Laura en train de brosser le crin d'une jument marron. Elle me dit de l'attendre, dans quelques minutes elle était libre pour le reste de la journée.

Je l'observai pendant qu'elle terminait sa tâche. Elle accompagnait les mouvements de la brosse de tapes du plat de la main et de murmures. Pour le peu que je la connaissais, j'avais du mal à l'imaginer s'occupant d'une personne avec la même tendresse qu'elle donnait aux animaux.

– Un de ces jours, si tu veux, je t'emmène faire une balade à cheval, me dit-elle en finissant son travail.

– On verra, répondis-je, un peu nerveux.

– Tu as peur des chevaux ?

– Un peu. Je sais que, si je rationalise, c'est idiot, mais ce n'est pas pour ça que j'ai moins peur.

– Les phobies ne sont pas rationnelles. En ce qui me concerne, j'ai le même problème avec les chiens.

Je n'avais jamais envisagé que mon problème avec les chevaux puisse être une phobie. Je me demandai quel serait le mot pour la désigner. Il devait y en avoir un car même les peurs les plus rares, comme celle de ma mère avec les couteaux, avaient un nom.

Laura épousseta ses vêtements et nous sortîmes dans la rue, nous éloignant sans but précis de la maison de Sosa et de l'hôtel Montgrí. Je lui posai quelques questions sur les chevaux avant de me décider à aller droit au but.

– Catalans, dis-je tandis que nous passions devant un hôtel qui se faisait appeler *lodge* pour gonfler ses prix.

Les morts du glacier sont catalans, comme Juan Gómez, le momifié. Plus précisément, de Torroella de Montgrí.

Laura chercha le village dans son téléphone.

– Tu connais ce patelin ?

– Oui, c'est là que je suis né. Mais j'étais encore un bébé quand mes parents ont déménagé à Barcelone. Je n'y suis retourné que deux fois.

– Si les morts étaient réellement de ce village, il est fort probable qu'ils aient connu Fernando Cucurell, parce qu'ils avaient le même âge.

– Et ils allaient au même collège, ajoutai-je. Mon père m'a parlé des excursions qu'organisait Fernando quand il était élève.

– Tu es sûr à cent pour cent que les victimes étaient de Torroella ?

Je lui expliquai ce que « mon ami » Xavi m'avait dit sur la chevalière de la Fraternité des Loups. Quand Laura me demanda si je faisais confiance à cet ami, je n'eus pas d'autre choix que de lui révéler la nature de notre relation. Je lui racontai aussi, avec peut-être plus de détails que nécessaire, que sa sœur m'avait trompé il y avait une quinzaine de jours avec une compatriote à elle.

– Ça doit faire très mal, dit-elle.

– J'ai cherché dans internet, mais je n'ai rien trouvé sur cette fraternité, répondis-je pour changer de sujet. D'après Xavi ce n'est rien d'autre qu'un club d'inoffensifs étudiants.

Maintenant, Laura marchait les sourcils froncés et la lèvre inférieure pincée entre le pouce et l'index. Je pouvais presque percevoir le mouvement des engrenages dans son cerveau.

– À quoi penses-tu ?

– Au lien entre Fernando et les victimes. Avec ce que t'a dit ton beau-frère, il n'y a aucun doute, ils se connaissaient.

– Ex. Ex-beau-frère. En fait, même pas ça, parce qu'Anna et moi, nous n'étions pas mariés.

– Pardon. Ton ex-faux-beau-frère, alors, dit-elle en riant.

Nous marchâmes en silence pendant un moment. De temps en temps, je donnais un coup de pied dans les graviers qui couvraient la rue. Nous arrivâmes à la place principale du village, un parc avec quelques petits arbres et au centre un drapeau argentin flottant au sommet d'un mât.

– Deux touristes ne peuvent pas se balader seuls sur ce glacier, dis-je. Un guide a dû les accompagner. Dans ce cas, il y a deux possibilités : soit c'est le guide qui les a tués, soit c'est quelqu'un qui les a suivis depuis le village.

– Les deux sont possibles, mais il peut y en avoir d'autres. Ce dont nous sommes certains, c'est que les deux cadavres avaient des taux élevés de diazépam dans l'organisme, ce qui veut dire qu'ils étaient à moitié endormis quand on les a assassinés. Et s'ils n'ont pas pris volontairement ce diazépam, c'est que quelqu'un en qui ils avaient confiance l'a mélangé avec quelque chose qu'ils ont ingéré.

– Le guide, par exemple. En ce qui me concerne, au cours de la randonnée, Sosa m'a offert un whisky avec des glaçons provenant du glacier, et je l'ai bu sans poser de questions.

– C'est une possibilité.

– D'après Juanmi Alonso, en plus d'être hôtelier, mon oncle était guide.

Laura acquiesça.

– Si c'est le guide, ajoutai-je, c'est avec préméditation. Quelle sorte de guide part en randonnée avec des tranquillisants et un fusil ?

– Je crois que nous nous laissons trop emporter par ce qui s'emboîte en laissant de côté ce qui ne cadre pas. Par exemple, pour quelle raison ton oncle a-t-il disparu ? Pourquoi a-t-il laissé un cadavre dans l'hôtel ? N'aurait-il pas été plus sensé de se débarrasser du corps avant de partir en Espagne ? Il savait que tôt ou tard

168

quelqu'un allait entrer et le trouver. Si on y pense, c'est quasiment un miracle que Danilo ait pu surveiller aussi efficacement cet hôtel pendant trente ans. Tout est très confus car nous ne savons pas quel est le premier maillon de la chaîne.

– Que veux-tu dire ?

– Que personne ne tue trois personnes dans deux endroits différents par pur hasard.

– Surtout quand ils se connaissent.

– Nous devrions parler avec quelqu'un qui faisait partie de cette fraternité quand ton oncle était dans ce collège.

Le plus évident aurait été le père d'Anna parce que, selon Xavi, être membre de la Fraternité était une espèce de tradition familiale. Mais ça ne me disait vraiment rien de discuter avec mon ex-beau-père. Entre le fait que je ne m'étais jamais vraiment bien entendu avec lui, et ma récente rupture avec sa fille, je décidai de ne jouer cette carte qu'en dernier recours.

– Je vais demander à Xavi s'il connaît un membre plus âgé que lui, et nous voyons si nous pouvons tirer ce fil.

Laura hocha la tête.

– Un autre détail, dis-je. Sa bague est en laiton et n'a aucune inscription à l'intérieur. J'ai passé l'après-midi sur internet en essayant de trouver une signification à « *Lupus occidere uiuendo debet* », mais je n'ai rien trouvé de mieux que la traduction littérale.

– Moi, ça fait un an et demi et je n'ai rien trouvé non plus.

CHAPITRE 31

Le jour suivant, Sosa vint à ma cabane vers deux heures de l'après-midi pour me laisser la clé des archives municipales. Il me dit qu'il lui avait été très difficile de prendre cette décision, mais quelque chose lui disait qu'il pouvait me faire confiance. Je fus surpris qu'il n'eût pas donné la clé à Laura, mais je préférai ne pas poser de questions. Il me quitta en m'expliquant qu'il serait absent du village pendant quelques jours, mais que si j'avais besoin de quoi que ce soit je pouvais l'appeler sur son portable.

Une heure plus tard, Laura et moi fouillions dans une pièce remplie de classeurs contenant des dossiers pleins à craquer. Je me rappelai la phrase de Margarita, l'employée de mairie : « Trouver quelque chose là-dedans prend énormément de temps ». Et pour en prendre, ça en prenait. La plus grande partie des documents n'avait ni ordre alphabétique ni ordre chronologique. Par exemple, dans un même dossier, je trouvai une facture de restaurant datant de 1995 avec les plans d'une maison présentés en 1992.

Nous ne pûmes rien trouver concernant l'hôtel Montgrí dans ce cimetière de paperasses. Je revins à ma cabane épuisé et les mains vides. À neuf heures du soir, étendu sur mon lit en train de lire les messages sur mon téléphone, je me laissai envahir par une douce torpeur qui fut brutalement interrompue par une vibration sur mon thorax.

– Julián, je te dérange ?

Sur l'écran, les dreads de Xavi se balançaient au rythme de ses paroles.

– Pas du tout. Dis-moi.

– Tu me dois vingt euros.

– Déduis-les de toutes les bières que je t'ai payées ces trois dernières années.

– C'est fait. Tu ne me dois plus que dix-sept euros.

– Quelle mauvaise mémoire tu as quand ça t'arrange, mec !

– Écoute. J'ai une amie, Merche, qui bosse aux Finances publiques. Fernando Cucurell Zaplana a cessé de payer ses impôts en Espagne en 1987 puis a recommencé en 1991. À partir de là, il a fait sa déclaration de revenus tous les ans sans exception jusqu'à l'année dernière.

– Ça coïncide avec ce qu'on m'a raconté ici : mon oncle s'est installé à El Chaltén en 1987 et a disparu en 1991.

– Selon Merche, depuis qu'il est revenu en Espagne il a toujours vécu à la même adresse: 32, rue Pere Pau à Barcelone. Ça se situe dans le quartier de Horta. Au rez-de-chaussée de cette même adresse, ton oncle tenait un restaurant avec une associée, Lorenza Millán Rodríguez. Le commerce s'appelle *El Asador de Anguita*.

Je notai les renseignements en même temps que j'essayais de digérer tout cela. Mon oncle inconnu, qui m'avait laissé un hôtel avec un mort dedans, avait vécu les trente dernières années dans la même ville que moi. Et, d'un autre côté, pourquoi le notaire n'avait pas mentionné le restaurant en énumérant ses actifs ?

– Merci, Xavi. Tout ça m'est très utile.

– Ce n'est pas tout. J'ai aussi un ami dans la Police nationale. Ça m'a coûté un bras pour qu'il crache le morceau, mais il a fini par me dire que ton oncle n'avait aucun antécédent judiciaire.

– Comme la corruption est bon marché en Espagne ! Les vingt euros étaient pour les impôts ou la police ?

– Les vingt euros étaient pour une consultation des archives de *La Vanguardia*. Je viens de t'envoyer par mail un article qui va t'intéresser.

– Sur mon oncle ?

– Pas exactement. Lis-le et tu verras.

– Pourquoi tu ne me le résumes pas, tout simplement ?

– Parce que de toute façon tu vas le lire. Pourquoi veux-tu que je gaspille de la salive ?

– Toi, ce n'est pas de la salive que tu as, c'est du fluide hydraulique. Tu es un robot dépourvu de sentiments.

Xavi rit et, fidèle à son tic, arrangea ses dreads sur ses épaules. Je le quittai en résistant à l'envie de lui demander des nouvelles d'Anna.

Son mail contenait un article de *La Vanguardia* du 14 juillet 1985. Dans le style sensationnel des années 80, il s'intitulait :

De l'innocent club d'étudiants à la secte macabre

Au cours de la journée d'hier, la Police nationale a procédé à trois interpellations dans la localité de Torroella de Montgrí, appartenant à la comarque du Baix Empordà, dans le cadre d'une investigation sur un présumé délit de viol. Il y a deux mois, Meritxell Puigbarò, âgée de vingt-deux ans, a porté plainte après avoir été enlevée et violée à Torroella par un groupe d'hommes cagoulés. D'après le témoignage de la jeune femme, les agresseurs portaient une chevalière avec une tête de loup appartenant à une société secrète nommée la Fraternité des Loups.

Les sources consultées par ce journal ont reconnu que ladite fraternité est une association au sein du collège Santa María de los Desamparados à Torroella de Montgrí. Malgré ce que suggère sa dénomination, plusieurs ex-membres ont voulu laver le beau nom de ce club qui a quasiment un demi-siècle d'existence.

« À mon époque, les Loups n'étaient que quelques gamins qui se réunissaient pour s'amuser, sans faire de mal à personne. Le plus grave qu'il nous arrivait de faire, c'était

de coller un chewing-gum sur la chaise d'un camarade »,
déclare Artur Casbas, ex-maire de Torroella de Montgrí et
membre du club entre 1956 et 1959.

En admettant qu'ils aient existé, ces Loups
inoffensifs auxquels fait allusion Casbas, sont très loin des
créatures enragées décrites par Meritxell Puigbaró. La jeune
femme, qui avait été prise en charge par le service des
urgences suite à l'agression, et dont l'état, aujourd'hui
encore, nécessite un suivi psychologique, a bien voulu nous
donner sa version des faits et réclame que des mesures
soient prises pour «qu'il n'arrive pas la même chose à
d'autres femmes ».

« Je rentrais chez moi après ma journée de travail.
J'ai l'habitude de traverser un terrain vague qui m'évite un
long détour. Torroella est un village tranquille et je n'aurais
jamais imaginé que cela puisse m'arriver ». À mesure que la
jeune femme avance dans son récit, sa voix se brise et elle
doit s'interrompre plusieurs fois pour recouvrer son calme.
Elle raconte que la nuit du 17 mai des hommes l'ont
encerclée puis forcée à monter dans une fourgonnette.

« On dit qu'il y a des personnes qui ne gardent pas
de souvenirs quand il s'agit d'événements aussi
traumatisants. Moi je n'ai pas eu cette chance. Je ne peux
pas m'empêcher de les voir, de les entendre et même de les
sentir », raconte Puigbaró les larmes aux yeux. Ils m'ont
emmenée dans une espèce d'entrepôt, jetée sur un matelas
posé sur le sol et m'ont violée. Ils étaient quatre. Je n'ai pas
pu voir les visages car ils portaient des cagoules, mais je sais
qui ils sont. J'ai reconnu les voix, et tous portaient cette
bague avec une tête de loup ».

La bague dont parle Puigbaró est, précisément, le
symbole de la Fraternité des Loups. Au cours de son récit, la
femme n'a aucun scrupule à nous donner les noms de ses
quatre agresseurs. Il s'agit d'hommes originaires de
Torroella de Montgrí d'environ vingt-sept ans. Le journal a
décidé de ne pas révéler leur identité tant que les faits ne
sont pas vérifiés.

En ce qui concerne la chevalière, d'anciens membres de l'institution nous expliquent que tout nouvel arrivant dans la Fraternité en reçoit une. À la fin de leurs études à Santa María de los Desamparados ils sont obligés de quitter la confrérie, mais peuvent conserver la bague en souvenir. « Il y avait un serment qui se faisait le dernier jour, au cours duquel on s'engageait à prendre soin de la bague, mais à ne plus jamais la porter au doigt. C'était une espèce de rite qui datait des origines de la Fraternité, quand c'était une association plus formelle et rigoriste », explique Artur Casbas.

La justice doit maintenant enquêter sur le viol de Meritxell Puigbaró et trouver les responsables. Malgré plusieurs essais de prise de contact, le collège Santa María de los Desamparados n'a pas répondu à nos demandes d'entretien pour cet article.

Quelle est la véritable nature de la Fraternité des Loups ? S'agit-il d'une sinistre société secrète ou simplement d'un inoffensif club d'adolescents ?

CHAPITRE 32

– Parfois les morts ne sont pas aussi gentils qu'on le croit, dit Laura après avoir lu l'article.

Cela faisait dix minutes qu'elle était arrivée à ma cabane, peu après que je l'avais appelée pour lui expliquer ce qu'avait découvert Xavi.

– Jusqu'à présent je m'étais fait à l'idée que les victimes du glacier étaient, justement, des victimes.

– Elles le sont, Julián. Elles sont victimes d'assassinat, au-delà des personnes qu'elles ont été.

En même temps qu'elle me parlait, Laura s'affairait sur son téléphone. Et il n'y a rien qui m'énerve autant que les gens qui préfèrent regarder un écran plutôt que la personne qu'ils ont en face d'eux.

– Nous devons savoir si mon oncle a fait partie des Loups, dis-je, sans trop savoir si elle captait mes paroles. Je peux appeler le collège Santa María de los Desamparados.

– C'est une façon de commencer aussi bonne que n'importe quelle autre.

– D'un autre côté, l'article dit que les membres doivent quitter la fraternité à la fin du collège, mais il dit aussi que les agresseurs avaient vingt-sept ans. Si nous pouvions contacter cette femme... Ça te dérangerait de me regarder quand je te parle ?

Laura sourit et me montra son téléphone.

– Meritxell Puigbaró a sa propre page web, elle est traductrice de l'anglais et de l'allemand.

– Tu devrais te consacrer aux enquêtes criminelles. Tu es douée.

– Pas autant que toi pour les plaisanteries. Je me charge de contacter Puigbaró et toi le collège ?

– Partage du travail. Ça me plaît. À présent, nous sommes une vraie équipe.

– Il faudrait aussi en apprendre un maximum sur les Loups.

– Je m'en occupe.

Laura tira le rideau pour regarder dehors. Il était neuf heures du soir et les dernières lueurs du jour venaient de disparaître. Après un court moment de silence, elle reprit son téléphone pour me montrer une photo.

– C'est Ricardo, le chef de la Scientifique de Calafate, qui me l'a envoyée il y a deux heures.

– La dernière fois que tu l'as vu, il ne semblait pas particulièrement t'apprécier.

– Comment tu sais ça ?

– Je passais par hasard devant l'hôtel et je t'ai entendue discuter avec lui, improvisai-je, évitant de lui dire que j'étais caché derrière le bar.

– Ça, c'est le passé. Je me suis mal comportée, mais depuis je me suis excusée. Nous avons travaillé ensemble sur les meurtres du glacier et nous nous apprécions. C'est un bon gars.

Sur la photographie je reconnus la chambre principale de la maison où avait vécu mon oncle, à l'autre bout de la parcelle de l'hôtel.

– Regarde le sol.

À la place de l'enchevêtrement de traces de pas devant lequel je m'étais trouvé la fois d'avant, dans la couche de poussière il n'y avait qu'un seul jeu d'empreintes que même moi je pouvais interpréter. Quelqu'un avait marché jusqu'à la table de nuit puis fait demi-tour pour sortir.

– Cette photo a été prise par la Scientifique quand ils sont entrés dans la maison, dit Laura, avant qu'aucun policier n'ait mis les pieds dans la chambre.

– Cela veut dire que quelqu'un est entré peu de temps avant eux.

– Il est évident qu'il savait ce qu'il cherchait et où le trouver. Te souviens-tu de ce qu'il y avait dans le tiroir de cette table de nuit quand nous y sommes allés ?

– Une pipe et un briquet, rien d'autre.

– Tu connais quelqu'un qui aurait si peu de bordel dans le tiroir de sa table de nuit ?

– Non.

– Le propriétaire de ces empreintes de pas est entré dans la maison, est allé directement à la table de nuit et a emporté un truc. Tu peux me dire pourquoi il agirait ainsi ?

– Parce que ça le compromettait.

– C'est aussi mon avis.

CHAPITRE 33

Le jour suivant, sur le coup de midi, j'appelai Santa María de los Desamparados pour   avoir des informations sur la Fraternité des Loups. La secrétaire me répondit qu'elle ne savait pas de quoi je parlais. Je demandai à parler au directeur qui, d'après la page web du collège, était un certain professeur Castells. La femme m'expliqua, avec amabilité, qu'il assistait à un congrès et ne serait pas de retour avant la semaine prochaine. J'improvisai en lui disant que j'aimerais avoir un entretien avec lui, et elle m'assura que dès le retour de Castells elle lui transmettrait mon message. Le ton de sa voix me fit douter de sa promesse.

Je raccrochai et appelai mon père. Sur l'écran apparut un demi-sourire et un œil du grand Miguel Cucurell.

– Julián. Comment vas-tu ?

– Bien, papa. Mieux encore si je voyais la totalité de ton visage.

– Il n'y a personne pour comprendre ces appareils, répondit-il en éloignant le téléphone.

Il était dans son fauteuil devant la télé, comme la majeure partie du temps qu'il passait à la maison.

– Papa, te rappelles-tu si ton frère avait une chevalière comme celle-ci ?

Je mis devant la caméra la copie que m'avait donnée Laura. Mon père plissa les yeux, comme si cela allait améliorer la basse résolution de la vidéo.

– Je ne sais pas si tu la vois distinctement. C'est une tête de loup.

– Maintenant je la vois bien. Ça ne me dit rien. Pourquoi me montres-tu cette bague ?

– Apparemment, à Santa María de los Desamparados il y avait une société secrète d'élèves qui s'appelait la Fraternité des Loups, et cette tête de loup était leur symbole.

– Mon frère dans la Fraternité des Loups ? Impossible.

– Tu les connaissais ?

– Évidemment. Comme tout le monde. C'étaient des petits cons de fils à papa qui se réunissaient pour vider en cachette les bouteilles de whisky hors de prix qu'ils avaient fauchées à leurs parents. Ils fumaient, parlaient des filles comme s'ils y connaissaient quelque chose et s'échangeaient des revues pornos. Mon frère n'aurait jamais traîné avec ces types même s'ils l'avaient payé.

– Tu es sûr à cent pour cent qu'il n'était pas membre ?

– Non. Pas plus que je suis sûr à cent pour cent que l'homme ait marché sur la lune, mais si je devais parier... Fernando était quelqu'un d'ouvert, avec peu de secrets, qui préférait vivre à l'air libre et flirter avec les filles du collège de l'Immaculée Conception plutôt que de se réunir en secret pour fumer, boire ou baver devant la photo d'une paire de seins.

– Comment sais-tu ce qui se passait durant ces réunions ?

– Tout simplement parce que c'est eux-mêmes qui te le racontaient pour frimer et t'appâter. Plus il y avait de membres, mieux c'était, car il fallait payer un droit d'inscription assez élevé, et avec cet argent, une fois par mois, ils se payaient une femme de la nuit.

– Une prostituée ?

– Plutôt ce qu'aujourd'hui on appellerait une strip-teaseuse.

– Pour une société secrète, elle n'était pas très secrète.

– Pas secrète du tout. Ce n'était qu'une bande de ratés avec une grande gueule.

– Ton frère ne t'a jamais parlé de la Fraternité ?

– Pas que je me souvienne. Pourquoi est-ce si important ?

– C'est un peu long à expliquer, papa.

– Je n'ai rien d'autre à faire.

– Voyons par où je vais commencer... Tu savais que ton frère était né en Argentine ?

– Oui. Mes parents ont émigré à Buenos Aires au milieu des années 50. Mon père a créé une entreprise avec un associé qui l'a escroqué. Ils sont revenus en Catalogne au bout de deux années plus pauvres qu'à leur départ et avec Fernando bébé. Tes grands-parents ne parlaient pas beaucoup de cette histoire. Il m'a fallu des années pour savoir ce que je suis en train de te raconter.

– Grâce à sa nationalité argentine, Fernando a pu obtenir le terrain où il a construit un hôtel qui n'a fonctionné qu'une saison pour ensuite rester fermé pendant trente ans. La première personne à retourner dans le bâtiment, ce fut moi, et j'y ai trouvé un cadavre momifié datant probablement de l'époque où Fernando est parti. Il portait une chevalière identique à celle-ci, qui se trouve appartenir à la Fraternité des Loups. Et ce mort est allé au même collège que Fernando. Comme tu le comprendras, ça ne peut pas être le hasard.

Mon père passa la main sur son large front, essayant d'assimiler ce que je venais de lui lâcher. Je me réjouissais de ne pas lui avoir mentionné que, en plus du mort de l'hôtel, deux autres étaient apparus dans le glacier. Son cœur était fatigué et il nous avait déjà fait plus d'une frayeur.

– Mon fils, je ne sais pas quoi te dire. Mon frère et moi n'avons jamais été très proches, mais j'ai du mal à m'imaginer qu'il a pu être un assassin. Même si parfois nous avons eu de grands désaccords, c'était un brave type.

– Je crois que cela me serait très utile si tu me racontais pourquoi vous vous êtes querellés.

– Tu recommences avec ça. Je te l'ai déjà dit, pour une femme.

– Ça ou rien c'est pareil. J'en sais si peu sur lui que le moindre détail est très important. Une dispute qui l'éloigne de son frère doit en dire beaucoup sur lui et cela m'aiderait à me faire une idée sur sa personnalité.

– Ça en dit beaucoup sur moi également. Te rends-tu compte comme il serait injuste que je te donne ma version alors qu'il n'est plus là pour se défendre ?

Ainsi les valeurs de mon père sont d'acier. Miguel Cucurell appartient à une espèce en voie de disparition.

– Ça ne fait rien, papa. Ne t'en fais pas. L'important est de savoir si Fernando était en relation avec la Fraternité des Loups. As-tu encore des contacts avec un ancien camarade de Santa María de los Desamparados ?

– Il y a quelques années, ils m'ont ajouté à un groupe WhatsApp composé d'élèves de ma promotion. De temps en temps ils m'envoient des vidéos amusantes ou des commentaires sur la politique. Peut-on appeler cela rester en contact, je le laisse à ton appréciation.

– Pourrais-tu leur demander si ton frère était en relation, d'une manière ou d'une autre, avec la Fraternité ?

– Si cela peut t'aider, bien sûr. Bien que je pense qu'aucun d'eux n'en saura plus que moi, qui vivais avec lui à cette époque.

Moi non plus je n'y croyais pas trop, mais je ne trouvais rien de mieux.

– Merci, papa.

– De rien. Dis-moi, as-tu un plan ? Que vas-tu faire avec l'hôtel ?

– Pour le moment, je n'ai rien décidé. Je pourrais le mettre en vente tel qu'il est, mais pour être franc, ça me plairait de le restaurer ?

– C'est-à-dire que tu vas rester un certain temps en Argentine ?

– Je n'en sais rien.

C'était la vérité. Je n'avais pas la moindre idée de ce que je devais faire. La raison me disait que c'était mieux de vendre et de partir d'ici en courant, et cela le plus tôt possible. Mais il y avait une force qui m'attirait, comme un aimant, vers la recherche de la vérité.

CHAPITRE 34

Deux jours s'écoulèrent sans rien de nouveau. Mon père n'avait rien trouvé et Laura était occupée avec un groupe de touristes chinois qui avait réservé trois jours consécutifs de randonnée à cheval. J'en profitai pour nettoyer un peu l'hôtel.

Je venais d'allumer un feu dans la cheminée de la salle à manger quand mon téléphone sonna. C'était un appel vidéo de Xavi.

– Comment ça va au cul du monde ? Pas d'autre cadavre ces quatre derniers jours ?

– Très drôle. Tu aurais dû être humoriste.

– Mon ex-beau-frère me paie mieux comme détective privé. J'ai un renseignement qui peut te servir.

– Je ne sais pas ce que tu attends.

– Josep Codina. Trente-et-un ans. Assassiné de quatre coups de couteau à Torroella de Montgrí. Devine dans quel collège il était.

– Santa María de los Desamparados.

Le visage pixélisé de Xavi s'agita en signe d'affirmation.

– Ils l'ont tué en 1989. Il vivait à Barcelone, mais il était revenu à Torroella pour y passer ses vacances.

– Quelques années avant les meurtres du glacier, murmurai-je, plus pour moi que pour Xavi.

– J'ai trouvé un article sur l'assassinat dans *La Veu de Torroella*. Je viens de te l'envoyer par mail.

La Veu de Torroella, comme son nom original le laissait entrevoir, était le journal de Torroella de Montgrí.

– Merci. Pourquoi penses-tu qu'il y a un lien avec les morts d'ici ?

– Peut-être que ça n'a rien à voir. Mais réfléchis, Torroella n'est pas Baltimore. Ici, la brigade des homicides passe comme la comète de Halley, tous les 76 ans. S'il apparaît un mort, du même âge que ceux trouvés à El Chaltén, à la même époque et si en plus ils allaient au même collège, il pourrait y avoir un lien.

Je le remerciai et coupai la communication pour lire l'article. Il était du 27 août 1989. Il ne contenait pas beaucoup plus d'informations que le résumé de Xavi. Il racontait que Josep Codina avait été tué à coups de couteau dans le centre du village et que l'inspecteur en charge de l'enquête, un certain Gregorio Alcántara, avait fait les classiques déclarations qui n'expliquent rien : « Pour le moment nous n'avons pas de suspect et nous ne pouvons pas révéler plus d'informations ». Ensuite, le journaliste qui avait écrit l'article expliquait avec un luxe de détails comment la mort de ce jeune avait choqué la tranquille communauté.

Tandis que je me demandais si ce fait divers était lié aux meurtres d'El Chaltén, mes doigts jouaient avec la bague de la Fraternité, qui dernièrement ne me quittait plus. Le métal réfléchissait la lueur orangée du feu qui crépitait dans la cheminée, donnant un air encore plus menaçant à la gueule ouverte du loup.

Je ne pouvais pas rester là sans rien faire, à attendre que Xavi me rappelle avec de nouvelles trouvailles ou que Laura découvre quelque chose. Il fallait que j'avance un pion et un seul coup me venait à l'esprit.

Je mis mon manteau et pris la direction de la confluence des rivières. Je rendis sans grand enthousiasme le salut aux touristes et aux autochtones. Je laissai derrière moi le bâtiment de la police où deux agents montaient la garde, ce n'étaient pas ceux qui avaient pris ma déposition le jour où j'avais trouvé le cadavre de Juan Gómez sec comme un carquinyolis. Je sortis du village en traversant le pont qui enjambe le río

Fitz Roy et longeai l'unique route qui me reliait au reste du monde.

Au bout de trois cents mètres, sur ma gauche apparut une construction de bois et de pierre de deux étages. L'ancienne auberge des Parcs nationaux, le seul endroit où loger avant la construction de l'hôtel Montgrí, était maintenant un centre d'information pour touristes.

À l'intérieur, les murs étaient couverts de posters sur la faune, la flore, l'histoire du parc et les différentes randonnées. Plusieurs gardes forestiers vêtus d'uniformes kaki donnaient des prospectus aux touristes et répondaient à leurs questions en plusieurs langues.

– Salut ! Hello ! me dit l'un d'eux. Il avait à peine vingt ans et encore de l'acné sur les joues.

– Bonjour. Je cherche Juan Miguel Alonso. Sais-tu s'il est revenu de réparer le pont du río Blanco ?

Le garçon parut surpris. Probablement n'était-il pas habitué à ce que quelqu'un avec un accent étranger lui demande, à la place des renseignements habituels sur les randonnées, à parler avec un garde forestier.

– Attendez-moi ici un instant, me dit-il et il décrocha un cordon rouge qui interdisait l'accès au premier étage.

Moins d'une minute plus tard, Juanmi Alonso descendait les escaliers.

– Julían. Quelle surprise ! Comment vas-tu ?

– Ça va. Je peux te poser quelques questions ?

– Bien sûr, allons dehors si tu veux bien.

Nous nous assîmes sur un banc en bois dans le jardin. Devant nous, le Fitz Roy se laissait apercevoir malgré une légère brume couvrant son sommet.

– On dirait un volcan, dis-je.

– Oui. Et de fait, il y a des gens qui répètent comme des perroquets que Chaltén signifie « montagne qui fume », mais ce n'est pas vrai. Dans la langue des Tehuelches, Chaltén est un mot terriblement grossier.

Parfois, je me dis qu'il est approprié qu'un village né d'un conflit porte un conflit dans son nom.

J'acquiesçai en silence. Peut-être qu'à un autre moment ce que disait Alonso m'aurait intéressé. Je me serais même demandé quel était ce mot si grossier.

– Mais tu n'es pas venu ici pour parler de ça, dit-il, m'ouvrant la voie.

– Eh bien non. Je suis venu te demander avec qui vivait Fernando dans la maison à côté de l'hôtel.

– Avec personne. Ne t'ai-je pas déjà dit qu'il était célibataire ?

– Si, mais dedans j'ai trouvé des vêtements d'homme et de femme. Il y avait aussi des jouets. Dans cette maison vivait une famille.

Juanmi sourit et secoua la tête.

– Non, ton oncle vivait seul. Mais à cette époque il était très commun d'héberger des gens dans ta maison. Le charbonnier, par exemple, venait tous les mois des mines de Río Turbio et passait la nuit dans la maison d'un voisin. N'oublie pas qu'à l'époque le village avait très peu de maisons autres que les douze premières construites par le gouvernement. Et ton oncle mettait toujours l'hôtel à disposition et, s'il n'y avait pas de place, il prêtait sa propre maison pour loger des commerçants, des voyageurs et même les nouveaux habitants qui arrivaient avec un poste de travail du gouvernement et la promesse d'une maison qui n'était pas encore construite.

– Mais dans l'hôtel il y avait des chambres vides. J'ai trouvé plusieurs lits parfaitement faits. En plus, tu m'as dit que la dernière fois que tu l'as vu c'était à la fin de la saison et il était sur le point de partir en Espagne. Pourquoi loger une famille dans sa maison si l'hôtel était disponible ?

– Aucune idée, Julián. Mais je t'assure que ton oncle était célibataire et ne vivait avec personne. Je ne sais pas ce qui s'est passé les derniers jours avant son départ, comme je te l'ai dit, je n'étais pas au village.

– Au camping, le jour où nous avons discuté, tu m'as dit que, quelques années avant de disparaître, il était allé en Espagne en vacances, te rappelles-tu en quelle année c'était ?

– En 1989. Impossible d'oublier, en Argentine nous étions en pleine campagne des présidentielles, et ton oncle me disait, pour me taquiner, que même s'il était en Espagne il irait au consulat pour voter Menem.

– Tu te souviens du mois ?

– En avril, un mois avant les élections. Il est revenu en novembre.

J'acquiesçai sans un mot. Mon oncle était à Torroella de Montgrí quand on avait assassiné Josep Codina.

CHAPITRE 35

Si El Chaltén n'était pas le village où il y avait le plus de brasseries par habitant au monde, il n'en était pas loin. Après une longue journée de marche dans la montagne, n'importe qui estime mériter une bonne pinte de bière artisanale.

Tap Tap était l'une des plus grandes. Construite en bois et en tôle ondulée, elle avait un aspect ancien qui ne collait pas avec un village qui avait mon âge. À l'intérieur m'accueillirent une alléchante odeur de frites et une ambiance rock anglais. Une grande canalisation en cuivre, qui courait sur toute la largeur du plafond, me conduisit jusqu'à une douzaine de robinets chromés sous la responsabilité de deux *hipsters* barbus. Au bar il y avait très peu de monde, mais les tables – assez grandes pour pouvoir s'y installer et échanger avec des inconnus – étaient pleines de jeunes discutant dans toutes les langues.

Dans la liste écrite à la craie sur un des murs, je choisis une Porter. Barbu numéro 1 encaissa et passa la commande à Barbu numéro 2. Avant qu'il ait fini de remplir la chope, je sentis une main sur mon épaule.

– Laura ! Je viens juste de passer commande. Désolé.

– N'exagère pas. Mauricio, une Porter s'il te plaît.

Barbu numéro 2 hocha la tête et mit un autre verre sous le robinet.

– Tu as compris quelque chose à l'article que je t'ai envoyé ? demandai-je en ouvrant sur mon téléphone la page de *La Veu de Torroella*.

– Ils ont tué à coups de couteau Josep Codina, un ancien élève de Santa María de los Desamparados à Torroella de Montgrí. Il avait trente-et-un ans, avait étudié la médecine à l'Université Autonome de Barcelone et terminait un stage en chirurgie plastique à l'hôpital Del Mar. Les habitants de Torroella ont été choqués car ils n'avaient pas connu de crime violent depuis de nombreuses années.

– Tu comprends le catalan ?

– Moi non, mais le traducteur de mon téléphone oui.

Barbu numéro 2 posa les deux chopes sur deux petits carrés en feutre et les poussa vers nous.

– Et sais-tu quelle bague portait Codina quand ils l'ont poignardé ? me demanda-t-elle.

– Tu veux rire.

– Non, je ne plaisante pas. J'ai un ami dans la police fédérale, il y a quelques années, il a collaboré avec Interpol sur une affaire. Ça fait des mois que je le harcèle pour qu'il demande à quelqu'un de là-bas de chercher dans leur base de données s'il y a d'autres meurtres avec des victimes portant une chevalière à tête de loup. Quand j'ai reçu ton article, je l'ai rappelé et finalement il a cédé.

– Il y a autant de détails dans la base de données d'Interpol ?

– Depuis internet, oui. Même s'il n'y a pas tant d'informations que ça sur les cas datant de trente ans, nous avons eu de la chance. Le dossier concernant le meurtre de Codina a bien été numérisé.

– Tu es sûre qu'il s'agit du même anneau ?

Laura but une gorgée de bière et pencha la tête de côté, comme si mon commentaire l'offensait. Pour toute réponse, elle posa son téléphone sur le bar.

– C'est la photo de l'autopsie de Josep Codina.

Je fus amusé quand elle prononça *Chosep* avec son accent argentin.

L'image montrait trois doigts blancs sur un fond en acier inoxydable. L'un d'eux portait une bague identique à celle que, telle une amulette maléfique, je gardais dans ma poche.

– Si à cela on ajoute que, selon Alonso, ton oncle était en Espagne quand on a assassiné Codina...

– Il est impossible que tout ne soit que coïncidence.

– Exact. Et les réponses que nous cherchons, nous n'allons pas les trouver à Chaltén.

– Qu'es-tu en train de suggérer ?

Laura me regarda droit dans les yeux.

– Que nous devons aller en Espagne !

– Nous ? Attends. Moi, je veux connaître la vérité parce qu'il s'agit de ma famille. Mais toi, pourquoi ce cas t'intéresse-t-il autant ?

– Quand tu étais adolescent, il y a bien eu une fois où une fille te plaisait, mais ne faisait aucun cas de toi ?

– Rien que quatre-vingt-dix-neuf pour cent des fois.

– Quel était le conseil de ton ami le plus chanceux avec les filles? Celui qui passait pour un tombeur. Il y en a toujours un.

– Typiquement, que tu devais faire comme si elles ne t'intéressaient pas. Ne pas t'occuper d'elles. Moins tu leur prêtais attention et plus elles s'accrochaient à toi.

– Comme ici. Mais penser que ça plaît aux femmes quand on les ignore n'est qu'une stupidité machiste.

– Qu'est-ce que cela a à voir avec... ?

– C'est une stupidité machiste et c'est aussi la vérité. Mais ça n'a rien à voir avec le sujet. On est *tous* affectés si on nous ignore. Hommes, femmes ou quoi que ce soit. Plus quelque chose est difficile à obtenir et plus on est attiré. Que ce soit une fille, un garçon, de l'argent, une position sociale ou la réponse à une question.

– Je suppose que dans ton cas la question est : que s'est-il passé sur le glacier ?

– Julián, jusqu'à il y a deux ans, mon boulot c'était de résoudre les homicides. Ça me fascine et je suis douée pour ce job. Mais quand apparurent les deux cadavres, je n'appartenais plus à la police et j'ai dû me limiter à observer depuis le banc des remplaçants. On m'a bien invitée une ou deux fois comme consultante, mais je n'ai pas véritablement pu travailler sur l'affaire. Ça fait un an et demi que j'enquête pour mon propre compte. Tu sais pourquoi ? Parce que même les balades à cheval dans ce lieu incroyable n'arrivent pas à me faire oublier la procédure bureaucratique dans laquelle je suis enlisée ni quand je vais pouvoir récupérer mon poste. La seule chose qui m'empêche de devenir folle, c'est de me concentrer sur ces meurtres qui m'obsèdent depuis bien avant que tu arrives et qu'un troisième mort soit découvert.

– Tu ne m'as jamais dit pourquoi tu as quitté la police.

Laura but une longue gorgée de bière.

– Au cours d'une enquête, je n'ai pas suivi le protocole. Au lieu de faire ce que dit la loi, j'ai fait ce qui m'a paru le plus juste. Ce fut mon erreur et je l'ai payée de ma place.

– Qu'as-tu fait exactement ?

– C'est long à expliquer, souffla-t-elle. Tu peux chercher sur internet *Le collectionneur de flèches*, c'est le nom que la presse a donné à l'affaire. Je n'ai rien fait que je regrette, mais mes supérieurs ne l'ont pas vu comme moi. J'ai été suspendue et ils ont fait un rapport. Je suis partie attendre que le problème se résolve à San Martín de los Andes, un endroit magnifique où j'ai toujours voulu vivre. Le juge m'a dit que ça prendrait six mois, mais ça fait maintenant deux ans et le dossier est toujours bloqué.

– San Martín de los Andes est loin d'ici, non ?

– Mille six cents kilomètres.

– Comment t'es-tu retrouvée à El Chaltén ?

– J'étais à San Martín depuis six mois quand ils ont fait appel à moi comme conseillère sur un homicide à El Calafate.

– Ils ne t'avaient pas suspendue ?

– Si, mais ça n'interdit pas de m'employer ponctuellement comme consultante. C'est l'avantage d'avoir des contacts. Quand j'en ai eu fini avec l'expertise, ils m'ont proposé d'animer des ateliers de criminologie pour des policiers, et j'ai accepté. J'ai loué un petit appartement à Calafate où je n'ai pas fait deux mois parce que deux morts ont été découverts dans le glacier Viedma et je suis venue ici.

– Ils ont encore fait appel à toi comme consultante ?

– Oui, et le cas m'a tellement intéressée que, lorsqu'ils n'ont plus eu besoin de moi, j'ai décidé de rester. À partir de là, j'ai commencé à travailler pour Rodolfo. Au bout d'un certain temps, j'ai compris que l'enquête était au point mort et je me suis mise à écrire le livre. J'ai commencé par une discussion sur les corps congelés qui s'est rapidement convertie en une chronique des meurtres. Celle que tu as lue.

Presque en même temps, nous bûmes une gorgée de bière.

– Tu comprends maintenant pourquoi c'est ensemble que nous devons aller en Espagne ? Toi, pour savoir qui était ton oncle et moi, pour clore ce chapitre.

– Et d'où vas-tu sortir le fric pour le voyage ?

– J'ai des économies et une maison en location à Puerto Deseado. En plus, je continue de toucher ma solde de policière.

– Tu perçois un salaire sans travailler ? Je veux ta vie.

– Je t'assure que tu ne veux pas ma vie.

Il y avait un truc derrière cette fille que je n'arrivais toujours pas à saisir. Tout en réfléchissant à ce que j'allais lui dire, je commandai une autre tournée.

– Sur ce point, je suis d'accord, c'est là-bas que nous allons trouver les réponses, mais je ne sais pas si je peux partir avant d'avoir vendu l'hôtel.

– L'hôtel est là depuis trente ans et il sera encore là dans quelques mois. En plus, le froid ne va pas tarder à arriver et les travaux de maçonnerie se compliquent en hiver.

– Sosa m'a dit la même chose.

– Tu vois ? Nous devons aller en Espagne. Aux réponses, dit-elle en levant son verre. Pour je ne sais quel motif, quand les Argentins imitent l'accent espagnol, ça sonne entre Joaquín Sabina et un champion basque du lever de pierres.

Je souris et trinquai avec elle.

– Aux réponses.

TROISIÈME PARTIE

DON QUICHOTTE

CHAPITRE 36

Il y a plusieurs années

Enfermé dans la salle de bain, le garçon sort les ciseaux cachés dans son caleçon. Ce sont les plus aiguisés de la maison. Sa mère les utilise pour couper le tissu.

« *Une petite princesse. Tu es une petite princesse*», susurre une voix moqueuse dans sa tête.

Il approche sa joue du miroir et constate, comme chaque jour, que sa peau est toujours aussi lisse que celle d'une poupée de porcelaine. Il a seize ans et la barbe n'a toujours pas commencé à pousser. Pas même après une semaine entière passée à s'appliquer de la crotte de poule, comme le lui a conseillé son ami Manel.

Il observe une fois de plus son nez retroussé et ses yeux en amande. Il a les cils tellement noirs que l'on croirait qu'il se maquille. Une fois, à la sortie du cinéma, sa voisine Marta lui a même demandé s'il utilisait du mascara.

Il enlève sa chemise et fait un pas en arrière pour observer son torse dénudé. Le second conseil de Manel ne semble pas fonctionner lui non plus. Bien que depuis un mois à chaque repas il mange jusqu'à s'en faire éclater l'estomac, ses bras et ses jambes restent aussi maigres que ceux d'un épouvantail.

Il sait bien qu'il n'y a ni régime ni onguent magique qui puisse accélérer le temps, mais il ne peut pas attendre. Il n'a même plus l'espoir qu'il lui arrive la même chose qu'à son ami Joan Cases, qui en un seul été a mué et fait une poussée de croissance. Il y a des jours où il pense qu'il ne sera jamais un homme.

Il a besoin d'un miracle, il le désire de toutes ses forces. C'est pour cela qu'il se regarde tous les jours dans le miroir, comme si cette inspection quotidienne allait aider à faire grossir la pomme d'Adam, pousser les poils et élargir les épaules.

« Petite princesse ». Encore cette voix.

Une fois encore, il se rapproche du miroir et observe ses cheveux. Les boucles courtes et soyeuses bougent en amplifiant les mouvements de la tête. Chaque fois que sa mère les coupe, elle les laisse à la limite de la longueur permise à Santa María de los Desamparados. Elle lui dit que ses cheveux sont trop beaux pour les couper plus court.

Il est d'accord avec elle. Il aime bien ses cheveux. Il les aime tellement que, lorsqu'il lève les ciseaux au niveau du front et coupe à ras la première boucle, il ressent de la rage. Beaucoup de rage.

« Petite princesse».

CHAPITRE 37

Laura

Assise côté hublot, Laura observait les hôtesses qui distribuaient les plateaux-repas en poussant leur chariot à la vitesse d'un escargot. « Pâtes ou poulet ? », demandaient-elles avec l'accent espagnol. *Ce que tu veux, mais donne-moi quelque chose ou je vais mourir de faim*, répondait-elle mentalement, et elle reprenait le décompte des rangées qu'il restait avant qu'arrive son tour. Elle n'avait pas prévu que le voyage la rendrait nerveuse au point d'en oublier de manger avant de partir pour l'aéroport.

C'était sa première fois à l'étranger et elle avait lu que pour entrer en Espagne il fallait prouver que l'on avait un billet de retour, une réservation dans un hôtel et quatre-vingt-dix euros par jour pour la durée du séjour. Sur les trois conditions, elle ne remplissait que la première.

Elle avait passé la première heure de vol à penser à ce qu'elle dirait s'ils lui posaient des questions au contrôle de l'immigration, mais elle arriva à la même conclusion que les jours précédents : il y a des circonstances où même la meilleure des réponses ne peut pas te sauver. Elle tenait ça de l'expérience acquise au cours des années passées à conduire des interrogatoires.

Elle n'avait réussi à se détendre qu'en recourant au plus facile : allumer l'écran en face d'elle et choisir une comédie romantique. À présent que le film était terminé et que l'histoire d'amour à l'eau de rose avait un peu détendu son nœud à l'estomac, son corps lui réclamait de la nourriture.

– Que désirez-vous, pâtes ou poulet ?

– Poulet, s'empressa-t-elle de répondre.

– Des pâtes pour moi, dit Julián.

Il était assis à sa gauche et avait passé presque tout son temps à griffonner dans un cahier. Elle avait bien essayé une ou deux fois de regarder discrètement, mais, loin de déchiffrer le gribouillis, le seul renseignement précis qu'elle avait pu en tirer, c'était que même un médecin pourrait donner des leçons de calligraphie à Julián.

L'hôtesse posa un plateau sur la tablette en face d'elle. Le fumet du poulet grillé accompagné de pommes de terre lui parut sublime. Elle découpa un morceau avec les couverts en plastique, les mains collées à la poitrine à cause du peu de place entre elle et le plateau.

– Je ressemble à un T-rex, dit-elle.

– Manger dans un avion, il n'y a rien de plus commode, répondit-il en rangeant le cahier dans la poche du siège en face de lui.

Elle goûta la première bouchée et la trouva délicieuse. La mauvaise réputation de la nourriture dans les avions devait venir de gens sans appétit. Comme Julián, qui ne paraissait pas vouloir toucher à ses pâtes.

– Tu es stressé ? demanda-t-elle.

– Stressé, mort de trouille, impatient. Tout ça en même temps. Il y a trois semaines je volais en sens inverse pour vendre un terrain qui allait solutionner mes problèmes financiers. Aujourd'hui je rentre sans l'avoir vendu, propriétaire d'un hôtel qui vaut une fortune et avec le poids de trois morts liés au frère de mon père que je ne connaissais pas.

– Tu écrivais là-dessus ?

– Un peu, oui. Je faisais un résumé de ce que nous ne savons pas, dit-il juste avant d'avaler la première bouchée.

– Ah, alors le cahier ne va pas suffire.

– Tu as raison. Il y a tant de choses que nous ignorons.

Julián croisa les couverts sur le plateau quasiment plein et rouvrit le cahier.

– Dans quelle mesure mon oncle est-il coupable ou bien victime ? Pourquoi est-il parti en laissant un cadavre ? Quelle fut sa vie durant les trente dernières années ? Quelle est la signification de l'inscription à l'intérieur de l'anneau ? Pourquoi ces avocats paient-ils les impôts ? Ce sont trop d'inconnues. Je ne sais pas par où commencer.

Elle comprenait Julián. Si elle, qui était une professionnelle, était parfois accablée par un trop grand nombre de questions, c'était logique que lui elles le paralysent.

– Je te donne un conseil : résoudre un cas difficile, c'est comme manger un éléphant.

Elle coupa un bout de poulet et le porta à sa bouche. Moitié pour l'effet théâtral de l'explication, moitié pour la faim. Le visage de Julián prit la même expression de perplexité que son visage à elle, quelques années plus tôt, quand le commissaire Lamuedra lui avait lancé cette phrase.

– Il y a une seule façon d'y arriver : une bouchée après l'autre. Il n'y a pas de raccourcis. Ta liste de questions est longue et c'est bien que tu l'aies posée sur le papier, mais n'essaie pas de répondre à toutes en même temps parce que tu vas devenir fou. Il faut y aller pas à pas, en commençant par découvrir tout ce que nous pouvons sur la Fraternité des Loups. Par exemple, si ton oncle en faisait partie.

– Mon père dit que non, mais moi je n'en suis pas aussi sûr. Écoute, pourrais-tu interroger ton ami d'Interpol sur le mort de l'hôtel ? Bien que Juan Gómez soit un patronyme très commun, sûrement qu'avec le numéro de passeport...

– Je n'ai aucun ami à Interpol. J'ai un ami dans la Police fédérale argentine qui a collaboré une fois avec un agent d'Interpol. Je lui ai déjà demandé un grand service et j'ai dû insister des mois pour qu'il y réponde. Cette porte est fermée. En général, un policier est très réticent à partager une information avec un collègue qui ne travaille pas sur l'affaire. Même s'il s'agit d'une amie.

– Ça ne coûte rien d'essayer.

– Tu arrives un peu tard, mentit-elle afin que Julián ne continue pas sur cette voie. C'est déjà fait. Mais c'est autre chose qu'il s'en occupe.

– En plus, il serait important de parler avec quelqu'un qui a participé à l'enquête sur l'homicide de Josep Codina à Torroella de Montgrí. Un policier, un criminologue... un juge, si nous avons de la chance. L'article de *La Veu de Torroella* mentionne qu'un certain Gregorio Alcántara était en charge des investigations. Nous pourrions essayer de le rencontrer.

Elle réprima un sourire. Elle trouvait Julián adorable quand il lui suggérait quelque chose deux jours après qu'elle l'avait fait.

– Ça aussi, c'est déjà réglé. Alcántara a accepté aujourd'hui ma demande sur Facebook. Je peux manger tes pâtes ?

CHAPITRE 38

Laura

Tandis que l'avion perdait de l'altitude, Laura observait par le hublot la mer laissant la place à une côte couverte de pins et de constructions. Quand ils atterrirent, elle entendit la voix du commandant leur souhaitant la bienvenue à l'aéroport d'El Prat à Barcelone, où il était sept heures et quart du matin avec une température de treize degrés.

– Nous avons laissé le froid, dit Julián.

Elle acquiesça et reprit son observation de la piste. Elle avait un nœud à l'estomac en pensant au contrôle de l'immigration.

Quinze minutes plus tard, elle présentait son passeport à une policière qui avait à peu près son âge. Elle reconnut la lassitude quand la jeune femme, enfermée dans un cube en verre d'un mètre carré, scanna le document. Personne ne devient policier pour finir dans un aquarium.

Sans une seule question, la femme tamponna le passeport, le glissa par l'ouverture de la vitre et posa le regard sur la personne suivante. Laura murmura un remerciement et se dirigea vers Julián, qui avait suivi la file des citoyens européens.

– Bienvenue en Espagne.

– Cette partie ressemble beaucoup à Ezeiza, répondit-elle en désignant la signalétique de l'aéroport.

Ils suivirent les flèches et les panneaux lumineux jusqu'à un ruban transporteur et attendirent leurs bagages.

– Tu es sûr que ça ne te dérange pas que je loge chez toi ? demanda-t-elle une fois encore.

– Ma réponse est la même que les quatre autres fois où tu me l'as demandé dans l'avion : cela ne me dérange absolument pas, j'ai trois chambres et maintenant je vis seul.

Il ne lui échappa pas qu'il y avait un fond de tristesse dans la dernière phrase de Julián.

Après avoir récupéré les valises, ils pénétrèrent dans le hall principal de l'aéroport, où une centaine de personnes s'entassait en attendant parents, amis ou amoureux. Quelques-uns tenaient des pancartes ou des bouquets de fleurs. D'autres étreignaient des voyageurs qui venaient d'arriver.

– La station de métro est dans cette direction, dit Julián.

Laura le suivit en traînant sa valise. Ils s'étaient déjà éloignés de la multitude quand ils entendirent une voix de femme derrière eux.

– Julián, mon fils ! Tu es arrivé.

Elle vit Julián se retourner et froncer les sourcils devant une femme grande et mince qui avançait vers eux. Ses pas rapides faisaient osciller sa courte queue-de-cheval blonde comme la queue d'un caniche hyperactif.

– Maman ? Que fais-tu ici ?

– Nous sommes venus te chercher, dit l'homme chauve avec un embonpoint débutant qui suivait la femme.

– Laura, je te présente mes parents. Consuelo et Miguel.

Elle remarqua que les parents de Julián la scannaient plus intensément que la machine à rayons X dans laquelle venait de passer sa valise.

– Enchantée, dit la femme. Je ne savais pas que mon fils venait accompagné.

– Et très bien accompagné, ajouta le père.

– Enchantée, fut tout ce qu'elle trouva à répondre. Elle sourit aussi, ce qui n'était jamais de trop.

– Venez. La voiture est dans le parking, précisa le père en indiquant la direction opposée à celle qu'ils prenaient. Laura, je prends ta valise.

– Ce n'est pas la peine.

– J'insiste. Tu dois être fatiguée.

– Miguel, mon chéri, laisse la jeune fille tranquille, dit la mère de Julián, et elle se tourna vers elle. Mon mari est un gentil, mais certaines fois il paraît venir du pléistocène.

– Je ne vous avais pas dit qu'il n'était pas nécessaire de venir me chercher ? En plus, tu ne devrais pas être au travail ? demanda Julián à sa mère.

– La visite d'un chantier, prévue ce matin, a été annulée. Le maître d'œuvre est malade.

– Ma mère est architecte, expliqua Julián.

– L'une des meilleures de Barcelone, ajouta le père en regardant sa femme avec une tendresse que Laura avait rarement vue chez un couple de cet âge.

– Tu exagères. Je suis architecte, un point c'est tout.

Ils entrèrent dans un ascenseur de la taille d'une chambre à coucher qui descendit jusqu'à un parking rempli de véhicules.

– Notre voiture est garée au bout de cette rangée, indiqua le père de Julián.

La voiture s'avéra être une BMW X5. La seule ressemblance avec la Corsa de Laura était qu'elle aussi avait quatre roues. La mère de Julián se mit au volant, son père à côté d'elle et eux deux, derrière. L'intérieur sentait le neuf.

Ils sortirent de ce labyrinthe de colonnes et de rampes pour entrer sur une autoroute à quatre voies sans un seul nid-de-poule.

– C'est la première fois que tu viens à Barcelone ? demanda Consuelo.

– C'est la première fois que je sors d'Argentine.

– Eh bien, tu t'es arrêtée dans une ville merveilleuse. Regarde, Barcelone c'est tout ce qu'il y a entre cette montagne et la mer, que l'on ne voit pas pour l'instant.

– Quelle montagne ? demanda Laura qui ne voyait que de hauts édifices.

– Celle-là, dit Julián, désignant une colline au loin avec une antenne au sommet. Les montagnes d'ici ne sont pas comme celles de Patagonie. Si le Tibidabo était à El Chaltén, il n'aurait même pas de nom.

– Je ne veux pas être indiscret, mais... dit Miguel en se tournant vers son fils.

– Tu veux savoir ce que Laura fait ici.

– Dit comme ça, c'est un peu trop direct.

Laura indiqua d'un geste que ça n'avait pas d'importance.

– Comme vous le savez déjà, dit-elle, dans l'hôtel hérité de son oncle, Julián a découvert un cadavre qui se trouvait là depuis une trentaine d'années. Il portait une chevalière qui s'est révélée être le symbole de la Fraternité des Loups. Ce que votre fils ne vous a peut-être pas dit, c'est qu'il y a un an et demi deux autres cadavres d'hommes assassinés à la même époque ont été vomis par un glacier. Eux aussi portaient ce même anneau. Quand Julián est arrivé à Chaltén, il y avait déjà pas mal de temps que j'enquêtais sur les meurtres du glacier.

– Quelle horreur ! dit Consuelo tandis qu'elle pilotait la voiture sur l'autoroute, maintenant souterraine.

– Tu es policière ? demanda Miguel.

– Oui, simplifia-t-elle.

– Quand pensais-tu nous raconter tout ça ? reprocha Consuelo à son fils.

– Je ne voulais pas le faire par téléphone. J'ai préféré vous avoir en face de moi. Papa, ton frère n'est pas parti d'ici par dépit amoureux. Comme je te l'ai déjà dit, je crois que Fernando appartenait à la Fraternité des Loups, ou alors il a eu des problèmes avec eux. En plus, quelques années avant ces meurtres, un homme a été assassiné de plusieurs coups de couteau à Torroella. Il portait la même chevalière.

– Ça, je m'en souviens, intervint la mère de Julián. Ce n'était pas place Pere Rigau ?

– Oui. En 1989, l'année où Fernando est venu en vacances en Espagne.

– Voyons si je comprends bien, dit Miguel Cucurell. Vous pensez que mon frère a tué quatre personnes ?

– C'est ce que nous essayons de découvrir, dit Laura.

– Ça n'a pas de sens.

– Peut-être, admit-elle. Mais, quelle que soit la vérité, si nous voulons la découvrir c'est ici que nous devons la chercher. Et c'est pour ça que nous sommes venus.

Le père de Julián vida ses poumons et hocha lentement la tête. Laura connaissait cette expression. C'était celle de quelqu'un essayant d'assimiler un trop grand nombre d'informations simultanées.

– Le problème, c'est que nous ne savons rien de Fernando Cucurell, dit Julián.

Miguel se retourna sur son siège. Laura remarqua qu'avant de foudroyer son fils du regard, il avait jeté un rapide coup d'œil dans sa direction à elle. Il lui parut évident que le père de Julián ne voulait pas parler d'une affaire familiale devant une étrangère.

Ils continuèrent en silence jusqu'à ce que Consuelo sorte du tunnel. La BMW émergea en plein centre-ville.

– Regarde. Ça, c'est le Camp Nou, commenta le père de Julián, indiquant une masse cylindrique en béton sur la droite. C'est ici que joue ton compatriote Messi. Tu aimes le football ?

– Pas trop.

– Ah bon. Je pensais qu'étant argentine...

– Mon père est fan du Barça. Il ne rate pas un match.

Laura voulut faire un commentaire sur le football ou sur Messi, mais rien ne lui vint à l'esprit. Sa dernière conversation sur le sujet avait eu lieu dans le casino de Puerto Deseado deux ans et demi plus tôt, avec le bookmaker sur lequel elle enquêtait. Et ça s'était mal terminé.

La maison de Julián se trouva être à moins de cinq cents mètres du stade, dans une rue étroite bordée d'arbres se rejoignant pour former une arche de feuillage.

– Voulez-vous déjeuner à la maison ? demanda Consuelo. Je peux faire une omelette.

– Maman est une grande architecte, mais comme cuisinière...

– Julián !

– Laisse-moi finir, maman. J'allais dire que tes omelettes font exception et sont savoureuses.

– Je n'ai pas appris à faire autre chose, si ce n'est quelques broutilles comme étudier à l'université et dessiner des maisons, je regrette mon fils.

– C'est aussi une féministe convaincue.

– Alors nous sommes deux, dit Laura, et elle échangea un sourire avec Consuelo par l'intermédiaire du rétroviseur. Je vous remercie pour l'invitation, mais je suis épuisée. Peut-être pouvons-nous remettre ça à un autre jour ?

– Bien sûr. Quand vous voudrez.

Ils se séparèrent dans la rue et Julián ouvrit la porte d'un immeuble étroit. Ils grimpèrent trois étages en traînant les valises dans un escalier en ciment si vieux que les marches étaient arrondies par l'usure.

L'appartement était de style minimaliste, mais décoré avec goût. Sur le bar qui connectait la cuisine à la salle à manger étaient posées plusieurs enveloppes qui lui parurent être des factures.

– Viens, je vais te montrer ta chambre.

Julián la guida jusqu'à une petite pièce avec bureau et ordinateur d'un côté et lit à une place de l'autre.

– Comme dit un ami, c'est petit, mais incommode.

– Comparé à la pension où je logeais à Buenos Aires pendant mes études, c'est une suite.

CHAPITRE 39

Julián

Je m'affalai sur le canapé à peine Laura sous la douche. Le voyage m'avait lessivé. Je consultai ma messagerie et vis que j'avais un e-mail de la banque Sabadell. Ils m'informaient que, suite aux documents fournis par l'étude notariale Hernández-Burrull authentifiant l'héritage, j'étais à présent le nouveau titulaire du compte de Fernando Cucurell. Pour recevoir les clés d'accès aux comptes, je devais prendre contact avec la banque.

Contre toute attente, ce ne fut pas trop compliqué : je téléphonai, chargeai une application, fit une vidéo d'identification en tenant ma carte d'identité et acceptai le racket de quatre-vingt-dix euros pour les frais bancaires. Une fois toutes ces formalités accomplies, j'eus accès au compte.

Je découvris que lorsque l'on hérite d'un compte bancaire, non seulement on reçoit les fonds restants, après les vautours qui ont pris leur pourcentage, mais aussi l'historique du compte. D'un simple clic, j'eus accès à tous les mouvements bancaires de Fernando Cucurell au cours des dernières années.

Il y a peu de choses qui définissent mieux un individu que la façon dont il dépense son argent.

Je repérai rapidement que tous les ans, en novembre, mon oncle effectuait un transfert d'argent vers l'étude d'avocats González-Ackerman en Argentine, avec comme indication : «Impôts Hôtel Montgrí ». Le dernier, d'après mes calculs, quelques jours avant sa mort.

L'antipathie de l'avocate n'était que simple conscience professionnelle. La femme s'était limitée à bien faire son travail, garantissant ainsi la confidentialité de son client. La seule chose dont elle était coupable, c'était de payer les impôts trois mois après avoir reçu l'argent, cela très certainement pour en tirer une quelconque rentabilité financière en profitant de la forte inflation dans le pays.

En ce qui concernait les entrées d'argent, elles consistaient en une retraite de sept cents euros et un versement mensuel de cinq cents euros depuis le compte d'*El Asador de Anguita*, le restaurant qu'il avait tenu pendant presque trente ans à Horta. Mille deux cents euros au total, desquels, tous les mois, il retirait entre trois cents et quatre cents euros dans un distributeur de billets, le reste, il l'utilisait pour des achats en supermarché réglés avec sa carte de crédit, pour son loyer, quelques places de cinéma et autres dépenses courantes. En résumé, mon oncle, propriétaire d'un hôtel valant une fortune dans l'un des endroits les plus touristiques de Patagonie, avait tout juste assez d'argent pour boucler les fins de mois.

Le bruit de la clé dans la serrure me fit sursauter. Avant que j'aie pu réagir, la porte s'ouvrit en grand.

– Julián. Que fais-tu ici ?

C'était Anna.

– Tu n'étais pas en Patagonie ?

– Tu le vois bien. Je suis revenu. Et toi, que fais-tu là ?

– Je ne trouve pas mon passeport. Je crois que je l'ai laissé dans un tiroir.

– Tu quittes le pays ?

Anna leva la tête et me regarda avec ces yeux noirs et magnétiques dont j'étais toujours épris. Elle m'adressa un sourire aigre, comme si elle avait mal.

– Oui. Je vais en Argentine.

– Avec Rosario ?

Elle hocha la tête.

– Ça va me faire du bien de prendre un peu de temps pour réfléchir. Je ne sais pas clairement ce que je veux faire de ma vie.

– Cela se voit.

– Juli, je ne vais pas te demander de me pardonner, mais ne m'attaque pas, s'il te plaît.

C'est à ce moment-là que la porte de la salle de bain s'ouvrit sur Laura sortant de sous la douche, les cheveux enveloppés dans une serviette de bain, en short et chemise un peu trop ajustée sur le corps. Anna la regarda et leva un sourcil.

– Ce n'est pas ce que tu penses.

– Tu n'as pas d'explications à me fournir. Il ne manquerait plus que ça.

– Laura est une amie... une collègue... c'est long à expliquer. Elle m'aide à régler quelques problèmes en rapport avec l'héritage.

– Salut, ça va ? Enchantée, dit Laura et elle lui planta un unique baiser à la manière argentine.

Anna allait lui donner le second sur l'autre joue, mais Laura avait déjà reculé.

– Oups ! Pardon, j'avais oublié qu'ici c'est deux. En Argentine on n'en fait qu'un.

Ce serait le bon moment pour lui expliquer que, grâce à Rosario, Anna savait très bien comment on embrassait en Argentine. Mais j'arrivai à garder ma bouche fermée.

– Bon, je ne veux pas déranger, dit Anna. Je peux aller dans la chambre voir si je trouve le passeport ?

– Elle est toute à toi, dis-je en faisant une révérence.

Et Anna entra, peut-être pour la dernière fois, dans la pièce qui pendant deux ans avait été notre chambre à coucher.

– Que cette relation se termine mal, tu ne trouves pas ? demanda Laura.

– Que dis-tu ?

– Que l'atmosphère entre vous deux est si dense qu'on pourrait la couper au couteau.

– Ce n'est pas très grave. Nous pouvons encore nous parler, ce qui est largement au-dessus de la moyenne.

– Tout dépend de ce que l'on se dit. Parfois le silence est préférable.

– Tu ne veux pas plutôt aller t'habiller ou te sécher les cheveux. Dépêche-toi, tu vas prendre froid.

CHAPITRE 40

Julián

El *Asador de Anguita* était à trois cents mètres de l'étude notariale dans laquelle on m'avait révélé, en même temps, l'existence et le décès de Fernando Cucurell. Au premier coup d'œil, on voyait qu'il s'agissait d'un restaurant haut de gamme : lumière tamisée, ambiance jazz et menu de milieu de journée à vingt-trois euros. Attablé en terrasse, un couple âgé terminait le dessert tandis qu'un groupe d'employés de bureau en costume-cravate buvait du café. Il était environ quatre heures de l'après-midi quand Laura et moi franchîmes la porte d'entrée.

À l'intérieur le bruit des couverts se mêlait à celui de la machine à café. C'était un décor à l'ancienne, élégant, mais sans prétention. Beaucoup de bois au mur et un sol impeccablement lustré. Un serveur, tellement maigre que sa chemise semblait posée sur un cintre, nous salua tout en posant des tasses à café vides sur le bar.

– Bonjour. Une table pour deux ?

– Non, merci. En réalité nous cherchons Lorenza, dis-je.

– Je suppose que vous ne la connaissez pas.

– Non.

– Ça se voit, dit-il en indiquant une femme d'environ soixante ans, vêtue de rouge vif, en train de ranger des pièces de monnaie dans la caisse enregistreuse.

– Lorenza Millán ? demandai-je.

– Oui. C'est moi, dit-elle en refermant la caisse.

– Je m'appelle Julián Cucurell.

En entendant mon nom, elle se figea.

– Je suis le neveu de Fernando. On m'a dit que vous avez été son associée durant plusieurs années.

– Presque trente ans.

Lorenza Millán fit le tour du comptoir, me posa deux baisers puis deux autres à Laura. Ensuite, elle donna quelques indications au serveur et nous demanda de la suivre.

Nous quittâmes le bar pour pénétrer dans une grande salle à manger aux murs ornés de peintures à l'huile représentant des paysages ruraux. Les tables étaient recouvertes de nappes noires. Une seule était encore occupée par deux hommes élégants, les cheveux gominés, sirotant leur café. Nous nous installâmes à la table la plus éloignée d'eux.

– Vous avez mangé ?

– Oui, merci, répondis-je.

– En quoi puis-je vous aider ?

– Voyez-vous, madame Lorenza, je ne sais rien de mon oncle. Je viens juste d'apprendre son existence.

– Ouille ! Ça commence très mal avec le « voyez » et le « madame ». Si tu ne me tutoies pas, je ne te lâche pas une seule parole.

Je ne pus m'empêcher de rire. La phrase me rappela Juanmi Alonso. Il y a des gens pour qui un « vous » est pire qu'une insulte.

– Dans ce cas, je vais te tutoyer. Je te disais donc que je ne sais rien de mon oncle.

– C'était une bonne personne.

– Comment vous êtes-vous connus ?

– Houlà ! Elle fit un geste de la main, comme pour signifier que le chemin était long. C'est un neveu qui était chez moi à cette époque qui nous a présentés. C'était à la fin de 1991. Tout de suite nous nous sommes bien entendus, car autant Fernando que moi étions intéressés par la gastronomie. Nous voulions ouvrir un restaurant dans le centre, mais à cette époque Barcelone se préparait pour les Jeux olympiques, et les locations étaient hors de prix. Nous avons dû élargir notre recherche et sommes tombés sur ce local. Nous l'avons transformé petit à petit au cours de trente années de travail. Sans ton oncle pour nous tirer vers l'avant, cet endroit serait resté un bar de quartier. Jusqu'à il y a deux ans, Fernando était une locomotive.

– Que s'est-il passé il y a deux ans ?

– Rita, sa femme, est morte.

– Il était marié ? Il avait des enfants ?

– Non et non. Mais ils vivaient ensemble depuis vingt ans. Quand il parlait d'elle, il disait ma compagne. J'ai toujours beaucoup aimé ce mot. Ils se sont connus à cette même table, dit-elle en frappant deux petits coups sur la nappe. Elle travaillait ici, et de temps en temps elle venait manger avec nous. Un amour de femme, la pauvre Rita. Elle est tombée malade il y a cinq ans. Quand elle est décédée, Fernando m'a dit qu'il n'avait plus d'énergie et voulait prendre sa retraite.

– Quel âge avait-il ?

– Soixante-et-onze. Il aurait pu partir en retraite plus tôt, mais il faisait partie de ces personnes pour qui le travail est tout. Comme moi, d'ailleurs.

Lorenza Millán fit une pause et me regarda droit dans les yeux.

– Écoute, tu ne sais pas comme j'ai insisté pour lui payer sa moitié du restaurant. Vraiment, je ne voulais pas qu'il me la cède. Après son départ, je lui ai transféré un peu d'argent tous les mois parce que je savais qu'il n'avait qu'une petite pension pour vivre.

– Lorenza, je ne suis pas là pour ça.

– Quoi qu'il en soit, je veux que tu saches que j'ai voulu racheter sa part.

– C'est entendu. Mais la seule chose que je suis venu te demander, c'est que tu me parles de mon oncle. Par exemple, comment est-il mort ? La seule explication que m'a donnée la notaire est qu'une voiture l'a renversé.

216

La femme avala sa salive et regarda autour d'elle.

– C'est de ma faute.

– La mort de Fernando ? demanda Laura, qui jusqu'à présent n'avait rien dit.

– Oui. Il n'avait plus que moi au monde. Si je n'avais pas été autant obnubilée par le commerce et avais prêté plus d'attention à ce qui était important, j'aurais pu le convaincre de rester dans le restaurant. Et s'il avait continué, ce jour-là à deux heures de l'après-midi, il aurait été ici avec moi et non à l'autre bout de la ville à faire je-ne-sais-quoi.

Derrière les lunettes, ses yeux s'étaient remplis de larmes.

Laura glissa une main sur la table et la posa sur celle de la femme.

– Je sais que c'est difficile, mais nous avons besoin de te poser ces questions, dit-elle. Est-ce qu'il t'a parlé de l'Argentine ?

– Oui, bien sûr. Il aimait beaucoup le tango. Parfois, il mettait même un Gardel ici dans le restaurant. Et bien qu'il fût plus espagnol que les pesetas, il n'arrêtait pas de raconter qu'il était né à Buenos Aires.

– A-t-il parlé d'un voyage en Argentine quand il était adulte ?

La femme nia.

– Quel âge avait-il quand tu l'as connu ? demanda Laura.

– Quarante et des poussières.

– Il ne t'a jamais parlé de ce qu'il avait fait avant ?

– Non. Il était très extraverti pour ce qu'il aimait. Le reste, il le dissimulait en utilisant cette grâce unique qu'il avait. Il était très habile.

– On m'a dit aussi qu'il était très orgueilleux et que ça lui coûtait de reconnaître ses erreurs.

Lorenza Millán fronça les sourcils.

– Ton oncle, orgueilleux ? Absolument pas. Il n'avait aucun scrupule à s'excuser quand il se trompait. Je l'ai toujours admiré pour cette qualité.

La réponse me laissa pensif. Soit mon père et Juanmi Alonso avaient une perception différente de celle de Lorenza, soit la personnalité de Fernando avait changé d'un seul coup.

– L'hôtel Mongrí, ça te dit quelque chose ? demandai-je.

– Je suppose qu'il s'agit d'un hôtel à Torroella de Montgrí, le village de Fernando.

Laura et moi, nous nous regardâmes.

– Est-ce qu'il t'a parlé de la Patagonie ?

La femme se mit debout.

– M'en parler, ce qui s'appelle en parler, non. Venez.

Nous la suivîmes dans un couloir qui conduisait aux toilettes et à la cuisine. À mi-chemin, sur la droite, s'ouvrait une arcade qui donnait sur une autre salle à manger, beaucoup plus petite que la principale. Une sorte de pièce privée pour les groupes plus importants.

– Regardez, dit-elle en désignant un mur.

À la place des images rurales de Castille-La Manche qui décoraient le reste du restaurant, sur ce mur était accrochée la photo d'une montagne en forme de dent de requin que, maintenant, je connaissais bien.

– Le Fitz Roy, dis-je.

– C'est en Argentine, non ?

– Oui.

– Eh bien c'est ton oncle qui l'a amenée le jour où nous avons ouvert le restaurant. Nous eûmes une discussion animée, je ne comprenais pas ce que faisait cette photo dans un grill *manchego*, mais il a insisté pour l'accrocher. Finalement j'ai accepté, parce qu'il n'était pas question de mal débuter à cause d'un cadre.

J'acquiesçai en silence. Cette photo de la montagne pointue était le fil ténu qui reliait les deux Fernando : le vieux propriétaire de restaurant et le jeune entrepreneur qui avait bâti un hôtel de l'autre côté de la Terre.

Je regardai le cadre, me demandant qui avait été Fernando Cucurell. Me ressemblait-il, comme l'avait insinué Danilo ? L'alcoolisme de mon père était-il responsable de leur querelle d'avant ma naissance ? Je pensai à tout ce qu'une famille pouvait dissimuler de son passé. Quand je n'étais encore qu'un enfant mouraient quatre personnes connectées à un oncle dont mon père n'avait pas jugé nécessaire de me parler. Un oncle qu'apparemment tout le monde appréciait et considérait comme une bonne personne.

– Aimait-il se promener dans la montagne ? demandai-je en montrant la photo.

Lorenza Millán me regarda comme si elle ne comprenait pas la question.

– Toi, tu ne sais vraiment rien de rien, n'est-ce pas ?

– Non.

– Viens.

La femme retourna derrière le bar, contourna la caisse enregistreuse et indiqua un petit cadre avec une photographie quasiment cachée au milieu des bouteilles. Malgré la distance, je distinguai une Lorenza plus jeune d'une dizaine d'années à côté d'un homme en fauteuil roulant.

– Ton oncle a eu un accident de voiture un peu avant de me connaître. Il est resté paraplégique.

Lorenza me passa la photo pour que je la regarde de plus près. C'était la première image que je voyais de Fernando Cucurell Zaplana. Je ne l'aurais jamais imaginé en chaise roulante. Il portait barbe et moustache taillées en pointe, aussi grises que les rares cheveux de sa tête. Il me semblait familier, quoiqu'il ne ressemblât pas à mon père. J'avais la sensation d'avoir déjà vu cette personne auparavant. Mais où ?

La réponse arriva comme un coup de massue. Pau Roig et moi dans la cour du collège. Un homme en fauteuil roulant, de l'autre côté de la grille, nous jetant des bonbons. La chevelure plus épaisse et plus sombre, mais le même type de moustache et de barbe. Nous l'appelions Don Quichotte. Le même sourire aimable avec lequel il nous observait, ou plutôt m'observait. En fait, j'ai toujours soupçonné que c'était moi qu'il regardait et pas Pau. Maintenant, presque trente ans après, j'en avais la confirmation.

J'en eus la chair de poule. Don Quichotte était mon oncle Fernando. Que ce soit Danilo à El Chaltén ou moi à Barcelone, la même personne nous avait donné des bonbons.

CHAPITRE 41

Julián

– Tu peux la garder, me dit Lorenza en désignant la photo que je tenais toujours dans la main. J'en ai une autre chez moi.

– Merci.

Les rares fois où je pensai à Don Quichotte au cours de ma vie d'adulte, ce fut pour me demander si ce type en fauteuil roulant, qui nous jetait des bonbons sans être vu des professeurs, était un pervers. Et je ne sais trop pourquoi, je me répondais toujours que ce n'était qu'un pauvre homme qui se sentait seul.

– T'a-t-il parlé de moi ?

– Une fois, il a mentionné qu'il avait un frère et un neveu. Mais entre lui et ton père, l'entente n'était pas très bonne.

– Tu sais pourquoi ils se sont disputés ?

La femme se racla la gorge et lissa de la main un pli inexistant sur sa robe.

– Non. Et même si je le savais, ce serait mieux que tu en parles avec ton père.

– Le problème est là, Lorenza. Mon père est fermé comme une huître sur le sujet.

– Peut-être devrais-tu respecter son silence.

– J'essaie, mais ce n'est pas facile.

– Écoute, je ne veux pas que tu partes en pensant que je cache un grand secret ou que j'ai les réponses dont tu as besoin. Je ne sais quasiment rien sur les affaires familiales de ton oncle. Un jour, ton père a débarqué ici et ça s'est mal passé. Ils ont eu une discussion très animée. Je n'en ai jamais parlé à Fernando et lui ne m'a rien dit.

– Mon père est venu dans ce restaurant ? Quand ?

– Ce devait être en 95 ou 96.

Je calculai. En 1995, j'avais dix ans et ma mère était obligée de jongler pour s'occuper de moi sans négliger son travail. Mon père était à la maison, mais il avait changé. Très souvent, il ne dînait pas avec nous et se réveillait dans le canapé. Des années plus tard, j'ai su qu'à cette époque il avait rechuté dans son alcoolisme après avoir été sobre durant douze années – de sa rencontre avec ma mère jusqu'à mes neuf ans. Quand je fus adulte, ma mère me confessa qu'ils avaient été au bord du divorce, mais mon père était parvenu à reprendre le contrôle de sa vie juste à temps.

– Mon père était ivre ?

– Complètement bourré.

Je me rappelais très bien cette partie de mon enfance. L'alcool l'avait transformé en une autre personne. Ma mère l'avait mis à la porte de chez nous et je le voyais de manière sporadique. Je me souviens très bien de la joie que j'ai ressentie le jour où elle m'a annoncé qu'il revenait. Quand j'ai soufflé mes onze bougies, j'avais des parents souriants autour du gâteau en trinquant avec de l'eau gazeuse.

Plus tard, j'ai su que maman ne l'avait pas laissé revenir sans être sûre qu'il était abstinent depuis plusieurs mois. Grâce à une volonté de fer et aux Alcooliques anonymes, mon père n'avait jamais retouché à une goutte d'alcool jusqu'à aujourd'hui.

– Tu te rappelles quelques mots de leur conversation ?

La femme me regarda avec méfiance.

– S'il te plaît. C'est très important.

Elle secoua la tête.

– Ce n'est pas bien que je me mêle de ça.

– Lorenza, je ne crois pas que quoi que tu me dises sur mon père puisse me surprendre. Un fils d'alcoolique apprend, parfois avec des coups, que l'on peut toujours tomber plus bas.

Lorenza vida ses poumons en un long soupir.

– J'ai seulement entendu une phrase que ton père a criée à Fernando.

– Tu t'en souviens ?

– Comme si c'était hier.

– Que lui a-t-il dit ?

– « Tu es l'un des assassins ».

CHAPITRE 42

Il y a plusieurs années

Le garçon grimpe les quatre marches en pierre et entre dans Santa María de los Desamparados. Dans le couloir sombre, l'air humide refroidit sa tête rasée la nuit dernière. Il gonfle un peu la poitrine et écarte les bras pour que ses épaules paraissent plus larges. Il avance d'un pas assuré, oscillant légèrement d'un côté à l'autre en un mouvement répété mille fois devant le miroir. Il s'est inspiré des westerns qui plaisent tant à son père. Il y a toujours une scène où un étranger arrive en ville et défie le shérif. Lui n'est pas étranger et ne veut défier personne. Il souhaite juste qu'on le laisse en paix.

Au bout du couloir, le cloître s'ouvre devant lui. Santa María de los Desamparados est un collège de curés qui fut un couvent de nonnes. Pourtant, ce vieil édifice n'est pas épargné par les conflits d'identité sexuelle.

Dans l'angle opposé se trouve le couloir qui le conduit à la salle de classe. Mais dans cet angle, comme tous les matins, eux aussi sont là.

Il n'y a aucun moyen de les éviter. Ça ne change rien qu'il traverse le cloître en diagonale ou trace un L en suivant la galerie couverte. Quoi qu'il fasse, en arrivant à l'autre encoignure, il devra passer devant eux.

Il redresse son dos, imprime de l'assurance à sa démarche. Il décide de passer par la diagonale, le chemin le plus court. Il inspire profondément et relève la tête. Il les compte. Ils sont quatre. Comme toujours quand ils le voient, ils affichent ce sourire lupin. Le garçon se demande s'ils s'entraînent pendant leurs réunions pseudo-secrètes.

– Regardez les gars, la petite princesse s'est coupé les cheveux, dit Pep Codina.

– Essaie-t-elle de se transformer en prince ? répond un autre.

Les quatre s'esclaffent. « Petite princesse ». C'est le surnom que lui ont donné ces idiots. S'il pouvait, il les briserait à coups de bâton. Mais ils sont plus nombreux, plus grands que lui, et le comble, appartiennent aux familles les plus puissantes du village.

Pep Codina, le leader de la meute, descend du muret sur lequel il était assis et lui barre le passage. Un appareil photo pend à son cou, sûrement le dernier de ses caprices auquel ses riches parents ont cédé. Le garçon remarque qu'il commence à transpirer des mains, mais il garde la tête haute et les épaules en arrière.

Codina est en plein milieu de l'ouverture dans le mur permettant de passer du patio à la galerie. Quoi qu'il fasse, si les Loups ne le veulent pas, il ne pourra pas arriver jusqu'à sa classe. Dans un sursaut de courage, il avance pour s'immobiliser à cinquante centimètres du leader.

– Pourquoi ? Ça t'allait bien les frisettes, demande Codina, tendant la main pour lui toucher la tête.

Le garçon se jette en arrière.

– Tu as peur de moi ? Ou alors tu as peur que je te touche et que ça te plaise ?

Les trois autres font à voix basse des commentaires moqueurs.

– Pourquoi tu ne le laisses pas tranquille une fois pour toutes ? dit une voix dans le dos du garçon.

C'est Manel, son seul ami. Celui qui fait que Santa María de los Desamparados n'est pas un complet enfer. Il porte, comme toujours, une pile de livres sous le bras.

– Tôt ou tard, toujours le prince apparaît, dit Codina sans lâcher le garçon du regard. Il lui sourit, montrant ses dents blanches et de travers.

– Fiche-moi la paix avec ton prince, répond Manel, et de sa main libre il pousse si fort le Loup qu'il le jette au sol.

Les trois autres sautent du mur et bombent le torse, mais ils ne s'approchent pas de Manel. Personne n'est assez fou pour le faire.

Manel est le fils aîné du forgeron du village. Avant d'apprendre à lire ou à faire du vélo, il martelait déjà le fer chaud sur l'enclume. Maintenant, à dix-sept ans, il a des épaules taille armoire à glace et les bras comme des troncs d'arbre. Il pèse presque le double du garçon alors qu'ils ont le même âge. À côté de Manel, qui est une locomotive impossible à arrêter, il se sent comme un train miniature.

– Allons-y, dit Manel.

Il le suit. Ils passent entre les quatre Loups immobiles, comme un rhinocéros et ses petits passant devant une meute d'hyènes en train de se lécher les babines sans oser attaquer.

– Un jour ou l'autre, il faudra que tu leur tiennes tête, mec, proteste Manel quand ils les ont laissés derrière eux. Ils ne te ficheront pas la paix tant que tu ne te feras pas respecter.

– C'est facile de se faire respecter quand on a la taille d'un réfrigérateur.

– Je te l'ai déjà dit, tu passes tous les jours un moment à la forge et tu verras comme tes muscles vont se développer.

Comme chaque fois que Manel lui fait cette offre, le garçon la considère. Mais il y a un problème. Les muscles ne poussent pas du jour au lendemain. Il a besoin d'une solution immédiate. Chaque jour passé à Santa María de los Desamparados est un véritable calvaire.

– Ce n'est pas la peine, dit-il tandis qu'ils se dirigent par le couloir vers la salle de classe. Dans deux mois c'est la fin des cours et ces imbéciles quitteront le collège.

– Moi je vois ça différemment, répond son ami. Tu n'as plus que deux mois pour te faire respecter. Si ce n'est pas maintenant, alors quand ? D'accord, ils vont partir du collège, mais Torroella est un petit village. Peut-être qu'un jour ils seront tes chefs, tes clients, tes voisins, qui sait ? La vie est tellement imprévisible.

Quand ils entrent dans la salle, la dernière phrase de Manel est restée gravée dans la tête du garçon.

La vie est tellement imprévisible, répète-t-il mentalement, comme un mantra.

CHAPITRE 43

Julián

Nous revînmes du restaurant en métro. En arrivant à la station Badal, je demandai à Laura d'aller m'attendre à mon appartement. Pour ce que j'avais à faire, je devais y aller seul.

Je montai par la Rambla de Brasil en direction des Corts, le quartier de mes parents. Je trouvai mon père seul dans la maison, comme je l'avais supposé.

– Comment vas-tu, papa ?

– Bien, mon fils. J'attends que ta mère rentre du travail. Aujourd'hui, nous allons au cinéma.

Pendant qu'il me parlait du film qu'ils allaient voir, je préparai le café et l'accompagnai de quelques chocolats. Quand nous fûmes tous deux installés dans le canapé, j'allai droit au but.

– Je suis venu te poser une question et j'ai besoin que tu me dises la vérité.

– Je ne sais pas pourquoi tu crois que j'ai à voir avec les histoires de mon frère.

– En quelle année avez-vous cessé de vous fréquenter ?

– Eh bien un ou deux ans avant ta naissance. En 82 ou 83.

– Combien de fois l'as-tu revu après ?

– Aucune.

– C'est-à-dire que tu ne lui as plus parlé depuis le début des années 80 ?

– Correct.

Je pris une gorgée de café comme s'il s'agissait de courage liquide.

– Ça te dit quelque chose un restaurant qui se nomme *El Asador de Anguita* ?

Il arqua les lèvres vers le bas et haussa les épaules.

– Là-bas, ils te connaissent bien.

Ses traits se durcirent et sa peau perdit toute couleur, comme un visage de marbre. Évitant mon regard, il se passa la main sur son crâne rasé.

– Mon fils...

– Papa, le coupai-je. Si tu me parles, que ce ne soit pas pour me raconter d'autres mensonges.

– Ne sois pas aussi mélodramatique. Je ne suis pas le menteur du siècle.

– Ah, non ? Tu m'as caché que j'avais un oncle et tu m'as dit ne plus le voir depuis avant ma naissance. Cependant, au cours de l'année 1995, tu t'es présenté à son restaurant et tu as fait un tel esclandre qu'ils s'en souviennent encore.

– Tu sais très bien que ce ne fut pas ma meilleure année.

En voyant trembler ses mains, je sus que je devais y aller doucement. Un alcoolique abstinent est fragile, et une personne avec des problèmes coronariens, aussi. Lui était les deux.

– Ça va ?

– Oui, ne t'inquiète pas.

Il me regarda et sourit. Son expression était celle d'un homme blessé. Et repenti.

– Pourquoi es-tu allé à l'*Asador de Anguita* en 1995 ?

– Parce que ça faisait des années que je ne voyais plus mon frère. Et parce que j'étais ivre.

– Pourquoi voulais-tu le voir ?

– Il me manquait.

Je sentis le sang bouillir dans mes veines. Je devais partir d'ici pour ne pas lui faire de mal, mais j'en fus incapable.

– Autrement dit, tu vas voir ton frère parce qu'il te manque et tu termines en lui criant « Tu es l'un des assassins ».

Les yeux de mon père s'ouvrirent grands comme des soucoupes.

– Lorenza Millán, l'associée de Fernando, t'a entendu. Vingt-cinq ans plus tard, elle n'a pas oublié.

Mon père secoua la tête comme si je ne comprenais rien.

– Je veux que tu me dises qui ton frère a assassiné. Je veux que tu me racontes ici et maintenant ce que tu sais, papa. Si tu as dit « l'un des assassins », c'est parce qu'il y en avait d'autres.

– Tu as quel âge, quatre ans ? Je veux, je veux, je veux, pourquoi, pourquoi et pourquoi. Tu veux, d'accord, et ce que je veux, moi ?

– Que veux-tu, papa ?

– Que tu laisses en paix la mémoire de ton oncle.

– La mémoire ? C'est quoi la mémoire d'un mort ? Il est parti, il n'est plus là. En plus, tu ne lui parlais plus. Peu importe Fernando Cucurell et les trois hommes qu'il a peut-être tués à El Chaltén. Ceux qui comptent ce sont ceux qui restent. Ces morts peuvent avoir des enfants, des parents, des frères qui attendent depuis trente ans de connaître la vérité.

Mon père hocha la tête, mit les mains sur les genoux et se leva du canapé.

– Ta mère ne va pas tarder, il va être l'heure d'aller au cinéma, dit-il en ouvrant la porte de l'appartement.

– Sérieusement, papa ? Tu me mets à la porte ?

– Tu reviens quand tu veux, mon fils. Mais maintenant, arrête de me poser toujours les mêmes questions. Tu n'as pas le droit de me demander d'ouvrir en grand une porte que j'ai fermée depuis des années.

J'acquiesçai et lui présentai mes mains ouvertes, comme quelqu'un qui se rend avant que le combat commence. Je le quittai avec un baiser peu chaleureux. L'honneur, les conventions et toutes ces conneries, il pouvait les vendre à d'autres. Moi j'avais besoin que mon père m'aide et lui ne m'offrait que son silence.

CHAPITRE 44

Julián

J'arrivai chez moi en crachant des flammes.

– Ça va ? demanda Laura.

– Mortel. Il reste fermé comme une huître. Il dit qu'il ne veut pas rouvrir une porte qu'il a fermée il y a des années.

– Il n'est pas obligé de tout te raconter, Julián.

– C'est mon père. Il devrait être de mon côté.

– Peut-être l'est-il. Il croit que la recherche de la vérité va te faire plus de mal que de bien.

Mon téléphone sonna. C'était un appel provenant d'un numéro inconnu.

– Oui ?

– Monsieur Cucurell, je vous appelle de Santa María de los Desamparados. Je suis la secrétaire du professeur Castells, le directeur. Vous vous souvenez ?

– Parfaitement.

– Le professeur est rentré de son voyage et il est d'accord pour vous accorder un entretien. Mais avant, nous devrions prendre en compte le décalage horaire pour coordonner l'appel à un horaire qui convienne à tout le monde.

– Je ne suis plus en Argentine. Je peux donc aller au collège si le professeur est d'accord. C'est toujours mieux de se parler en personne.

Laura leva un pouce. Nous n'allions pas laisser passer l'occasion de voir où tout avait commencé.

– Bien sûr. Le professeur a une disponibilité demain à dix heures, ou si la semaine prochaine...

– Je serai là demain sans faute.

Quand je coupai, Laura me regardait avec un demi-sourire.

– Tu vois ? Il y a d'autres personnes que ton père avec qui parler. Moi aussi, j'ai fait deux bonnes avancées pendant que tu n'étais pas là.

– Ah bon ?

– Oui. Gregorio Alcántara a répondu ce matin au message que je lui ai envoyé sur Facebook. Il accepte de nous parler. Et Meritxell Puigbaró, la femme que les Loups ont violée, m'a envoyé un e-mail me disant que dans les jours qui viennent elle m'appellera pour concrétiser une rencontre.

En parlant d'appels, mon téléphone sonna une nouvelle fois. Je pensai que ce serait la secrétaire, mais c'était ma mère.

– Tu ne pouvais pas le laisser tranquille, non ? Tu ne pouvais pas respecter la décision de ton père ?

– Toi aussi, maman ?

Silence sur la ligne. Quand elle recommença à parler, ce fut avec la voix brisée.

– Il a été admis à la clinique du docteur Torres.

– Quoi ?

– Il a fait une crise d'angoisse. Son cœur est monté à cent trente pulsations.

Je sentis le poids d'un rouleau compresseur sur mes épaules. Un tel emballement du rythme cardiaque le mettait gravement en danger.

– Je pars immédiatement pour la clinique.

– Non. Le docteur Torres dit que dans deux heures il pourra rentrer à la maison.

Je soupirai. Le docteur Torres était notre médecin de famille depuis bien avant d'être le propriétaire de l'une des cliniques les plus réputées de la partie haute de Barcelone. Dans ma famille, ce que disait Eligio Torres était parole d'évangile.

– Nous nous voyons chez vous alors.

Elle mit une seconde de plus que nécessaire pour répondre.

– Il serait mieux que tu attendes un peu, Julián. Il a besoin de se reposer.

– Que dis-tu, maman ? Je dois venir le voir. Ce qu'il vient de lui arriver est de ma faute.

– Le docteur Torres nous a clairement fait comprendre que ton père devait prendre du repos et se tenir éloigné de toutes sources de stress.

Je fermai les yeux pour intégrer ses paroles. Quand je parlai, un nœud dans la gorge fit que ma voix sortit atténuée.

– Quand il le voudra, j'aimerais lui rendre visite. Il mérite des excuses.

– Dès qu'il va mieux, je t'en informe et tu viens.

Après un rapide au revoir, ma mère raccrocha. Je restai le téléphone à la main, remâchant de la rage contre moi-même. Ça m'embêtait d'avoir causé ce choc à mon père, mais ça m'embêtait encore plus d'être assez égoïste pour toujours lui en vouloir de m'avoir menti.

CHAPITRE 45

Laura

Laura observait à travers la vitre de la voiture les rangées de pommiers alternant avec les champs couverts de céréales vertes. Il y avait une heure et demie que nous avions quitté Barcelone, peu après l'aube.

Pendant le petit-déjeuner, elle avait remarqué avec soulagement que Julián s'était levé un peu plus détendu que la veille au soir. Quand elle était allée se coucher, il était encore très perturbé par ce qui était arrivé à son père.

Cependant, la période de calme n'avait pas duré longtemps. La voiture de Julián n'avait pas voulu démarrer et il avait dû aller chez ses parents pour leur emprunter la BMW. Il était revenu une demi-heure plus tard, indigné parce que Consuelo l'avait attendu devant la porte de l'immeuble et ne lui avait pas permis de monter voir son père.

Par chance, l'heure et demie de voyage était passée rapidement. Malgré les tentatives de Julián de pester contre ses parents, elle avait pu détourner la conversation vers ce qu'ils diraient au directeur de Santa María de los Desamparados. Douze années passées au milieu des policiers et des délinquants enseignaient à quiconque comment orienter une discussion dans la direction voulue.

– Voici le Montgrí, dit Julián, indiquant à travers le pare-brise une colline avec un château au sommet. Torroella est le village que l'on voit au pied.

Après avoir traversé un pont, Julián gara la voiture sur le parking d'un supermarché.

– Nous continuons à pied. Le collège est en plein centre et là-bas il est impossible de stationner.

En entendant « plein centre », Laura imagina un endroit rempli de commerces avec des voitures garées un peu partout. Cependant, à mesure qu'elle pénétrait dans le bourg, les maisons étaient à chaque fois plus anciennes et les rues, plus étroites et réservées aux piétons.

Le collège dans lequel avait étudié Fernando Cucurell se trouvait sur la place principale, où ce matin-là cohabitaient un marché aux légumes, les tables de plusieurs bistrots, les gens du coin faisant leurs courses et les touristes, essentiellement des Français. Julián pressa le bouton d'une sonnette moderne qui détonnait avec la façade en pierre. Ils furent reçus par un concierge vêtu d'une blouse bleu marine.

Même si Julián lui parla en catalan, elle devina ce qu'il disait.

– *Bon dia. Tenim una reunió amb el professor Castells.*

Le concierge acquiesça de bonne grâce et fit signe de le suivre. À l'autre bout du couloir, ils débouchèrent sur un vaste jardin intérieur, avec des oliviers centenaires et des bancs en fer forgé. Plus qu'au patio d'un collège, à Laura, il faisait penser au cloître d'une cathédrale.

– Avant, c'était un couvent, lui expliqua Julián. Je l'ai lu sur internet.

Elle imagina combien sa tante Susana se plairait au milieu de ces pierres centenaires. Même si au dernier moment, elle avait préféré l'uniforme de policière à l'habit de nonne, sa tante gardait sa ferveur religieuse et une fascination inouïe pour les églises, les cathédrales et n'importe quel type d'édifice religieux. Quand Laura lui annonça qu'elle allait à Barcelone, la première chose qu'elle lui dit ce fut de lui envoyer beaucoup de photos de la Sagrada Família.

Le concierge les conduisit jusqu'à une grande pièce dans laquelle, derrière un bureau,   un homme de constitution fragile, costume noir et chemise blanche, se leva pour les saluer.

– Monsieur Cucurell ? demanda-t-il à Julián.

Julián acquiesça et lui serra la main.

– Voici Laura Badía, ma fiancée, dit-il en accord avec leur plan.

– Asseyez-vous, leur dit Castells en lissant de la main sa cravate fixée avec une broche dorée en forme de crucifix. Sa tante serait tombée amoureuse au premier regard.

– Merci de nous avoir fait une place dans votre agenda, dit Julián.

– C'est un plaisir. Pouvez-vous me dire en quoi je peux vous aider ? Ma secrétaire m'a dit que vous étiez journalistes.

Julián la regarda comme s'il demandait de l'aide.

– Enquêteurs, précisa-t-elle.

– Pour qui enquêtez-vous ?

– Pour nous-mêmes. Nous aimerions écrire un livre sur la Fraternité des Loups.

– Sérieusement ? Pourquoi êtes-vous intéressés par ce qu'a fait un groupe de gamins il y a tant d'années ?

– La confrérie n'existe plus ?

– De nos jours, quel jeune veut cacher ce qu'il fait ? Maintenant, les adolescents vivent la vie pour la publier sur les réseaux sociaux.

Pendant que Castells parlait, elle analysait chacun de ses gestes. Par déformation professionnelle. Un tic qui n'était pas inutile. Que l'attitude du professeur semble authentique ne lui suffisait pas. Les apparences l'avaient trompée plus d'une fois.

– Même si elle a disparu, la Fraternité des Loups a appartenu à ce collège, n'est-ce pas ? demanda Julián.

Le professeur Castells se redressa dans sa chaise et détourna le regard vers la fenêtre qui donnait sur une arrière-cour beaucoup plus lumineuse que le cloître. On y voyait des oliviers et d'autres arbres fruitiers que Laura n'arriva pas à identifier.

– Cela vous dérangerait de me dire pourquoi vous voulez savoir ça ?

Laura posa sa main sur celle de Julián et sourit au professeur.

– C'est un peu compliqué, dit-elle. L'oncle de Julián a étudié dans ce collège où il fut membre de la Fraternité. Il y a quelques années, il a entrepris l'écriture d'un livre sur l'histoire des Loups, et moi, comme une bonne nièce par alliance, je l'aide.

Pour couronner ses dernières paroles, elle appliqua un baiser sur la joue de Julián.

– Cette femme est un amour, ajouta-t-il. En plus d'une excellente écrivaine, bien sûr.

– Eh, Juli, tu vas me faire rougir. Ne faites pas attention, professeur. Il dit ça parce qu'il m'aime. J'écris, mais en réalité je ne suis qu'une débutante passionnée.

– Il ne serait pas mieux que ce soit votre oncle qui vienne en personne si c'est lui l'ancien élève ?

– Là est le problème, s'empressa de répondre Laura. Fernando n'est pas au mieux. Il y a quelques mois on lui a diagnostiqué une démence.

– Désolé.

– Il va avoir soixante-quinze ans et, depuis un certain temps, il n'arrête pas de parler de l'époque où il était dans ce collège avec ses camarades de la Fraternité. D'après ce qu'il dit, ce furent les meilleures années de sa vie.

Castells lui offrit un large sourire.

– Ce collège est connu pour garder une trace de tous ceux qui passent ici.

– Nous en sommes sûrs, dit Laura.

– Comment pensez-vous que nous puissions vous aider ?

– En nous parlant de la Fraternité des Loups. J'aimerais inclure dans le livre un détail qui surprendrait Fernando.

– Eh bien je ne sais pas grand-chose. Presque rien, à dire vrai. Je n'ai pas été élève dans ce collège, j'ai juste entendu des rumeurs.

– Peut-être connaîtriez-vous quelqu'un qui puisse nous aider ?

Castells prit quelques secondes pour réfléchir.

– Il y a un ancien élève, d'un certain âge maintenant, qui vient de temps en temps pour discuter avec les gosses. Peut-être que ça pourrait vous être utile de causer avec lui. Il est écrivain, comme vous, mademoiselle Badía.

D'un geste, Laura refoula la dernière phrase, comme si elle mourait de honte.

– Pourriez-vous nous mettre en contact ?

Le directeur sortit un téléphone de sa poche et enregistra un message vocal devant eux :

– Bonjour Jaume, je suis actuellement avec le neveu d'un ancien élève et sa fiancée, ils ont besoin d'informations sur la Fraternité des Loups. Puis-je leur donner ton numéro ?

Castells posa le téléphone sur le bureau.

– Ce monsieur vit à Barcelone, ce qui fait que vous n'aurez pas besoin de remonter à Torroella. Dès qu'il me répond, je vous préviens.

Le téléphone de Castells émit un léger *ping*.

– Ce ne sera pas la peine, se corrigea le professeur, voici sa réponse. Avec la technologie, Jaume Serra est plus rapide qu'un adolescent. Il dit qu'il est d'accord, qu'il n'y a aucun problème.

– Jaume Serra ! Le fameux Jaume Serra ? demanda Julián.

Laura le regarda sans comprendre, mais Julián lui fit signe qu'il expliquerait après.

– Lui-même. Plus d'un personnage illustre est sorti de notre collège. Y a-t-il autre chose que je puisse faire pour vous aider ?

– Oui. Il nous serait très utile de voir la liste des camarades de mon oncle.

– Ce serait génial pour le livre de discuter avec quelques-uns d'entre eux, ajouta Laura.

– On devrait trouver cela dans les annuaires du collège, répondit Castells en se mettant debout. Venez avec moi.

Ils suivirent le directeur à travers le cloître. Des étages supérieurs arrivaient jusqu'à Laura des voix dans lesquelles, bien qu'elle ne comprît pas un mot de catalan, elle reconnut le ton universel avec lequel les maîtres s'adressent à leurs élèves. Ils pénétrèrent dans une grande salle où régnait le silence. Du sol au plafond, des étagères en bois remplies de vieux volumes lui donnaient un aspect quasi sacré.

– C'est la bibliothèque du collège.

Derrière un bureau, un homme grand, large d'épaules, barbe grise, passait un lecteur de code-barres sur une pile de livres. La technologie dans ce lieu médiéval parut étrange à Laura. Elle n'avait jamais vu ces vieux murs de pierre ailleurs que dans des films où les gens se déplaçaient à cheval, se battaient à l'épée et s'éclairaient avec des torches. Il lui était difficile d'intégrer que, de ce côté de l'océan, ces édifices n'étaient pas un décor.

– Nous venons consulter les annuaires, monsieur Castañeda, dit le directeur.

Le bibliothécaire hocha la tête et les guida au milieu d'un labyrinthe d'étagères.

– Ils sont là, dit-il en montrant de gros volumes recouverts de cuir, avec des lettres dorées sur les reliures. Le premier datait de 1990 et le dernier de 2018.

– Où sont les plus anciens ? demanda Castells. Ce sont les décennies 60 et 70 qui les intéressent.

– Les annuaires ont débuté en 1990, professeur.

– Avant il n'y avait pas de registre des élèves ?

– Les fiches de chaque cours, mais elles n'étaient pas reliées comme celles-ci, et il n'y avait pas de photos.

– Pourrions-nous accéder à ces fiches ? demanda Laura.

– Elles sont dans les archives du sous-sol.

Castells secoua la tête et inspira l'air entre ses dents.

– Je n'y suis descendu qu'une seule fois dans ma vie. Je ne saurais même pas par où commencer. Pourriez-vous les aider, monsieur Castañeda ?

– Bien sûr. Je m'en occupe.

– Formidable. Dans ce cas, je dois vous abandonner. Passer plusieurs journées dans un congrès c'est très bien, mais au retour il y a beaucoup de travail qui s'est accumulé.

– Merci beaucoup pour le temps que vous nous avez consacré, dit Laura au directeur, qui les quitta avec un geste aimable.

Quand les pas de Castells se furent éloignés, le bibliothécaire revint à son bureau et se remit à scanner les livres.

– Qu'est-ce qui vous intéresse exactement ? demanda-t-il sans les regarder.

– La liste des camarades de mon oncle. Il était élève ici entre 1968 et 1973. Fernando Cucurell Zaplana.

Laura eut l'impression d'une soudaine tension dans le visage du bibliothécaire.

– Cette semaine ça ne va pas être possible, j'ai beaucoup de travail. Revenez vendredi de la semaine prochaine.

– Dans une semaine ? demanda Julián.

– Huit jours, corrigea le bibliothécaire avec un sourire. Aujourd'hui, c'est jeudi.

– Pas avant ?

– Impossible. Ce sous-sol est un labyrinthe, dit-il en indiquant derrière le bureau une vieille porte en bois renforcée par de grosses ferrures.

En Argentine, cette porte aurait appartenu à un musée. Ici, à Santa María de los Desamparados, on y punaisait des affiches avec les règles à respecter à l'intérieur de la bibliothèque.

– Je dois mettre un peu d'ordre si nous voulons y trouver quelque chose.

Laura essaya de raisonner le bibliothécaire, mais ni elle ni Julián ne réussirent à le faire changer d'avis. Cinq minutes plus tard, ils quittaient le collège.

– Au moins nous avons l'adresse de cet écrivain, l'ex-membre de la Fraternité.

– Vraiment, tu ne sais pas qui est Jaume Serra ?

– Non.

– C'est un des romanciers les plus prolifiques d'Espagne. Il écrit surtout pour les adolescents.

Pour toute réponse, elle haussa les épaules.

– Que penses-tu de Castells ?

– Qu'il veut collaborer. L'autre est plus bizarre. Il m'a paru surpris quand il a entendu le nom de ton oncle. En plus, tu crois qu'au vingt-et-unième siècle un bibliothécaire peut être à ce point débordé de travail qu'il nous demande de revenir dans une semaine ?

– Huit jours, dit Julián en imitant la grosse voix de l'homme sur un ton si drôle qu'elle ne put retenir un éclat de rire.

Ils marchèrent quelque temps dans les ruelles du bourg en évitant les Français et leurs épouses portant les sacs avec les achats. Durant ces minutes, Laura se permit de regarder autour d'elle et de sourire comme une touriste parmi d'autres, laissant de côté les quatre morts qui l'avaient amenée jusqu'ici. Mais l'illusion ne dura pas longtemps.

Au terme d'une rue étroite, ils débouchèrent sur une place avec un luxuriant arbre au centre. Julián s'arrêta devant une vieille affiche en émail sur laquelle on voyait un gaucho à cheval. Dessous, Laura lut : Engrais au nitrate du Chili.

    – Au coin de la rue, dit Julián en montrant l'affiche qui vantait le fertilisant, on a poignardé Josep Codina.

CHAPITRE 46

Julián

Nous pénétrions dans le hall de mon immeuble trois heures après avoir quitté le professeur. Tandis que je m'arrêtais vérifier la boîte aux lettres, Laura attaqua les escaliers avec plus d'énergie que dans la montée à la Laguna de los Tres.

– Je t'attends à l'intérieur, me dit-elle. Je dois aller aux toilettes.

Au milieu des publicités pour des pizzerias ou des agences immobilières, je trouvais une enveloppe sans timbre qui accrochait le regard comme un singe fluorescent. Premièrement, parce que de nos jours plus personne n'écrivait à la main. Deuxièmement, parce que mon nom y figurait en majuscule avec un graphisme aussi désastreux que celui d'un enfant de cinq ans.

Je l'ouvris tout en grimpant les marches. À l'intérieur, je trouvai une photo récente de mes parents posant devant une paella dans un restaurant. C'était une image qui datait de plusieurs mois, ma mère l'avait ajoutée sur son profil Facebook à l'occasion de son anniversaire de mariage.

Une feuille pliée accompagnait la photo. C'était un texte imprimé en *Comic Sans*, la même typographie ridicule utilisée pour me menacer à El Chaltén :

Ils sont beaux, n'est-ce pas ? Et aussi très vulnérables. Elle, elle pourrait-être victime d'un vol avec violence n'importe quel mardi ou jeudi en rentrant du yoga. Lui, c'est un plat avarié qu'on pourrait lui servir le lundi à midi, quand il déjeune avec son ancien collègue de travail. Mais ça n'arrivera pas, n'est-ce pas, Julián ? Parce que vous serez gentil et arrêterez de fourrer votre nez dans des affaires qui ne vous regardent pas. Je répète ce que j'ai dit à El Chaltén : vendez l'hôtel Montgrí et profitez de l'argent, mais laissez le passé en paix.

Ma tête se mit à tourner et je dus m'appuyer au mur pour ne pas m'effondrer dans l'escalier. Quand je terminai la troisième lecture de ces lignes, j'entendis la voix de Laura au-dessus de moi :

– Julián. Tu montes ? Je ne trouve plus le jeu de clés que tu m'as donné.

– J'arrive.

En arrivant sur le palier, Laura m'attendait en indiquant une montre imaginaire sur son poignet.

– Heureusement que tu n'es pas pompier.

L'expression amusée de son visage s'effaça quand elle vit l'enveloppe.

– C'est quoi, ça ?

– Rien.

Elle me l'arracha des mains.

– Ce sont tes parents, dit-elle, et elle lut la lettre.

– Oui.

En entrant dans l'appartement, Laura s'affaissa dans le canapé en lâchant un long soupir. Elle joignit les mains et appuya les pouces sur la bouche. Ses yeux marron, fixés sur la télé éteinte, ne clignaient pas.

– Tu ne voulais pas aller aux toilettes ?

– Ça m'a coupé l'envie, dit-elle en pointant la lettre que j'étais en train de relire. De toute évidence, nos investigations contrarient quelqu'un. La personne qui a écrit cela a beaucoup à perdre si les homicides sortent au grand jour. Nous nous approchons.

– Nous nous approchons ? Laura, tu n'as pas lu ce qui est écrit ? Ils menacent mes parents. Ce jeu peut nous échapper.

– Pour moi, ce n'est en aucun cas un jeu.

– Pardon. Ce n'est pas ce que je voulais dire. Comprends-moi, j'ai peur pour mes parents.

– Que veux-tu que nous fassions ? On arrête tout ? Je fais ma valise et je retourne en Argentine.

– Je ne sais pas, Laura. Tout ça ne me plaît pas.

Laura se leva du canapé comme un ressort et entra dans les toilettes. Quand elle ressortit, elle se dirigea tout droit vers la porte.

– Où vas-tu ?

– J'ai besoin de prendre l'air, et toi tu as besoin de réfléchir à ce que tu veux faire.

J'aurais aimé qu'elle sorte en claquant la porte ou en criant et ainsi avoir une raison d'être en colère contre elle. Cela m'aurait distrait de ce qui était véritablement important. Cependant Laura non seulement me parla gentiment et ferma doucement la porte, mais en plus elle avait raison. J'avais besoin de réfléchir.

Les derniers mots de la lettre continuèrent à résonner dans ma tête bien après le départ de Laura.

« Laissez le passé en paix ».

CHAPITRE 47

Laura

Elle avait donné un jour entier à Julián pour qu'il décide s'il voulait continuer. Pour elle aussi cette coupure avait été la bienvenue, elle en avait profité pour parcourir un peu Barcelone, et pour réfléchir.

Vingt-quatre heures plus tard, ils étaient arrêtés devant un immeuble d'au moins dix étages, avec un vaste jardin entre la façade et la rue. Au centre, plusieurs tortues d'eau prenaient le soleil autour d'une fontaine en marbre.

D'après ce que Julián lui avait dit, Barcelone se divisait en deux : ce qui était au-dessus de l'avenue Diagonal et ce qui était au-dessous. La maison de l'écrivain Jaume Serra était très au-dessus.

Laura se tourna vers Julián, qui observait les tortues.

– Tu es sûr de vouloir poursuivre? demanda-t-elle.

– Oui, j'en suis sûr. Allons-y.

Dans le hall d'entrée, un portier avec cravate leur indiqua de quel côté se diriger. Un ascenseur recouvert de bois lustré les amena au troisième étage. Il y avait deux appartements par palier. Avant qu'ils aient sonné, la porte de l'un d'eux s'ouvrit, pivotant sur ses gonds sans le moindre grincement.

Laura reconnut l'écrivain des photos trouvées sur internet. L'homme était grand, se tenait bien droit et arborait une épaisse chevelure blanche. Il portait fort bien les soixante-treize ans qu'il avait selon Wikipédia.

Serra la salua d'une ferme poignée de main puis fit de même avec Julián.

– Entrez, je vous en prie. Soyez les bienvenus.

La lumière du matin entrait à flots par la baie vitrée de la salle à manger. Si Laura comparait cet appartement avec celui de Julián, les deux Barcelone lui apparaissaient clairement.

– Que voulez-vous boire ? Thé ? Café ? Une bière ?

– Un café, dit Julián.

– Moi aussi, s'il vous plaît, ajouta-t-elle.

– Très bien. Suivez-moi, vous pourrez m'aider avec la cafetière, je ne comprends pas son fonctionnement. Je ne supporte pas le café, ni les drogues, ni les légumes, ni les mensonges.

Laura regarda Julián et sut qu'il pensait la même chose : *pourvu que nous ne soyons pas venus voir un fou à lier.*

Ils retournèrent dans la salle à manger avec deux tasses de café et un verre d'eau pour l'écrivain. Serra se laissa tomber dans un fauteuil, croisa les jambes et d'un signe de tête désigna les fauteuils en face de lui. Son comportement correspondait plus à un adolescent qu'à un septuagénaire.

– Ainsi vous voulez que je vous parle de la Fraternité des Loups.

– C'est cela, dit Laura.

– On peut savoir pourquoi ? Et ne venez pas me parler du gars avec sa démence, pas à moi qui gagne ma vie en racontant des histoires.

Julián commença à bafouiller une réponse, mais Laura l'interrompit :

– Quatre ex-membres ont été assassinés entre 1989 et 1991.

Loin de paraître surpris, Serra répondit comme si on venait de lui demander l'heure.

– Que je sache, le seul à avoir été assassiné, c'est Pep Codina. Les trois autres ont disparu dans les Pyrénées.

– Dans les Pyrénées ? demanda Laura. Habituellement, répéter les derniers mots de l'interlocuteur le poussait à continuer. Avec Jaume Serra, cela fonctionna.

– Bon, en réalité, la dernière fois qu'on les a vus c'était au pied des contreforts pyrénéens. Dans la zone du Parc naturel de Cadí, vous connaissez ?

Laura vit Julián hocher la tête. En ce qui la concernait, elle savait juste que les Pyrénées étaient une chaîne montagneuse.

– Quand on y pense, l'histoire de ces gens est tragique. Le premier poignardé, les trois autres disparus peu de temps après.

– Combien de temps ? demanda Laura.

– Voyons... comptons. Pep Codina a été tué vers 1990...

– 1989, précisa-t-elle. Le 27 août.

Le regard vif de l'écrivain se posa sur elle.

– Je vois que tu es très précise sur les dates. Dans ce cas, ne faisons pas confiance à ma mémoire. Il vaut mieux que nous nous référions à ce qui est écrit, dit le romancier, et il se leva du fauteuil en leur faisant signe de l'attendre.

Il disparut par un couloir rempli de livres et revint quelques minutes plus tard avec un dossier sur lequel était écrit *Perdus dans le Cadí*.

– Le titre est un désastre, mais c'est provisoire. Jamais je ne publierais sous un intitulé aussi transparent.

– Vous écrivez un livre sur ces morts ? demanda Laura.

– Morts non, disparitions, souligna Serra en indiquant le dossier. Ouvre-le, il ne mord pas.

Dedans, Laura trouva une vingtaine de feuilles avec des annotations indéchiffrables et un article découpé dans un journal.

– Mes romans ont l'habitude de naître d'une image tirée de la réalité, expliqua Serra. Certains l'appellent la semence du récit, moi je préfère penser que c'est un grain de sable dans une huître.

En d'autres circonstances, Laura lui aurait appris que les huîtres ne font pas de perles à partir d'un grain de sable, mais d'un parasite, cependant elle préféra ne pas paraître pédante.

– Ces pages, dit l'écrivain en posant une main sur les feuilles manuscrites, sont le résumé de l'histoire que j'écrirai un jour ou l'autre. Pure fiction. Par contre, cette coupure de 1991 est la part de réalité. Le grain de sable initial. Quand j'ai lu cet article, il s'est gravé dans ma mémoire. Vous imaginez la souffrance d'une mère qui ne sait pas ce qui est arrivé à ses enfants ? Allez-y, lisez-le si vous voulez.

Laura se rapprocha de Julián pour qu'il puisse lire.

LES AUTORITÉS ABANDONNENT LES RECHERCHES CONCERNANT LES TROIS HOMMES DISPARUS DANS LES PYRÉNÉES.

Après vingt et un jours sans résultats, les pompiers de la Généralité de Catalogne ont interrompu aujourd'hui la recherche de Gerard Martí, Mario Santiago et Arnau Junqué, disparus le 5 avril dernier dans le Parc naturel Cadí-Moixeró.

Les trois hommes âgés de 33 ans, originaires de Torroella de Montgrí et résidant à Barcelone, ont quitté leurs domiciles dans le but de parcourir certaines zones emblématiques des Pyrénées catalanes. « Ils avaient prévu de monter à Pedraforca, dans le parc naturel de Cadí, puis de rejoindre le Parc national d'Aïguestortes. Au total quinze jours de randonnée », explique Arlet Magano, l'épouse de Gerard Martí, tandis qu'elle serre dans ses bras le petit Biel, leur fils de trois ans.

Martí, Santiago et Junqué ont été vus pour la dernière fois à Bagá, le village d'où part la majorité des montagnards qui visitent le Parc naturel de Cadí-Moixeró. D'après les employés du parc, les hommes se sont présentés au bureau d'information l'après-midi du 5 avril pour se renseigner sur le niveau de difficulté de la montée à Pedraforca, qui à cette époque de l'année présente encore des conditions hivernales.

Vingt jours après leur départ (soit cinq jours après la date prévue du retour), les familles ont prévenu les autorités. Les pompiers de la Généralité et la police nationale ont travaillé conjointement durant les trois dernières semaines sans obtenir le moindre résultat, même après avoir organisé une battue avec des chiens policiers.

Selon Daniel Ruiz, le chef des pompiers en charge des opérations de recherche, l'une des principales difficultés est la grande étendue de la zone à explorer, du fait que les disparus n'ont pas donné d'informations précises sur leur itinéraire.

La ligne téléphonique ouverte depuis dix-sept jours a reçu des centaines d'appels de gens qui assurent les avoir vus dans diverses régions.

« Ce sont des personnes qui veulent aider, sans doute de bons samaritains », explique Ruiz. « Cependant, le nombre d'appels, le peu de détails fournis et les dimensions de l'aire géographique où ils prétendent les avoir vus font qu'il est très difficile d'en extraire des informations utiles ».

D'un autre côté, les familles des disparus demandent aux autorités de ne pas interrompre les recherches. « N'abandonnez pas nos enfants », clamait en larmes Montserrat Abella, la mère d'Arnau Junqué, face à plusieurs journalistes réunis devant la porte de sa maison à Torroella de Montgrí.

CHAPITRE 48

Laura

Une fois la lecture de l'article terminée, Laura regarda la date inscrite dans la partie supérieure de la page. Mai 1991. Cela cadrait avec l'intervalle de temps estimé pour le décès des trois cadavres découverts en Patagonie, ainsi que l'âge évalué entre 30 et 35 ans.

Cependant, aucun des trois disparus dans les Pyrénées ne s'appelait Juan Gómez. Bien sûr restait la possibilité que le cadavre de l'hôtel Montgrí eût en sa possession un faux passeport, mais cela, d'après l'expérience de Laura, se voyait plus dans les films d'espionnage que dans la réalité.

– D'après nos investigations, dit-elle à l'écrivain, d'autres cadavres portant une bague de la Fraternité des Loups ont été découverts, et Josep Codina avait la même la nuit où il a été tué.

– Où ont-ils été trouvés?

– Nous ne pouvons révéler aucun détail car il s'agit d'une enquête en cours.

– Tu es policière ?

– Pas en Espagne. Ici, je ne suis qu'une touriste qui essaie de comprendre. Savez-vous à quel anneau je me réfère ?

L'homme retourna à l'intérieur de la maison. Quand il revint, il avait sur la paume de la main une chevalière avec une tête de loup.

– Je pense que tu parles de ça.

Laura l'examina de près. La gravure de tête de loup, avec la gueule ouverte, était identique à celles des bagues des morts d'El Chaltén. Cependant, l'anneau de Serra était doré et n'avait aucune inscription à l'intérieur. Il était semblable à celui de l'ex-beau-frère de Julián.

– Que pouvez-vous nous en dire ?

– Que c'est moi qui l'ai créé ! Avant que je passe par l'institution, les Loups n'avaient rien pour les identifier. J'eus l'idée de demander à l'un de mes amis, qui était bijoutier, de faire un moule en cire et de l'amener à une fonderie pour qu'ils y coulent un anneau en laiton.

– Je crois qu'il serait mieux que nous commencions par le début, suggéra-t-elle. Qu'était exactement la Fraternité ?

Jaume Serra se rassit dans le fauteuil et croisa les jambes. Tout en parlant, il enlevait et remettait en permanence la bague autour de son annulaire.

– C'était, ou c'est, je n'en sais rien, un club d'élèves du collège Santa María de los Desamparados. Il fut fondé dans les années 40. Une espèce de société secrète au sein de l'institution.

– Secrète comment ? demanda Julián.

Serra esquissa un sourire.

– Ne pense pas à des rites maçonniques ni rien de tout ça. C'était, pour faire simple, un club de jeunes dont très peu de personnes connaissaient l'existence et encore moins étaient invitées à y entrer.

– Nous avons cru comprendre qu'il était ouvert à tous ceux qui pouvaient payer. En fait, on nous a dit qu'ils favorisaient l'incorporation de nouveaux membres parce qu'avec l'argent des cotisations, ils payaient des strip-teaseuses pour leurs réunions.

– À mon époque, ce n'était pas comme ça. Nous n'amenions jamais de filles et il n'y avait aucune cotisation à payer. La majorité des membres appartenait aux plus pauvres du collège. Certains économisaient durant des mois pour pouvoir s'acheter la chevalière qui, comme vous le voyez, n'est qu'une babiole.

– Avez-vous entendu parler d'un membre qui aurait fait couler un anneau avec de l'argent à la place du laiton ?

– Cela aurait été ridicule. L'une de nos valeurs était l'égalité.

– Celui de Pep Codina était en argent.

– Je ne sais pas quoi vous dire. Je ne peux que vous parler de mon époque.

– Ces gens étudièrent à Santa María de los Desamparados entre 1970 et 1975. Selon mes calculs, c'est cinq à dix ans après vous. Croyez-vous que la Fraternité ait pu autant changer en si peu de temps ? Anneaux en argent, cotisation élevée, plus très secrète, femmes de la nuit...

– En dix ans, il y a des pays qui alternent plusieurs fois le protectionnisme et le néolibéralisme. Si ça se passe dans une institution officielle, imaginez dans un club d'étudiants.

Laura acquiesça, se demandant si Serra venait de décrire la politique argentine intentionnellement ou par pur hasard.

– Seuls les hommes étaient admis ? demanda-t-elle.

– Oui, parce que Santa María était un collège de garçons. Il n'y a que peu de temps qu'il est mixte.

– Quel était le but de la Fraternité ? intervint Julián.

– Quel but peut avoir un gamin de dix-sept ans ? À cette époque ça n'avait aucun sens de se cacher pour boire ou pour fumer, car ce n'était pas mal vu. Nous faisions quelques blagues, comme par exemple écrire une lettre d'amour à la professeure de dactylographie en imitant la signature du concierge. Mais le véritable but, c'était appartenir. Être dedans. Pouvoir porter cet anneau, qui n'était autorisé que durant les réunions, c'était ça, le but ultime.

– Où se tenaient ces réunions ?

– Normalement dans la maison de l'un des membres ou dans l'une des nombreuses salles non utilisées de Santa María. Nous n'étions pas très nombreux, dix à douze grand maximum, ce qui faisait que n'importe quel endroit nous convenait.

– Vous avez continué à assister aux réunions après le collège ?

– Ce n'était pas permis. Si tu ne faisais pas partie de Santa María de los Desamparados, tu ne pouvais pas être un Loup. Tu pouvais garder la chevalière en souvenir, mais, c'était une des règles, tu devais quitter la Fraternité.

L'écrivain termina sa phrase en faisant tourner l'anneau sur la petite table en bois à ses pieds.

– En plus d'être en argent, l'anneau de Pep Codina portait une inscription gravée à l'intérieur : *Lupus occidere uiuendo debet.*

– Un loup doit tuer pour vivre, traduisit Serra.

– Ça vous parle ?

– Absolument pas. Mais j'ai étudié le latin pendant des années. On ne nous laissait pas le choix à Santa María.

– Vous avez une idée du motif pour lequel cette phrase a été gravée sur l'anneau de Pep Codina et sur ceux des autres victimes ? demanda Julián.

– Vous ne pensez pas que le moment est venu de m'expliquer ce qui se passe.

– Dès que nous pourrons partager des détails, vous serez le premier informé, je vous le promets, intervint Laura. Tout ce que vous dites nous est très utile. Y avait-il un règlement ? Quelque chose d'écrit ?

L'écrivain soupira, mais ne refusa pas de répondre.

– *Des habitudes reproductives du loup ibérique*, par Narciso Ballabriga.

– Pardon ?

– Dans la bibliothèque de Santa María, il y avait un exemplaire avec cet intitulé. C'était une copie de la thèse d'un ancien élève du collège. Comme vous pouvez l'imaginer, jamais personne ne consultait ce document.

C'est pour cette raison que j'ai collé sur la page 66 le manifeste de la Fraternité des Loups. Avant que j'en assure la rédaction, ce n'était que quelques feuilles manuscrites qui passaient de main en main. Il me fut très difficile de les récupérer car la Fraternité comptait quatre années d'interruption quand nous avons décidé de la réactiver.

– Comment avez-vous appris l'existence de ce règlement ?

– Un de mes cousins avait été membre quelques années auparavant. C'était une société secrète, mais pas si secrète. En fin de compte, nous n'étions que quelques gamins pensant avoir ce que d'autres n'avaient pas. Et permettez-moi d'insister sur le fait que l'intention était des plus innocentes.

Innocente ou pas, pensa Laura, il y avait quatre homicides en lien avec cette société.

– Vous rappelez-vous le nom d'un membre plus jeune qui serait resté dans la Fraternité après la fin de vos études ?

– Il n'est resté personne.

– Personne ?

– Non. Nous avons remis en marche la société en 1962, quand nous étions en première année. Par arrogance, nous avons commis l'erreur de n'autoriser aucun gamin plus jeune que nous à intégrer la Fraternité dans les années qui suivirent. Et, quand nous avons quitté Santa María, il ne restait plus un seul Loup. Nous laissions la Fraternité aussi déserte que nous l'avions trouvée.

– C'est évident, quelqu'un a décidé de la réactiver dans les années qui suivirent.

Le silence se fit. Au fur et à mesure que les secondes passaient, Laura notait que Julián la regardait, de plus en plus nerveux, comme s'il attendait qu'elle dise quelque chose. Mais elle se limita à s'installer plus confortablement dans le canapé.

– Je sais que la Fraternité a repris son activité quelques années plus tard, dit l'écrivain au bout d'un moment. J'ai même un membre qui est connu, Adrián Caplonch. Je ne sais pas si le nom te parle, Julián.

– Celui des coques ?

– Exact. Sa famille est propriétaire des conserveries Caplonch.

– Tout catalan qui se respecte a pris un vermouth avec des coques Caplonch, expliqua Julián à Laura.

– Adrián a plusieurs années de moins que moi. Un jour, il m'a raconté qu'il avait fait partie de la Fraternité. Si vous voulez, je peux lui donner vos numéros de téléphone et lui demander qu'il vous contacte. Peut-être pourrait-il vous aider un peu plus, même si je pense qu'il sera très occupé car les élections approchent.

– Les élections ? l'interrogea Julián.

– Oui. Cette année Adrián Caplonch est candidat à la vice-présidence du FC Barcelone.

CHAPITRE 49

Il y a plusieurs années

– Prends, c'est pour toi.

La grosse main de Manel tient un sac en papier. En le prenant, le garçon le trouve lourd.

Ils sont dans une des salles de classe abandonnées de Santa María de los Desamparados, entourés de bancs poussiéreux et de cartons contenant des cartes enroulées ainsi que des ustensiles de ménage.

Le garçon s'imagine que dans le sac il y a un nouveau livre. Manel, malgré son air rustre, est un avide lecteur de tout ce qui lui tombe sous la main. Et cela fait des mois qu'il lui offre des livres pour lui remonter le moral.

D'après le poids, celui-ci a au moins quatre cents pages, estime-t-il. Il ouvre le sac en se demandant comment il va dire à Manel qu'il n'a pas encore lu les trois derniers. Cependant, à l'intérieur, il trouve un paquet trop long et trop étroit pour être un livre.

– Déplie-le avec précaution.

Le garçon déchire le papier et découvre l'arrondi d'un manche de couteau. Il l'empoigne, le dégainant du paquet comme d'un fourreau. La lame, en acier gris bleuté, est énorme. Tout est énorme dans le monde de Manel.

Outre sa taille, le couteau a une forme que le garçon n'a jamais vue. Ses contours rectilignes lui donnent l'aspect d'un sabre du futur. Il a le profil des trains à grande vitesse japonais. Le dos de la lame s'écoule parallèle au fil jusqu'aux deux tiers de sa longueur puis descend en diagonale pour former une pointe que le garçon n'ose pas toucher.

– Il est très joli. C'est la première fois que je vois un couteau comme celui-ci.

– Je suis content qu'il te plaise. J'ai fait le manche dans le bois d'un olivier de chez moi. J'ai trouvé le modèle il y a quelque temps dans une revue appartenant à mon père. C'est un seax viking. Ils l'utilisaient pour se battre, chasser ou cuisiner. Pour tout. Dans la revue, ils disaient qu'un Viking était inséparable de son seax.

– Moi je ne chasse pas, je ne me bats pas et je ne cuisine pas.

– Maintenant tu es un Viking, dit Manel, et il grogne en montrant les dents, comme un gorille. Et quand enfin tu auras des poils, regarde ce que tu pourras faire.

Manel prend le couteau et balaie son avant-bras avec le tranchant. Un petit tas de poils s'accumule sur la lame, laissant une surface de peau glabre.

– Il est très aiguisé. Fais attention, dit-il, avant de lui rendre le couteau.

Le garçon regarde Manel. Derrière cette façade corpulente et grossière, il y a une personne géniale. La personne avec laquelle il se sent le mieux. Tellement mieux que parfois il en est gêné. C'est une chose d'avoir des traits féminins, c'en est une autre, très différente, d'être une tapette.

– Ce couteau est du tonnerre, mec. Je ne sais pas comment te remercier. Cela a dû te prendre beaucoup de temps pour le fabriquer.

– Plusieurs jours. Mais tu n'as pas à me remercier. Je l'ai fait avec plaisir, en pensant à toi.

Le garçon rougit. Son cœur bat à mille à l'heure. Pas tant par peur que par honte. Il est terrorisé par ce qui pourrait se passer.

Avant qu'il ait le temps de dire un mot, Manel s'approche et l'embrasse sur la bouche.

Le garçon ferme les yeux et se laisse faire. La moustache mal taillée de Manel lui pince les lèvres. Les mains fortes et calleuses le mettent mal à l'aise. À partir de cet instant, il sait qu'il n'aime pas les hommes. Ou, du moins, cet homme.

Après quelques secondes, tous deux se jettent en arrière comme deux aimants qui se repoussent.

– Dégueulasse, mec, lui dit Manel en riant. Pardon, mais je devais lever le doute. Il m'est arrivé de penser...

– Moi aussi, réplique le garçon.

– Ne me dis pas que ça t'a plu, s'il te plaît.

– Et si ça m'a plu, c'est mal ?

– Non, bien sûr que non. Enfin, je ne sais pas. Mais être homosexuel semble plus difficile que de ne pas l'être.

– Ça ne m'a pas plu.

– Tu me le jures ?

– Je te le jure.

Le garçon dit la vérité. Pour sûr qu'il dit la vérité. Il sent qu'il a évacué le poids qui l'oppressait.

Mais le soulagement n'est que de courte durée, il a entendu du bruit provenant de la porte, il regarde dans cette direction et voit Pep Codina. Il a le sourire canin installé sur son visage et son appareil photo flambant neuf à la main.

CHAPITRE 50

Laura

– C'est ici, dit Laura en appuyant sur le bouton de la sonnette du vieil édifice en pierre correspondant à l'adresse que Meritxell Puigbaró, la femme violée par quatre membres de la Fraternité des Loups, leur avait donnée par téléphone.

– Maintenant tu comprends ce que j'ai voulu dire à propos des deux Barcelone ?

Évidemment qu'elle comprenait. Après avoir vu le quartier de Jaume Serra, elle n'avait pas besoin de consulter une carte pour comprendre qu'ils se trouvaient de l'autre côté de la Diagonal.

Ils étaient sortis du métro cinq minutes plus tôt à la station Drassanes, et Julián l'avait guidée dans un enchevêtrement de rues étroites qui sentaient les épices dans les boutiques et l'urine dans les encoignures. Ces rues étaient si vieilles, lui expliqua Julián, qu'elles n'avaient pas été tracées par des architectes, mais par des mules cherchant le chemin le plus court. Ils esquivèrent, en proportions égales, des femmes portant le hijab, des blonds en claquettes parlant anglais et des barbus en djellaba jusqu'aux pieds.

Julián suivant quelques marches plus bas, Laura grimpa les trois étages en évitant de toucher la rampe en béton noircie par le frottement de milliers de mains.

Meritxell Puigbaró les attendait devant sa porte. D'après ce que Laura avait calculé, en se basant sur l'article de *La Vanguardia*, elle avait 56 ans. Elle en faisait moins, même sans maquillage et avec ses cheveux gris attachés. Elle portait des lunettes rondes posées sur un petit nez qui lui donnait un vague air de rongeur.

– Entrez.

La différence entre les deux Barcelone ne se voyait pas seulement dans la rue. L'amplitude et la luminosité de la maison de Jaume Serra contrastaient avec la boîte à chaussures sombre et humide dans laquelle vivait Meritxell Puigbaró. Laura compta quatre pas de la porte au canapé où la femme les invita à s'asseoir. La peinture blanche des murs et le style minimaliste des meubles dissimulaient avec beaucoup de dignité la taille minuscule et la mauvaise exposition de la cuisine-salle à manger.

– Voulez-vous boire quelque chose ? J'ai de la bière et quelques rafraîchissements.

– Pour moi, de l'eau, dit Julián.

– Une bière, demanda Laura.

Pendant que Meritxell Puigbaró s'affairait avec les verres, Laura observa les photos sur une étagère au-dessus de la télévision. C'était des clichés de la maîtresse de maison pris à différentes étapes de sa vie. À trente, quarante, cinquante ans. Toujours seule. Toujours avec des lunettes et les cheveux attachés. Les lâcher et se maquiller un peu aurait suffi à la convertir en une femme très attirante, mais les photos donnaient l'impression que Puigbaró allait à contre-courant : tandis que la majorité essaie de rehausser sa beauté, elle semble vouloir la contenir.

– Vous m'avez dit au téléphone que vous vouliez me parler des Loups, dit-elle en leur servant les boissons.

– Oui, répondit Julián. Nous avons lu l'article publié par *La Vanguardia* sur...

– Sur le viol. Vous pouvez le dire. Je ne suis pas allergique au mot.

Vu le tact de son camarade, Laura préféra prendre les rênes de la conversation.

– Je travaille pour la police argentine. J'enquête sur des meurtres qui pourraient être liés aux Loups. Comme tu dois le savoir, tous ceux à qui l'on pose la question insistent pour nous expliquer que ce n'était qu'un club de gamins inoffensifs.

– Ils disent la vérité.

C'est sûr, Laura ne s'y attendait pas.

– Ce que je veux dire, c'est que durant les quatre-vingts années d'existence de la Fraternité, la majeure partie du temps, ce n'était rien d'autre que ça.

– C'est-à-dire que ceux qui t'ont agressée furent l'exception plus que la règle, suggéra Julián.

– C'est un peu ça. Voyons... je vais commencer par le début. Comme vous le savez, c'est en 1985 qu'ils m'ont violée dans un terrain vague de Torroella. Il y a des victimes de viols qui parviennent à surmonter le traumatisme. Je suppose qu'ils ne cherchent pas à trouver un pourquoi, ils laissent le temps cicatriser la blessure et poursuivent leur vie comme ils le peuvent. Mais d'autres, comme moi, ne peuvent pas s'empêcher de gratter la blessure, et elle devient chronique. Nous nous demandons ce que nous avons fait de mal, et surtout, pourquoi. Pourquoi moi ? D'où vient autant de malchance ?

La femme prit une bonne gorgée de bière et regarda Laura dans les yeux.

– C'est difficile à expliquer. Presque impossible. Comme quelqu'un qui se ronge les ongles jusqu'au sang, et malgré tout continue. Un cercle vicieux et autodestructeur. Dans mon cas, quand j'ai vu qu'il n'y avait pas de justice, que personne n'irait en prison pour ce qu'on m'avait fait, j'ai décidé d'enquêter. De savoir qui étaient réellement ces Loups.

– Ça n'a pas dû être facile, hasarda Laura.

– Non, mais trente-cinq années sont suffisantes pour obtenir presque n'importe quoi, quand on le veut vraiment.

– Dans l'article, tu as dit que tu savais qu'ils étaient membres de la Fraternité parce qu'ils portaient l'anneau. Tu te rappelles s'il était argenté ou doré ?

– Argenté, sans aucun doute possible. Avec le temps, je me suis rendu compte que c'était bizarre, parce que les membres de la Fraternité avaient tous des anneaux dorés, en laiton.

Puigbaró se permit un sourire résigné.

– Ce n'est pas que ça m'ait beaucoup servi, mais à ce jour je pense être l'une des personnes qui en connaît le plus sur la Fraternité des Loups.

– Tout ce que tu peux nous dire...

– Officiellement, elle fut créée à Santa María de los Desamparados en 1941, mais son origine date de vingt ans avant, ici, à Barcelone. Un club de la haute société qui se faisait appeler le Club de LOUD.

– *Loud* ? Comme « bruyant » en anglais ?

– Oui, mais ce n'est pas de l'anglais. Pendant longtemps, j'ai cru que c'était « loup » en une quelconque langue. Ça sonnait aussi comme *llop*, la version catalane. Plus tard, j'ai compris qu'il s'agissait d'un acronyme.

– *Lupus occidere uiuendo debet*, récita Laura.

– Exactement. Certains disent que Gaudí fut l'un des fondateurs du club, mais d'après ce que j'ai pu vérifier, ce ne sont que des racontars. Ce qui est sûr, c'est qu'il existe des articles de journaux de l'époque qui parlent d'assassinats et de viols perpétrés par un groupe d'hommes signant ses méfaits du sigle LOUD. En certaines occasions, ils laissaient la phrase complète.

Puigbaró but une longue gorgée de bière et quand elle reposa la bouteille sur sa cuisse, Laura remarqua qu'elle était presque vide.

– Avec le temps, les membres du club tombèrent comme des mouches. Jusqu'à ce qu'il fût clair qu'on était en train de les éliminer un par un. Je suppose que quelqu'un s'est chargé de rendre la justice, comme moi-même, j'en avais rêvé. D'une certaine façon il a réussi, car jamais personne n'a découvert sa véritable identité, et le club s'est dissous.

– Et toi, tu as réussi à savoir qui c'était ?

– Non. Et maintenant ça n'a plus d'importance, parce qu'il est sûrement mort, ou alors il aurait plus de cent ans. Par contre, ce que j'ai découvert, c'est qu'il existait un manifeste écrit en 1921 par les fondateurs du club. Et ce livre serait réapparu à Santa María de los Desamparados en 1941. Le bruit court qu'un des membres de LOUD aurait fui à Torroella pour échapper à la justice, il aurait même travaillé au collège en tant que professeur. Il est possible qu'il ait recruté des élèves pour reconstituer la société. Je n'ai pas trouvé de détails précis à ce sujet, mais, en ce qui concerne les années 50, il y a des personnes qui disent avoir appartenu à la Fraternité des Loups et qui racontent que les activités du club n'étaient rien d'autre que des blagues sans conséquences. L'une de ces personnes était mon père, le seul homme pour qui je mettrais ma main au feu.

– Sais-tu s'il y a eu d'autres cas semblables au tien ?

– Je n'ai pas été capable de trouver le moindre indice d'un viol ou d'un crime en relation avec la Fraternité, ni avant ni après mon agression. Je crois que, comme je vous l'ai déjà dit, la majeure partie du temps, la Fraternité ne fut qu'un groupe d'élèves inoffensifs. Jusqu'à ce que certains membres reviennent aux valeurs originelles du Club de Loud et se radicalisent pour s'en prendre à moi.

Meritxell Puigbaró paraissait avoir la même théorie que Jaume Serra. Les organisations passaient par différentes phases au cours des années.

– Dans l'article de *La Vanguardia*, tu dis aussi que tu sais qui étaient les quatre cagoulés qui t'ont agressée.

– Josep Codina, Gerard Martí, Mario Santiago et Arnau Junqué. J'ai reconnu les voix.

Laura remarqua que Julián la regardait. Les noms correspondaient au meurtre de Torroella et aux trois disparus des Pyrénées.

– Tu les as dénoncés ?

– Bien sûr. Avec noms et prénoms. Mais dans un village, ça ne fonctionne pas comme dans une ville. Il y a du copinage et, avant tout, on sait qui détient le pouvoir. Les quatre qui m'ont violée appartenaient aux familles les plus riches de Torroella. Ils ont fait appel aux meilleurs avocats, et le juge a fini par conclure qu'il n'y avait pas de preuves confirmant qu'il s'agissait de mes agresseurs. Une fois l'absolution donnée, on ne parla pratiquement plus de l'affaire. Une autre particularité des patelins : celle de balayer la poussière sous le tapis.

Laura savait très bien ce que la femme voulait dire. Puerto Deseado et beaucoup d'autres localités de Patagonie étaient elles aussi minées par les pactes de silence.

– La société est parfois injuste. Certains m'ont accusée d'avoir tout inventé pour soutirer de l'argent aux familles. Mais ce qui fait le plus mal, c'est qu'on ne te croie pas, qu'on te pose des questions pour essayer de prouver que tu mens, qu'en réalité personne ne t'a violée. Ils ne te traitent pas comme ce que tu es, une victime. En fait c'est toi qui dois donner des explications, te justifier, apporter des preuves. C'est le monde à l'envers. Je suppose que dans leurs têtes ils ne veulent pas croire qu'une telle atrocité ait été commise, ils préfèrent penser que tout n'est que le produit de l'imagination d'une folle. Je n'ai pas pu le supporter et je suis venue vivre à Barcelone. Je vais de temps en temps à Torroella pour voir ma mère et poursuivre mes investigations, mais quand je suis là-bas j'ai l'impression de me noyer, comme si j'étais devenue allergique à l'air de mon village.

Meritxell Puigbaró relatait son histoire avec une profonde tristesse, authentique, mais en gardant son calme et sans verser une seule larme. Elle parlait comme le font les parents qui ont perdu un enfant il y a très longtemps et qui peuvent y faire allusion sans pleurer.

– Je ne sais pas si tout ça peut vous aider.

– Beaucoup, dit Laura. Et toutes ces recherches, les avez-vous enregistrées ?

La femme se pencha et sortit un carton du meuble sous la télé.

– Là-dedans j'ai des coupures de journaux, des notes et tout ce que j'ai pu récupérer sur la Fraternité des Loups. Il y a même le journal de fraternité de mon père.

– Le journal de fraternité ?

Puigbaró sourit et fouilla dans le carton pour en extraire un cahier à couverture marron.

– C'est comme ça qu'il l'appelait. Il y notait tout ce qui se disait durant les réunions. Rien qui puisse vous aider à résoudre un meurtre, je vous l'assure. Le plus juteux est une anecdote où il raconte comment ils ont bu le whisky dérobé au curé dans la sacristie. Vous pouvez emporter le carton, vous me le rendrez quand vous aurez fini.

– Tu en es sûre ?

– Oui. En ce qui me concerne, je me suis torturée pendant des années avec cette histoire et ça ne m'a pas beaucoup servi. J'espère que vous aurez plus de résultats.

– Merci.

Le moment était venu de partir et de laisser cette femme en paix, pensa Laura. S'ils avaient d'autres questions après avoir consulté ces documents, ils pourraient toujours l'appeler ou revenir la voir.

– Moi je te crois, lui dit-elle. Et nous travaillons pour faire éclater la vérité.

– Merci beaucoup, répondit la femme, le menton tremblotant. Mais moi, la vérité, je la connais depuis toujours.

Ils la saluèrent et descendirent les escaliers. Ils passèrent du calme de la maison de Meritxell Puigbaró au chaos de ce quartier éclectique. Ils n'avaient pas fait cinquante mètres lorsque Laura entendit un coup de feu. Elle passa le carton à Julián et sortit le téléphone de sa poche pour lire le message qu'elle venait de recevoir.

– C'est la secrétaire d'Adrián Caplonch. Son chef accepte de nous recevoir. Elle demande si demain nous convient à trois heures de l'après-midi chez lui.

– D'accord. Il habite où ?

– Carretera de los Aigües au numéro 79.

Julián la regarda, incrédule.

– Carretera de los Aigües ? Tu en es sûre ?

– C'est ce qui est écrit. Pourquoi ?

– Parce que personne n'habite Carretera de los Aigües.

CHAPITRE 51

Laura

Le lendemain à trois heures de l'après-midi, Laura comprit l'incrédulité de Julián à propos de l'adresse d'Adrián Caplonch. Pour arriver à la Carretera de los Aigües, ils avaient dû prendre le métro, le train et le funiculaire qui gravissait la montagne que Consuelo lui avait montrée en rentrant de l'aéroport.

Le funiculaire – un seul wagon incliné – n'avait qu'une seule station entre la gare de départ et celle d'arrivée. Et il ne s'y arrêtait que si un passager en faisait la demande en appuyant sur un bouton dissimulé près des portes. Cette station se nommait Carretera de los Aigües.

Ils furent les seuls à descendre quand le wagon s'immobilisa, accroché à la pente par un câble en acier de la grosseur du bras de Laura. La station n'était rien d'autre qu'un panneau d'affichage et un banc au milieu des arbres. L'air y était plus frais que celui de la ville.

– Où est la Carretera de los Aigües ?

– C'est ici, répondit Julián en indiquant la rue sans asphalte qui passait devant la station.

Laura laissa passer un groupe de cyclistes et traversa le chemin de terre. À travers le couloir que la voie du funiculaire ouvrait dans la forêt, elle observa la ville. Elle reconnut les tours encerclées de grues de la Sagrada Família, le château de Montjuïc et les deux gratte-ciel du Village olympique. Cernée par le bleu étincelant de la Méditerranée, Barcelone semblait se prosterner à ses pieds.

– Vu d'ici, on dirait une ville parfaite, dit Julián.

Elle acquiesça en silence. Pour l'instant, elle ne voulait pas parler. Elle souhaitait profiter quelques secondes encore de cette vue unique.

– D'après le plan, le numéro 79 se trouve de ce côté, poursuivit Julián en indiquant la direction prise par les cyclistes.

Laura se mit en marche. Sur sa droite, le bois dense et sec gravissait la pente. À gauche, un treillis d'arbres laissait entrevoir la ville.

– Pour moi, la Carretera de los Aigües est l'endroit où les gens viennent faire de l'exercice, dit Julián. Je ne savais pas que quelqu'un vivait ici.

– Je ne vois pas de maison.

– C'est la direction que donne le GPS, dit-il en montrant devant lui.

Après avoir dépassé une courbe, un versant sans arbres leur offrit une nouvelle vue panoramique sur Barcelone.

– Selon les indications, la maison est à cinq cents mètres, ajouta-t-il.

Laura continua sans le regarder. Elle n'avait d'yeux que pour le paysage sur sa gauche. Quelques minutes plus tard, après une autre courbe, ils se heurtèrent à une maison tout droit sortie d'un conte de fées. Les grilles étincelantes, vert et rouge, dessinaient un motif rappelant à Laura la crête dorsale d'un lézard exotique. Sur un côté, une haute tour avec de grandes fenêtres aux quatre vents rappelait un clocher. Laura voyait cette demeure comme une construction à mi-chemin entre manoir moderniste et église.

Ils s'arrêtèrent devant un énorme portail de couleur rouille qui interdisait aux simples mortels de voir l'intérieur de la propriété. Sous le numéro 79 en fer forgé se trouvait une sonnette électrique avec caméra incorporée. Laura pressa le bouton et le portail s'ouvrit avec un bourdonnement électrique.

– Ce type a kidnappé le jardinier d'un club de golf, dit Julián quand apparut devant eux un gazon tellement parfait que Laura pensa tout d'abord qu'il était artificiel.

De la porte principale, protégée par un auvent recouvert de tuiles, sortit un svelte sexagénaire à la peau bronzée. Il portait une chemise bleu ciel, un pantalon crème et une paire de chaussures bateau.

– Madame Badía, monsieur Cucurell, je suis Adrián Caplonch. Soyez les bienvenus. Par ici, s'il vous plaît.

Caplonch entra dans la maison, contourna un escalier de marbre et les conduisit jusqu'à une cuisine-salle à manger plus grande que n'importe laquelle des maisons où Laura avait vécu. Elle semblait sortie d'une revue d'architecture : îlot central, table en bois massif et baie vitrée ouvrant sur une piscine *infinity* avec vue sur la ville et la mer.

Elle n'aurait jamais imaginé qu'il pouvait y avoir autant d'argent dans le commerce des boîtes de conserve.

– Il vient de me tomber un imprévu et j'ai peu de temps à vous consacrer, je vais donc abréger les formules de politesse et vous demander d'aller droit au but. Au téléphone vous m'avez dit que vous écrivez un livre sur l'histoire de ma chère institution.

– Quelque chose comme ça, répondit Laura. Étiez-vous membre de la Fraternité des Loups ?

La question surprit Caplonch.

– Oui, durant deux années. Pourquoi ?

– Avez-vous connu un certain Pep Codina ?

– Évidemment. C'était un de mes camarades à Santa María de los Desamparados.

– Lui aussi était membre de la Fraternité ?

– Oui.

– Je suppose que vous savez qu'il a été assassiné et que son cadavre portait l'anneau des Loups ?

Le sourire aux dents parfaites de Caplonch ne bougea pas, mais il y avait maintenant de la tension dans ses mâchoires et une certaine froideur dans son regard.

– C'est quoi ces questions ?

– Nous essayons d'avancer dans notre enquête.

– Qui êtes-vous ? Des policiers ? Vous m'avez menti ?

– Nous ne sommes pas des policiers. Et on vous a peut-être un peu menti. Mais, comme vous allez le comprendre, nous devions avoir une discussion les yeux dans les yeux car il s'agit d'une affaire délicate.

– Sortez de ma maison immédiatement.

– Monsieur Caplonch...

– Dois-je appeler la police ?

– Ce ne sera pas nécessaire. Nous allons partir. Mais pensez-y un instant, si vous n'avez rien à cacher, peut-être serait-il préférable que vous nous parliez. Nous allons publier les résultats de nos investigations. Vous comprenez ce que je veux dire ?

Laura eut envie de le tuer.

– Vous me menacez ?

– Non, pas du tout, intervint Laura. Ce que mon camarade veut dire, c'est que si quelqu'un n'a rien fait de mal, il est naturel qu'il parle. Par contre, s'il choisit le silence, il laisse libre cours à toutes sortes de commentaires et de suppositions.

Caplonch montra autour de lui.

– Croyez-vous que quelqu'un qui vit dans une maison comme celle-ci craint les commérages ?

– Bien sûr que non, dit Laura. Mais pourquoi n'écoutez-vous pas nos questions avant de nous mettre à la porte ?

Caplonch jeta un coup d'œil à sa montre de luxe et soupira.

– Vous avez deux minutes. Que voulez-vous savoir ?

– Si Codina et d'autres membres de la Fraternité des Loups ont continué à se réunir après avoir terminé le secondaire.

– Oui. Normalement ils n'auraient pas dû le faire, mais un lien très fort s'était créé entre eux. Ils n'allaient pas le couper à cause d'un règlement les obligeant à quitter la Fraternité à la fin du collège.

– Vous en parlez comme si vous ne faisiez pas partie du groupe.

– Parce qu'à ce moment-là je n'en faisais plus partie. Au bout d'un an dans la Fraternité, je me suis rendu compte que finalement je n'avais pas grand-chose en commun avec eux.

– De quoi parlez-vous ?

– Ils s'intéressaient beaucoup à l'ésotérisme. Vous savez bien, les rituels et toutes ces conneries. Moi je préférais des trucs plus terre à terre, dit-il en indiquant un meuble contenant des bouteilles d'alcool.

– Pourquoi croyez-vous qu'un lien aussi fort s'était établi entre eux ?

Caplonch la regarda avec méfiance.

– À cette époque, ils croyaient être frères pour de vrai. Moi aussi je l'ai cru pendant quelque temps. Tout ce que nous vivions ensemble nous donnait l'illusion d'appartenir à une même famille.

– Ce que nous vivions ensemble ?

– Là est le problème. En fait, il n'y avait rien de spécial. Nous nous saoulions, nous parlions des filles, nous faisions des blagues innocentes à quelques-uns de nos camarades qui ne faisaient pas partie de la Fraternité. Nous déguisions nos réunions d'un voile d'occultisme. Vous savez comment ça se passe : on allume des cierges, on joue au ouija... Avec tout cela, nous développions une amitié.

– Comment savez-vous qu'ils continuèrent avec la Fraternité après Santa María de los Desamparados ?

– Parce que, quelques années plus tard, je les ai rencontrés dans un bar de Torroella. Quand je me suis approché pour les saluer, j'ai remarqué qu'ils portaient tous la chevalière. Les quatre avaient l'air plutôt mal à l'aise.

– Codina, Junqué, Santiago et Martí ?

– Exactement.

– Vous rappelez-vous de quelle couleur était l'anneau ?

– Argenté. Les membres les plus haut placés dans la hiérarchie avaient le droit de porter l'anneau d'argent.

Le commentaire la surprit. Non seulement Jaume Serra avait dit que tous les Loups étaient au même rang, mais elle-même avait passé en revue tous les documents du carton de Meritxell Puigbaró sans jamais trouver la moindre allusion à une quelconque structure hiérarchique.

– Il y avait différents niveaux, comme dans les loges maçonniques ?

Caplonch lâcha un éclat de rire chargé d'ironie.

– Il y avait deux niveaux. Le premier avec les quatre et le second où étaient tous les autres. Ce cercle restreint, c'est eux qui l'ont inventé. Je le sais parce qu'un de mes oncles a fait partie de la Fraternité à une autre époque et m'a dit que tous les membres étaient au même niveau.

– Savez-vous s'il était possible d'accéder à ce cercle, comme chez les francs-maçons quand on monte en grade ?

– Non, je n'en sais rien. Maintenant, excusez-moi, dit l'entrepreneur en faisant un geste vers la sortie.

– Bien sûr, dit Laura. Une dernière question. Combien d'années après avoir quitté Santa María se produisit cette rencontre dans le bar ?

– Dix ou quinze. Je ne m'en souviens plus très bien, il y a si longtemps.

Caplonch ouvrit la porte et leur indiqua la sortie.

– Sauriez-vous préciser à quelle époque de l'année c'était ? demanda Laura avant de sortir.

– Fin du mois d'août. Les rues étaient décorées d'affiches annonçant la grande fête du village. Tous les quatre vivaient à Barcelone et ils m'ont dit qu'ils étaient venus pour la fête. Maintenant je dois vraiment y aller.

– Merci d'avoir pris le temps de répondre à nos questions. Si nous en avons d'autres, pouvons-nous vous recontacter ?

L'entrepreneur hésita quelques secondes.

– J'ai deux semaines très chargées qui m'attendent, mais vous pouvez demander un rendez-vous à ma secrétaire

Ils le saluèrent et se dirigèrent vers l'arrêt du funiculaire.

– À quoi penses-tu ? demanda Julián quand ils se furent éloignés de la maison.

– Caplonch nous dit qu'il a rencontré les Loups à la fin du mois d'août entre dix et quinze ans après avoir quitté Santa María. Pep Codina a été assassiné, l'anneau au doigt, un 29 août, quatorze ans après le collège.

– Tu crois que si Caplonch avait quelque chose à voir avec ce meurtre il nous aurait donné tous ces détails ?

– Probablement pas.

– Donc, soit il dit la vérité, soit il ment. Il n'y a pas d'autres options.

Laura acquiesça, pas parce qu'elle était d'accord, mais parce qu'elle ne voulait pas s'aventurer dans de vaines conjectures. Elle savait bien qu'il y avait une autre option, outre la vérité et le mensonge : la demi-vérité.

CHAPITRE 52

Laura

Laura s'éventait le visage avec la main, tentant en vain de se rafraîchir. Le jour avait débuté dans la chaleur ; la station dans laquelle ils avaient attendu la rame de métro était un four et de surcroît ils avaient eu la malchance de tomber sur un wagon avec la climatisation en panne.

– C'est là que nous descendons : Sagrada Família, annonça Julián qui était debout face à elle, agrippé à une barre du toit.

Plus de la moitié des personnes qui descendaient du wagon en même temps qu'eux étaient des touristes. Laura suivit Julián dans une suite de tunnels jusqu'à ce qu'ils émergent par un escalier dans un parc entièrement arboré.

– C'est loin d'ici la Sagrada Família ?

Julián sourit, fit deux pas vers un mur de pierre et le frappa avec la main.

– Pas vraiment.

Laura se retourna et leva les yeux. En sortant de la bouche de métro, elle s'était retrouvée face au parc et ne s'était pas rendu compte qu'elle était pratiquement au pied de l'une des énormes tours coniques, décorées d'animaux et de plantes sculptés dans la pierre, que l'on voyait sur presque toutes les cartes postales de Barcelone. Elle traversa la rue pour prendre de la distance et ainsi avoir un meilleur angle de vue sur la basilique. Le cycliste qui faillit la percuter la salua d'un aimable « putains de touristes ». Mais en ce moment elle ne captait rien d'autre que cette construction. Maintenant, elle comprenait pourquoi elle était un des symboles de la ville.

Celle de Gaudí ne ressemblait à aucune des églises qu'elle avait vues avant. Pour commencer, il n'y avait quasiment pas de lignes droites. Les colonnes imitaient des troncs d'arbres, ou des os, et les pointes des tours étaient des grappes de raisins et de fleurs. Les murs étaient recouverts de personnages, animaux et plantes façonnés par de véritables artistes de la maçonnerie. Ces façades offraient une telle profusion de détails que, même en les ayant devant soi, il était impossible de tout appréhender en un seul regard.

Ils déambulèrent au milieu des touristes, des guides polyglottes et des marchands ambulants. Par deux fois, Julián dut tirer Laura par le bras pour qu'elle ne percute pas un passant arrivant en face d'elle et qui, lui aussi, regardait en l'air.

– Dans combien de temps sera-t-elle achevée ? demanda-t-elle en indiquant les grues.

– La réponse officielle est 2026, pour le centenaire de la mort de Gaudí. Mais nous autres, les habitants de Barcelone, nous voyons les grues depuis des décennies et nous avons du mal à croire qu'ils puissent réellement la terminer un jour. Il y a même des plaisanteries sur le sujet.

Laura s'accrocha au bras de Julián pour ne pas avoir à se préoccuper de l'endroit où elle posait les pieds. Elle aurait pu rester des heures devant chaque façade et néanmoins ne pas avoir assez de temps pour observer toutes les caractéristiques de la construction. De temps en temps, elle regardait son accompagnateur et découvrait que lui aussi avait les yeux levés vers un point précis de la basilique. Il semblait que Gaudí avait fait en sorte que personne ne soit capable de passer devant son église sans l'admirer, même ceux qui la voyaient tous les jours depuis leur naissance.

Après un tour complet de l'édifice et des dizaines de photos pour sa tante Susana, ils s'éloignèrent de l'église. Les rues retrouvèrent leur aspect de quartier un dimanche matin, avec des gens promenant leur chien, les commerces fermés et sans les touristes qui habituellement inondent les boutiques de souvenirs.

Ils entrèrent dans un bar nommé Panxot, où apparemment pas même une chaise n'avait été changée en cinquante ans. Laura reconnut, grâce aux photos de Facebook, le type aux cheveux clairsemés assis à une table au fond du local.

– Monsieur Alcántara, merci d'accepter de nous parler.

– C'est un plaisir d'aider une collègue.

– En fait, je ne suis plus policière. Maintenant, j'enquête pour mon propre compte.

– On ne cesse jamais d'être policier.

Laura sourit et acquiesça en silence. La phrase était la même que celle prononcée par le commissaire Lamuedra à Puerto Deseado il y avait maintenant trois ans.

Gregorio Alcántara indiqua un classeur de plusieurs centimètres d'épaisseur posé sur la table.

– Je vous ai apporté une copie du dossier sur l'affaire Codina.

– Merci beaucoup, dit-elle en feuilletant le contenu. Que penseriez-vous de nous parler de ce qui n'est pas là-dedans ?

– Je suppose que vous faites allusion à mes impressions ?

– Exact.

– Homicide dans un village accueillant de l'une des régions les plus riches d'Espagne. Très peu de délinquance. La victime était un homme jeune, sans antécédents. De bonne famille. Il n'avait pas de portefeuille, mais je n'ai jamais cru que le vol fût le motif du délit.

– Pourquoi ? intervint Julián.

Alcántara s'appuya sur le dossier de sa chaise et souffla par le nez. Avant de parler, il but une gorgée de bière sans alcool au goulot d'une bouteille quasiment vide.

– Cela faisait cinq ans qu'il n'y avait pas eu d'homicide à Torroella, et six années se sont écoulées avant le suivant. Tuer quelqu'un pour lui voler son portefeuille est extrêmement rare. Trop de risque pour si peu de gain. Et en plus, dans une des poches de Codina, ils ont trouvé vingt mille pesetas.

Elle ne savait pas si cela était beaucoup ou peu d'argent.

– À peu près cent vingt euros, convertit Julián. Et si nous tenons compte de l'inflation, cela équivaudrait à environ deux cent cinquante euros d'aujourd'hui. Vous imaginez un voleur qui tue un type pour l'argent et ne lui fait pas les poches ?

– Alors, pour quel motif croyez-vous qu'il l'a tué ?

– Je ne sais pas. Au début nous avons pensé à la drogue. À cette époque, l'héroïne faisait des ravages en Espagne. Mais le bilan toxicologique se révéla plus propre que la cuisine de ma mère. Ils n'ont pas plus trouvé de traces de narcotiques dans l'analyse capillaire. Il avait treize centimètres de cheveux, ce qui veut dire que durant la dernière année il n'avait pas même sucé une pastille Valda.

Laura remarqua que Julián semblait perdu dans les explications d'Alcántara.

– Un cheveu s'allonge d'environ un centimètre par mois, lui expliqua-t-elle.

– C'était le règlement de compte qui cadrait le mieux, conclut l'ex-policier, mais je n'ai jamais pu trouver le motif. Il faut avoir fait quelque chose de très moche pour finir ainsi.

Laura pensa à Meritxell Puigbaró.

– Que pouvez-vous me dire à propos de l'anneau ?

– La tête de loup avec la gueule ouverte était le symbole d'appartenance à une société secrète d'élèves de

Santa María de los Desamparados. Un groupe de gamins qui se réunissaient pour picoler. Je ne lui ai jamais donné trop d'importance. En fin de compte, le crime avait eu lieu quatorze ans après que Codina eut quitté le collège.

Laura échangea un regard avec Julián.

– Le nom de Fernando Cucurell vous dit quelque chose ?

– Non. C'est le cadavre dont vous m'avez dit qu'il pourrait être lié à celui de Codina ?

– C'est un peu plus compliqué que ça, expliqua Laura. Comme vous l'avez dit, Codina mourut quatorze ans après avoir terminé ses études à Santa María de los Desamparados. Environ deux ans plus tard, trois hommes du même âge ont été assassinés à El Chaltén, une localité de la Patagonie argentine. Les trois corps avaient la chevalière à tête de loup autour de l'annulaire.

Alcántara écarquilla les yeux.

– De plus, l'un de ces trois cadavres a été découvert dans l'hôtel Montgrí qui appartient à un homme originaire de Torroella dont on ne sait plus rien depuis 1991, plus ou moins l'époque à laquelle moururent ces trois personnes. Et cet homme, c'est Fernando Cucurell.

– Et c'est mon oncle.

– Ça alors !

– Durant votre enquête, avez-vous parlé avec quelqu'un qui aurait été membre de la Fraternité des Loups à la même époque que Codina ? demanda Laura.

– Oui. Vous trouverez ici les transcriptions. Mais aucun ne s'appelle Cucurell, dit Alcántara tandis qu'il feuilletait le dossier. Voilà : Gerard Martí, Arnau Junqué et Mario Santiago.

Laura fit un effort pour ne pas regarder Julián et parla le plus naturellement possible.

– Les trois personnes disparues dans les Pyrénées, dit-elle.

– Je vois que vous êtes bien informée. Vous croyez qu'il y a un rapport entre les cadavres de Patagonie et ces disparitions ?

– À l'heure actuelle, sur les trois cadavres découverts en Patagonie, un seul a une identification. Juan Gómez, dit-elle en posant sur la table une photocopie du passeport. Le second nom est illisible. C'est un patronyme tellement courant que l'on n'a rien trouvé sur internet.

– Laissez-moi voir ce que je peux faire, dit Alcántara en se levant. Il prit la photocopie du passeport et sortit.

Laura vit par la fenêtre qu'il avait le téléphone collé à l'oreille.

– Pourquoi crois-tu qu'il a de si bonnes prédispositions à nous aider ? demanda Julián.

– Parce qu'il a besoin d'un os à ronger.

Elle connaissait bien le changement d'attitude d'Alcántara quand il leur avait parlé du cas. Les yeux qui gagnent en éclat, le corps qui se tend, comme un chien somnolent s'éveillant tout excité parce qu'on vient de lui jeter un os après un long moment d'attente.

Parmi les policiers en retraite, ceux qui rencontraient le plus de difficultés étaient ceux qui avaient consacré tout leur temps à enquêter sur les assassinats. La vie devenait soudain inintéressante. Hier, ta grande question était de savoir qui a tiré à bout portant et aujourd'hui, quelle chaîne regarder à la télé.

Laura n'était pas à la retraite, mais elle connaissait cette sensation de vide. Elle aussi avait perdu tout intérêt pour quoi que ce soit. Et les meurtres du glacier avaient été l'os qui l'avait remise en action.

Alcántara revint à la table.

– Le numéro du passeport correspond à un certain Jacinta Velásquez Mellado, né à Séville en 1943. Un ex-collègue vient de me le confirmer.

– Le passeport du cadavre était un faux ?

– Il semblerait que oui.

Laura serra les dents pour dissimuler la rage qui l'envahissait en prenant connaissance du renseignement de cette façon-là. Sûrement que son ancien camarade de la police de Santa Cruz le savait depuis des jours. Car, en fin de compte, il suffisait d'un coup de téléphone du commissaire à l'ambassade d'Espagne de Buenos Aires pour vérifier ce que venait de leur apprendre Alcántara.

Elle inspira profondément pour laisser de côté ces réflexions.

– Maintenant s'ouvre la possibilité que les trois membres de la Fraternité des Loups, disparus dans les Pyrénées, soient les morts d'El Chaltén, dit-elle. Croyez-vous pouvoir nous obtenir les fiches de Martí, Junqué et Santiago ? J'aimerais comparer les empreintes digitales.

– Elles sont là, dit Alcántara, et il ouvrit le dossier vers la fin. À cette époque, dans mon service, on avait l'habitude de prendre les empreintes de toutes les personnes que nous interrogions. Aujourd'hui, je pense que ce serait illégal. Quoi qu'il en soit, je ne sais pas si ça va vous être très utile. Entre la qualité des photocopies et l'état des cadavres lors de leur découverte, je suppose qu'il sera difficile de savoir s'il s'agit des mêmes personnes.

– Je ne crois pas, répondit Laura, fouillant à toute vitesse dans les photos de son téléphone. Les cadavres du glacier étaient si bien conservés que l'on a pu recueillir des empreintes aussi nettes que celles d'une personne en vie. Regardez, en voici quelques-unes.

Elle lui montra les photos qu'elle avait prises dans la morgue de Río Gallegos un an et demi plus tôt quand elle guidait pas à pas, en qualité de consultante, le policier qui prenait ces empreintes. À chaque photo, elle comparait les empreintes avec celles des fiches d'Alcántara.

– Les dessins papillaires correspondent, conclut-elle. Les deux cadavres du glacier sont Gerard Martí et Mario Santiago. Le plus probable est que celui de l'hôtel Montgrí soit Arnau Junqué. Quand ils auront réhydraté le cadavre, ce ne sera pas difficile à vérifier.

– Ces types ne se sont jamais perdus en Catalogne, résuma Alcántara.

– Non. Ils ont dit à leurs proches qu'ils allaient dans les Pyrénées pour justifier une absence de plusieurs jours. Et quand les familles signalèrent les disparitions, les recherches se déroulèrent uniquement dans le pays. La police espagnole ne les a jamais cherchés à l'étranger.

– Il n'y avait aucune raison de le faire, objecta-t-il.

– Si ces trois hommes sont sortis d'Espagne sous de faux noms, c'est parce qu'ils ne voulaient pas que l'on sache où ils allaient. De fait, il était tellement important pour eux de se fabriquer un alibi qu'ils sont même allés jusqu'au parc pour demander des informations sur les différentes randonnées. Ensuite, au lieu de s'enfoncer dans les bois, ils quittèrent le pays en direction de la Patagonie, avec de faux papiers.

– Vous avez une théorie ? demanda l'ex-policier.

– Au cours de l'hiver 1989, l'été en Europe, Fernando Cucurell revient en Espagne et passe deux mois ici. C'est à cette période qu'on assassine Pep Codina à coups de couteau en plein centre de Torroella de Montgrí. Deux ans plus tard, trois membres de la Fraternité voyagent jusqu'en Argentine avec de faux passeports.

– Ils sont allés tuer Fernando Cucurell.

– « Les loups tuent pour vivre », dit Julián.

– Mais ça ne s'est pas passé comme prévu, et ce sont les loups qui ont été tués. Peut-être que Cucurell les a repérés et leur a tendu un piège, conjectura Alcántara.

– Si ces types étaient venus venger leur ami, alors pourquoi deux d'entre eux seraient allés en excursion sur un glacier ? Ça n'a aucun sens.

Ils gardèrent le silence. Alcántara balançait entre ses mains la bouteille, maintenant vide, de bière sans alcool.

– Il faut informer les autorités.

À cet instant, le téléphone de Gregorio Alcántara sonna. Après un coup d'œil à l'écran, il s'excusa :

– C'est ma fille, je dois répondre, et il sortit du bar.

Laura regarda une nouvelle fois les trois fiches sur la table.

– Il y a deux jours, quelqu'un savait déjà que les morts d'El Chaltén et les disparus du Cadí étaient les mêmes personnes, dit Julián. Sinon, on ne m'aurait pas menacé. Et qui que ce soit, il sait parfaitement ce que nous sommes en train de faire.

Alcántara rentra dans le bar avant que Laura eût le temps de répondre.

– Excusez-moi. Cela faisait plusieurs jours qu'elle ne m'avait pas appelé et j'étais inquiet, dit-il en montrant son téléphone.

Laura fit signe de la main qu'il n'avait pas à s'excuser.

– Je vous disais que nous avons l'obligation de prévenir les autorités le plus tôt possible, insista Alcántara. Si ce que vous dites se confirme, et que les empreintes sont bien celles de ces hommes, nous fournirions enfin une explication aux trois familles qui attendent depuis trente ans.

Laura acquiesça en silence. À côté d'elle, Julián lui non plus ne prononça pas un mot. Quoi qu'ils disent, l'ex-policier avait déjà pris la décision d'informer les autorités. Le génie était sorti de la lampe et il n'y avait aucun moyen de l'y remettre. D'une enquête d'amateurs, le cas deviendrait une affaire diplomatique et elle en serait écartée.

Peut-être que c'est mieux ainsi, pensa-t-elle. Peut-être que le moment était venu de faire ce que la loi dit et non pas ce qu'elle, Laura, considère comme juste.

CHAPITRE 53

Il y a plusieurs années

Depuis le baiser avec Manel, le garçon concentre tous ses efforts à ne pas croiser les Loups. Pour commencer, il manque plusieurs jours de collège sous prétexte de problèmes digestifs. Quand ses parents l'obligent à revenir, il se débrouille pour arriver une heure en avance et reste caché près de la salle de classe. Il ne veut surtout pas se retrouver nez à nez avec eux et encore moins recourir à la protection de Manel. Il compte les jours restants avant la fin des cours pour qu'il puisse enfin profiter d'un été entier loin des couloirs de Santa María de los Desamparados.

Une après-midi, le professeur Calvet lui demande de l'aider à décorer le patio pour la fête de fin d'année. Il n'en a pas la moindre envie, mais à Santa María, quand un professeur demande, refuser n'est pas une option.

Au bout de deux heures passées coude contre coude à accrocher des guirlandes, Calvet annonce qu'il doit partir. Il lui demande, ou plutôt lui ordonne, de finir seul le peu qui reste à faire.

Une heure plus tard, le garçon a terminé le travail. Il revient à la salle de classe pour récupérer son cartable et son manteau, mais il ne peut franchir le seuil. Sur le sol, à un mètre de la porte, il trouve une photographie. Elle est prise de loin, mais on y voit clairement lui et Manel en train de s'embrasser.

– Les fils de putes, murmure-t-il en regardant autour de lui.

Le couloir est désert. À quelques mètres, il remarque une autre photo identique à la première. Il la ramasse, et il en voit encore une un peu plus loin devant lui. Les Loups se sont chargés d'en disséminer dans tout le collège.

À mesure qu'il récupère les photos, il s'éloigne toujours plus de la salle. Il sait que c'est un piège, mais il n'a pas d'autre solution. S'il ne trouve pas le moyen de détruire toutes les copies, Manel et lui seront expulsés de Santa María de los Desamparados.

La cinquième photo est devant la porte de la bibliothèque. Quand il se baisse pour la ramasser, un soulier le frappe dans les côtes. Il veut crier, mais le coup lui a coupé le souffle. Il sent qu'on le tire par les jambes à l'intérieur de la bibliothèque. Il parvient à lancer un seul cri avant un coup sur la tête qui fait s'éteindre la faible clarté filtrant à travers les fenêtres.

Dans un état semi-comateux, il comprend qu'on le soulève pour le porter. Les étagères de livres sont remplacées par des murs de pierre humides et un air froid. Ils le jettent au sol comme un sac de pommes de terre.

Quand il ouvre les yeux, il est entouré d'hommes avec des capuches noires dont les seules ouvertures sont deux fentes au niveau des yeux. Il sait que ce sont les Loups, mais il y a quelque chose qui ne cadre pas : ils ne sont pas quatre, ils sont cinq.

Au loin il perçoit un sanglot, mais il ne parvient pas à savoir d'où il vient.

– Ici, ton prince ne va pas pouvoir te sauver, dit l'un d'eux.

Il reconnaît la voix, c'est Pep Codina. Et il est sûr que parmi les quatre il y a Arnau Junqué, Gerard Martí et Mario Santiago, ses sbires. Mais il n'a aucune idée de qui est l'autre.

– Pourquoi ne me laissez-vous pas en paix ?

– Il est un peu tard pour ça, répond Codina, et il fait un signe de la main aux quatre autres. Trois d'entre eux s'empressent d'attacher chaque extrémité du garçon à des chaînes fixées à des étagères d'acier remplies de livres.

– Laissez ce gosse tranquille ! crie le cinquième, qui jusque-là n'a pas bougé et n'a fait qu'observer.

Les autres se tournent vers lui et éclatent de rire.

Pep Codina pose la main sur l'épaule du dissident.

– Sois tranquille. Si tu n'es pas prêt pour le test, il y aura toujours une prochaine fois.

– Laissez-le tranquille ! Vous êtes fous, répond le cagoulé, et il part en courant vers les escaliers.

Il n'a fait que quelques pas lorsque les autres le rattrapent.

Le garçon voit comment ils ligotent un des leurs, de la même façon qu'ils l'ont ligoté lui.

– Tu ne veux pas entrer dans le cercle intime ? Tu ne veux pas quitter cette babiole et être un vrai Loup ? lui dit Codina en montrant l'anneau à son doigt.

Puis il fait un geste et un des Loups soulève un peu la cagoule du contestataire et lui enfonce un chiffon dans la bouche. Le garçon n'arrive pas à voir le visage, mais il a reconnu la voix. Il sait parfaitement à qui elle appartient.

Une fois ce cinquième cagoulé bâillonné, ils l'attachent dans un coin du souterrain. C'est alors que le garçon se rend compte qu'il y a un autre cagoulé lui aussi retenu prisonnier. Il a la tête inclinée, les yeux rivés au sol. De là viennent les sanglots qu'il a entendus auparavant.

Codina s'approche des deux cagoulés et les attrape par la mâchoire pour qu'ils regardent en face d'eux.

– Si vous ne regardez pas, vous finissez comme lui.

Puis il se dirige vers le garçon qui a peur comme jamais il n'a eu peur. Il doit faire un effort pour ne pas s'uriner dessus.

– Pardon, Cucurell. Chez les loups aussi il y a des imbéciles. Où en étions-nous ? Ah, oui, donc tu es pédé.

– Non !

– Non ? Codina agite en l'air une des photos. Et ça ?

– C'était... c'était une erreur, bredouille-t-il. J'ai voulu essayer, mais ça ne m'a pas plu.

– Tu voulais essayer... il n'y a rien de mal à ça. En fin de compte, tout le monde a le droit d'essayer, non ?

Le garçon ne sait pas quoi répondre.

Codina lui attrape la mâchoire comme il vient de le faire avec les deux Loups dissidents. La douleur se propage des oreilles à tout le crâne.

– Oui ou non, Cucurell ?

Le garçon acquiesce. Pep Codina le lâche et se tourne vers ses camarades :

– Vous voyez, il l'a dit. Tout le monde a le droit d'essayer, dit-il en ouvrant sa braguette. Alors, nous essayons.

QUATRIÈME PARTIE

LUPUS OCCIDERE UIUENDO DEBET

CHAPITRE 54

Laura

– Nous devons retourner à Santa María de los Desamparados, dit Laura quand ils arrivèrent chez Julián, après l'entrevue avec Gregorio Alcántara.

– Pourquoi ? Nous avons résolu l'affaire. Mon oncle a tué les trois hommes d'El Chaltén. Il n'y a pas d'autre explication possible.

– Premièrement, il y a toujours une autre explication possible. Et deuxièmement, si ton oncle a tué ces trois personnes, il avait ses motifs. Nous devons revenir là où tout a commencé. Nous ne savons pas si Fernando avait des cours en commun avec les Loups, par exemple. En plus, si nous trouvions le manifeste de la Fraternité dont a parlé Serra, nous comprendrions...

– Cela ne nous concerne plus. Alcántara a sûrement dû informer la police, comme il nous l'a dit.

– Et que crois-tu qu'il va se passer ? Que les diplomates des deux pays vont immédiatement se mettre d'accord et que la police espagnole et la police argentine vont collaborer avec d'énormes moyens pour résoudre une affaire qui date d'une trentaine d'années ? On ne voit ça que dans les films.

– Ça m'est égal ce qui va se passer. En ce qui me concerne, j'ai suffisamment de réponses, dit Julián en sortant d'un tiroir du meuble du salon la lettre qui accompagnait la photo. Quelqu'un nous surveille. C'est dangereux de retourner poser des questions dans Torroella.

– Qui a dit que nous allions poser des questions ?

– Toi.

– Non, moi j'ai seulement dit que nous devions y revenir.

Elle eut du mal à le convaincre, mais à six heures du soir Julián garait la BMW de Consuelo sur le parking du supermarché à l'entrée de Torroella de Montgrí.

Pendant le trajet, Laura avait à plusieurs reprises regardé derrière eux. Il lui était impossible d'être certaine que personne ne les suivait sur une autoroute bondée de véhicules, mais en prenant la route secondaire, elle fut convaincue que personne ne les avait pris en filature.

– Il y a plus de monde que la dernière fois, observa-t-elle tandis qu'ils s'engageaient à pied dans les ruelles de Torroella.

– C'est dimanche. Le week-end tous les villages se remplissent, même en hiver. Nous sommes proches de la Costa Brava, l'un des sites les plus touristiques d'Espagne.

Ils repassèrent par la place où était mort Pep Codina. En arrivant à Santa María de los Desamparados, Laura s'assit sur un banc en face du bâtiment. Sur les marches qui menaient à l'entrée du collège, un groupe d'adolescents exécutait une chorégraphie devant un téléphone portable posé sur un trépied.

– Il y a trop de gens, dit Julián.

– Pour entrer par la porte principale, oui. Mais de toute façon, comme tu peux le voir, elle est fermée à double tour.

Laura lui fit signe de la suivre et quitta la place. Après avoir contourné le pâté de maisons, ils arrivèrent dans une rue bordée de constructions basses débouchant sur l'arrière du collège. De l'autre côté d'une grille de deux mètres de hauteur, elle reconnut le jardin sur lequel donnait le bureau du professeur Castells. À côté des oliviers, il y avait un parking gravillonné prévu pour trois voitures. Il était vide.

Elle regarda de chaque côté. La rue était déserte. Elle escalada la grille et se laissa tomber à l'intérieur du parc.

– Qu'est-ce que tu fais ?

– Tais-toi et suis-moi. Allez !

Il poussa un soupir et grimpa sur les barreaux d'acier. Alors qu'il était à califourchon sur le sommet de la grille, Laura entendit des voix. Dans la ruelle, deux femmes approchaient en discutant. Julián plongea la tête la première et atterrit à côté d'elle.

– Elles t'ont vu ?

– Je ne crois pas. Sinon ça va, merci.

Julián voulut se relever, mais Laura l'arrêta avec un petit coup de main. La grille était scellée sur un mur de pierre d'environ un mètre. S'ils restaient étendus sur le sol, depuis la rue, personne ne les verrait.

Elle retint sa respiration. Si les deux femmes avaient vu Julián, peut-être allaient-elles appeler la police. Elle remarqua qu'elles ralentissaient en passant à leur hauteur. Elles s'exprimaient en catalan et Laura ne comprenait pas ce qu'elles disaient, mais aucune ne semblait inquiète. Les deux femmes discutaient et riaient comme n'importe quelles voisines de quartier.

Après quelques minutes, les voix s'éloignèrent. Quand Laura ne les entendit plus, elle passa la tête entre les barreaux. Il n'y avait plus personne dans la rue. Elle fit signe à Julián de la suivre et ils traversèrent le jardin pour se réfugier dans une galerie que de jeunes pousses de vigne commençaient à recouvrir.

La porte était fermée à clé. Pour rentrer, ils devraient briser une vitre. Elle se décida pour celle d'une salle de classe qui ne se voyait pas de la rue grâce à un grand olivier. Elle s'appuya contre Julián, prête à balancer un coup de pied dans le carreau.

– Attends, lui dit-il.

– Pourquoi ?

– Dans une minute, il sera six heures.

Soixante secondes plus tard, Laura entendit résonner la cloche de l'église. Julián fit coïncider le coup de pied avec le troisième tintement, camouflant ainsi le bruit du verre brisé.

– Finalement tu n'es pas aussi bête qu'il y paraît, dit-elle en passant une main entre les aiguilles de verre pour déverrouiller la fenêtre.

Dans le cloître médiéval, tout n'était que quiétude. Les bruits du village ne pénétraient pas les larges murs de pierre du vieux couvent. Bien que le soleil de l'après-midi illuminât la moitié du cloître, ce lieu paraissait lugubre à Laura. Les feuilles des arbres étaient immobiles et la fontaine, au centre, ne coulait pas.

Sans perdre de temps, elle se dirigea vers la bibliothèque.

– D'abord, nous cherchons le livre dont nous a parlé Jaume Serra. Ensuite, nous descendons dans le sous-sol.

– Par où commençons-nous ? demanda Julián en englobant d'un large geste les milliers de volumes illuminés par la lumière multicolore qui entrait à travers les saints et les christs crucifiés des vitraux.

Pour le peu qu'elle connaissait des bibliothèques, les livres étaient classés par thèmes, et dans chaque thème, alphabétiquement, par auteur. Mais comme elle n'avait aucune idée du système de classification utilisé ici, ils devraient parcourir les étagères une à une.

– Séparons-nous, comme ça nous irons plus vite, suggéra Julián.

Elle se dirigea vers l'un des murs latéraux et proposa à Julián de commencer par le côté opposé. Elle s'éloigna de lui par un petit couloir rempli de volumes dignes d'un magasin d'antiquités. Ses yeux glissaient sur les noms d'auteurs et les petites fiches collées sur le bord des étagères. Elle ne tarda pas à trouver la lettre B. Elle parcourut du doigt tous les volumes, de Pere Babot jusqu'à

Cipriano Buxadé, mais elle ne trouva aucun Narciso Ballabriga.

– Laura ! C'était Julián qui l'appelait depuis l'autre extrémité de la bibliothèque.

Elle partit en courant dans cette direction et rencontra Julián, un livre à la main.

– *Des habitudes reproductives du loup ibérique,* de Narciso Ballabriga.

Les doigts de Julián firent défiler les pages jusqu'à la 66. C'était là que Jaume Serra, d'après ce qu'il leur avait dit, avait collé le manifeste de la Fraternité des Loups.

Il n'y avait qu'une moitié de page. Quelqu'un avait arraché une frange de plusieurs centimètres dans la partie supérieure. Sur le morceau qui restait, on avait tracé à gros traits une flèche à l'encre rouge qui indiquait la droite. Dessous, écrit à la main avec la même encre, on pouvait lire :

Lupus occidere uiuendo debet.

– C'est quoi, ces conneries ?

– Quelqu'un a arraché le manifeste de Jaume Serra de cette page, conclut-elle.

– Pourquoi ?

– Peut-être parce qu'il n'était pas d'accord avec lui et voulait changer les règles.

– Et la flèche ? demanda Julián tandis qu'il feuilletait les pages dans le sens qu'indiquait le dessin. Là-dedans il n'y a que du texte sur la biologie du loup ibérique. Il n'y a rien vers où pointe la flèche.

Les paroles de Julián donnèrent une idée à Laura.

– Où était le livre ?

Julián montra un espace dans l'étagère du bas, à peine quelques centimètres au-dessus des pierres grises du sol. Laura s'accroupit. Avec le livre de Ballabriga ouvert, la flèche de la page 66 pointait vers la droite. Par contre, avec le livre rangé comme l'avait trouvé Julián, elle pointait vers le centre de la grosse étagère. Elle observa de plus près le trou laissé par *Des habitudes reproductives du loup ibérique* et aperçut un autre livre tout au fond, beaucoup plus vieux. Même si les lettres dorées étaient illisibles, dans la partie inférieure, elle reconnut le filigrane avec la tête d'un loup.

Elle sortit le volume dissimulé. La seule inscription sur la couverture était le titre, en lettres dorées :

– *Lupus occidere uiuendo debet*, lut-elle à voix haute. À présent nous savons d'où vient l'inscription des anneaux.

CHAPITRE 55

Laura

Malgré le titre en latin, le livre était écrit en castillan. Entre les pompeuses couvertures en peau avec filigranes dorés, Laura trouva un texte tapé à la machine sans aucune indication éditoriale. La seule information, au-delà du titre, était qu'il avait été écrit en 1921. Le nom de l'auteur n'était même pas mentionné.

Un coup d'œil rapide lui révéla cent vingt-six pages d'un texte dense divisé en deux parties. Elle lut à voix haute la préface qui avait pour titre « *Manifeste* » :

L'homme d'aujourd'hui est comme le chien, une version apprivoisée et ramollie du loup qu'il fut. Mais nous ne devons pas oublier que, même chez le chien le plus docile, l'instinct du loup d'antan est toujours présent. Le loup n'obéit à personne. Le loup explore, fornique et tue quand il le veut, sans demander la permission à qui que ce soit. La nature humaine est semblable. Mais des siècles de socialisation, avec nobles et plébéiens, seigneurs et paysans, patrons et ouvriers, les ont rendus dociles, faibles et pusillanimes, comme les chiens. Si un chien tue un autre chien, les maîtres discutent, s'excusent et vont même jusqu'à sacrifier l'animal qui, à ce moment-là, n'a fait que suivre son instinct. De la même façon, si un homme en tue un autre, son maître, c'est-à-dire la société moderne, l'emprisonne ou le condamne à mort. Par contre, si dans une forêt un loup tue un autre loup, personne ne va s'en préoccuper le moins du monde. L'heure est venue de reprendre le contrôle de notre vie et de notre nature profonde, de rompre les chaînes qui nous obligent à renoncer à notre instinct, d'explorer, de forniquer et de tuer quand nous le voulons. L'heure est venue d'éliminer le chien et de libérer le loup.

– C'est le manifeste original des Loups, celui dont nous a parlé Meritxell Puigbaró, conclut Laura.

– Ça ne colle pas avec la vision *happy flower* que tout le monde a de la Fraternité.

– Tout le monde sauf elle. Si nous lisons l'intégralité du texte, peut-être trouverons-nous une réponse. Tu vois qu'il était important de venir ? Et maintenant nous allons fouiller dans les archives de monsieur « huit jours ».

Laura rangea le livre dans son sac à dos et contourna le bureau du bibliothécaire. Elle ouvrit avec précaution la vieille porte en bois et descendit une à une les marches de granit, s'enfonçant dans la noirceur. En arrivant en bas, elle buta contre une grille en acier qui était encastrée dans la pierre humide. Le lieu faisait penser à un cachot.

La grille était ouverte. Laura tâta le mur froid jusqu'à ce qu'elle trouve un interrupteur. Une faible lumière jaunâtre éclaira un vaste sous-sol, quoique assez bas de plafond pour que les grosses poutres se trouvent à quelques centimètres de sa tête. Julián, plus grand qu'elle, devait marcher courbé.

Apparemment, les archives de Santa María de los Desamparados cohabitaient avec de vieux ustensiles et des livres scolaires périmés.

– Le bibliothécaire nous a dit la vérité. C'est un véritable chaos, observa Laura.

Elle déambula entre les classeurs en métal de différentes tailles qui occupaient une grande partie du souterrain. Beaucoup n'avaient pas d'étiquettes sur les tiroirs. Elle tenta d'en ouvrir quelques-uns au hasard. Plus de la moitié étaient fermés à clé.

– Commençons par ceux qui sont ouverts, c'est le plus facile. En quelle année ton oncle étudiait-il au collège ?

– Il est né en 1956, donc il devrait avoir débuté le secondaire en 1968. À cette époque il n'y avait que six années de primaire.

Le premier tiroir qu'elle inspecta était en haut du classeur consacré aux programmes pédagogiques des années quarante. Si on voulait savoir comment on enseignait les mathématiques pendant la guerre, c'est là qu'il fallait chercher. Les quatre suivants furent tout aussi décevants. Et à en juger par les soupirs de Julián, il n'avait pas plus de chance.

Le contenu du sixième tiroir se révéla plus encourageant. Il y avait là des centaines de chemises cartonnées classées par année, de 1921 à 1971. Elle les parcourut jusqu'à trouver l'année 1968. Cependant, à l'intérieur, il n'y avait que quelques feuillets avec les horaires des différents cours.

– Cela peut nous prendre une éternité, dit-elle. Et avec les classeurs fermés à clé...

Elle fut interrompue par un grand bruit derrière elle. La frayeur lui fit échapper le dossier qu'elle tenait à la main.

Elle entendit des pas qui s'éloignaient.

– C'était quoi ? demanda Julián.

Laura courut en direction de l'escalier, mais à présent des barreaux lui en interdisaient l'accès. Le bruit qu'ils venaient d'entendre était celui de la grille fermée à toute volée. En regardant vers le haut de l'escalier, elle aperçut deux pieds, et une seconde après la porte en bois de la bibliothèque se referma. Elle n'arriva même pas à distinguer s'il s'agissait de chaussures d'homme ou de femme.

Elle empoigna les barreaux et essaya de les faire bouger, mais ce fut comme si elle tirait sur le bras d'une statue.

– Eh ! Ouvrez ! cria-t-elle.

L'unique réponse fut l'écho de sa voix dans l'escalier de pierre. Un instant plus tard, le sous-sol fut plongé dans le noir complet.

– On nous a enfermés, dit-elle en haletant. Elle sortit son téléphone de sa poche, mais dans un coin de l'écran apparaissait une croix rouge. Je n'ai pas de signal.

– Moi non plus.

La serrure était aveugle, sans poignée d'un côté comme de l'autre. Seule une clé pouvait l'actionner. Ils essayèrent de l'ouvrir par tous les moyens possibles, en commençant par y introduire un fil de fer et en finissant par éclater un classeur contre les barreaux, mais ils ne parvinrent qu'à soulever la poussière.

À chaque tentative, Laura était sûre que quelqu'un allait descendre pour leur dire de faire moins de vacarme, ou pour les menacer. Mais personne ne passa la tête par la porte en bois. On les avait enfermés, rien de plus.

– S'il arrive quelque chose à mes parents, je ne pourrai jamais me le pardonner, dit Julián, la voix rauque d'avoir trop crié.

– Tu ne gagnes rien à penser à cela en ce moment.

– S'ils nous ont enfermés, c'est parce qu'ils savent que nous continuons d'enquêter, Laura. Dans la lettre c'était clair. S'ils ont des problèmes, c'est ma faute.

Elle s'approcha de lui et lui caressa la nuque avec une tendresse qu'elle réservait habituellement aux chevaux.

– Du calme. Tout va bien se passer, dit-elle en posant la tête sur son épaule.

Avec le passage des heures, le trait de lumière qui s'infiltrait sous la porte de l'escalier finit par disparaître. Ils passèrent ainsi toute la nuit. Par moments, ils criaient en essayant d'ouvrir la grille. Ils dormirent par intermittences contre leur volonté et urinèrent dans un vieux vase quand ils ne purent plus se retenir.

Pour que le temps passe plus vite, ils recommencèrent à chercher la liste d'élèves dans le labyrinthe des classeurs. Mais entre l'énervement et le fait que la moitié était fermée à clé, ils ne trouvèrent rien d'utile avant que les lampes des téléphones n'aient complètement vidé les batteries.

Quand enfin ils entendirent du bruit, le jour commençait à reparaître. Il était huit heures précises.

– Aidez-nous. Ouvrez-nous, s'il vous plaît, cria Julián. Nous sommes dans le sous-sol.

– Qui va là ?

Laura reconnut la voix grave du bibliothécaire. Il leur parlait de derrière la porte, sans l'ouvrir.

– Monsieur Castañeda ? C'est Julián Cucurell et Laura Badía. Vous vous souvenez ? Nous sommes passés au collège il y a quelques jours.

Silence.

– Quelqu'un nous a enfermés dans le sous-sol, ajouta-t-elle.

La porte s'ouvrit lentement. Laura vit la haute silhouette du bibliothécaire se découper dans la lumière multicolore des vitraux.

– Nous sommes là depuis hier après-midi. S'il vous plaît, ouvrez-nous, l'implora-t-elle.

– Depuis hier après-midi ? Mensonge ! Le collège est fermé le dimanche.

– Nous sommes entrés par effraction. Je vous jure que nous avions un motif valable. Nous avons brisé une vitre d'une salle de classe. Vous pouvez aller vérifier.

– Le seul endroit où je pense aller, c'est à la police.

– Non, monsieur Castañeda. Je vous en prie, ne nous laissez pas là, nous allons devenir fous.

La silhouette s'effaça du rectangle de lumière et ses pas s'éloignèrent avec un écho précipité dans la grande bibliothèque.

La demi-heure qui s'écoula parut à Laura plus longue que la nuit entière. Quand elle entendit à nouveau

301

des pas, elle remarqua qu'il y avait plusieurs personnes. Puis elle perçut des voix qui chuchotaient, et la porte se rouvrit.

– Il va falloir trouver une très bonne explication à tout cela. La voix du professeur Castells résonna dans l'escalier de pierre.

– Professeur ! dit Julián. Je vous en prie, sortez-nous d'ici.

– Je ne pense pas ouvrir cette grille avant l'arrivée de la police.

Le cerveau de Laura fonctionnait à mille à l'heure. Ils devaient sortir d'ici le plus vite possible et de n'importe quelle manière.

Réfléchis vite, Laura, se dit-elle.

Elle ouvrit le tiroir dans lequel elle avait vu des articles de papeterie. Elle empoigna un stylo rouge comme s'il s'agissait d'un poignard et en écrasa la pointe contre le mur. Ensuite elle frotta le stylo décapité sur son entrejambe jusqu'à ce que la tache rouge sur la toile du pantalon ait la taille d'une balle de tennis.

– C'est une urgence, cria-t-elle. Je saigne. Je crois que je fais une fausse couche. Je ne veux pas perdre mon bébé, je vous en prie, professeur.

– Laura a besoin d'aide, professeur, renchérit Julián. Le bébé n'est pas fautif.

Le bruit des semelles frappant les marches en pierre résonna de plus en plus proche. Castells descendait tout doucement, comme s'il s'approchait d'un lion, jusqu'au pied de l'escalier.

– Merci, professeur. Dieu vous bénisse, dit Laura, les deux mains appuyées sur le ventre.

Le directeur du collège porta son regard vers la tache sombre sur le pubis de Laura. Il sortit à toute vitesse de sa poche une clé et essaya d'ouvrir la serrure, sans y parvenir.

– Peut-être l'avons-nous endommagée en tentant de l'ouvrir, expliqua Julián.

Castells souffla fort par le nez.

– Laissez-moi faire, professeur, dit le bibliothécaire.

Le gars mit cinq minutes pour ouvrir la grille. Dès qu'ils furent libres, Julián s'empressa de grimper les marches au pas de course.

– Attends, Julián. Où vas-tu ?

Mais il ne répondit pas et ne s'arrêta pas. Castells vociféra et le bibliothécaire se planta devant elle pour lui demander si elle allait bien, tout en lui barrant le passage. Malgré la grande taille de l'homme, elle parvint à le pousser sur un côté et s'élança en courant à la poursuite de Julián.

La dernière chose qu'elle entendit tandis qu'elle grimpait les marches quatre à quatre, fut le professeur Castells prononçant le mot « police ».

CHAPITRE 56

Julián

– Les enfoirés, dis-je en arrivant à la BMW de mes parents.

Les quatre roues étaient à plat ; chaque pneu avait une entaille de deux centimètres.

J'ouvris la porte et branchai le téléphone sur le chargeur. Dès qu'il fut allumé, je compris que c'était pire que je l'avais imaginé.

– Merde !

– Qu'est-ce qu'il y a ? me demanda Laura.

– Vingt-deux appels manqués de ma mère.

Je tapai son numéro. La ligne sonna une, deux, trois fois.

– Allez, allez, réponds, murmurai-je.

Les secondes tombèrent comme des pierres jusqu'au déclenchement de la messagerie.

– S'il leur est arrivé quelque chose, c'est ma putain de faute.

– Du calme, Julián.

Ces paroles étaient ce qu'il y avait de plus absurde à me dire en ce moment. Comment pouvais-je rester calme ? Je répétai l'appel, et encore une fois chaque tonalité fut un supplice. Elle répondit à la sixième.

– Julián, où étais-tu passé ?

– Ça va, maman ?

Elle me répondit avec la voix rigide qu'elle prenait quand elle avait la tête ailleurs.

– Ce matin ton père s'est proposé de m'amener au travail dans sa voiture, comme tu as la mienne. Au bout de trois cents mètres, il s'est rendu compte qu'il n'avait plus de frein. Nous n'avons rien pu faire d'autre que percuter un arbre pour ne pas renverser une femme.

– Mais vous allez bien ?

– Non ! Nous n'allons pas bien ! Nous sommes effrayés, Julián. Le mécanicien nous a dit que quelqu'un a saboté les freins.

– Je regrette, maman.

– Mon chéri, tu n'y es pour rien...

– Si, c'est ma faute.

– Qu'est-ce que tu racontes ?

J'aurais voulu lui dire n'importe quoi sauf la vérité, mais ce fut impossible. Je lui parlai des menaces que j'avais reçues, à El Chaltén comme à Barcelone.

– Et malgré ça, tu as continué ? Cela ne t'a pas suffi d'envoyer ton père à l'hôpital après l'avoir bombardé de questions ?

– Je ne savais pas... c'est vrai, je ne pensais pas que c'était du sérieux, maman.

– Eh bien, maintenant tu peux y croire.

Quelques secondes après la fin de l'appel, mon téléphone se mit à émettre plus de *pings* qu'une machine de casino. Ma mère était en train de m'envoyer des photos de l'accident sous tous les angles.

La voiture de mon père encastrée dans un arbre, pare-chocs et capot hors d'usage. Airbags gonflés. Un liquide gouttant sous le moteur.

– De toute évidence, quelqu'un essaie de nous avertir, dit Laura.

– Nous avertir ? Laura, ils ont coupé les freins. Mes parents pourraient être morts.

– Oui, mais il y a quelque chose qui ne cadre pas. Si tes parents avaient été tués, quelle garantie avait la personne qui a fait ça que nous allions arrêter ? Cela aurait même pu avoir l'effet inverse. Parfois, la douleur...

– Laura, je ne veux plus parler de ça. C'est terminé. Je n'envisage pas de continuer à mettre ma famille en danger.

– Un peu tard, tu ne crois pas ?

– Non. Ça me semble être juste à temps. Mes parents sont vivants.

– Alors que fait-on ? Nous arrêtons d'enquêter et acceptons de ne jamais connaître la vérité sur les trois personnes mortes assassinées à quinze mille kilomètres de chez toi ?

Je voulus attribuer son manque d'empathie à la nuit que nous venions de passer. Laura devait avoir les nerfs à fleur de peau, tout comme moi, voire plus. C'était le moment d'abandonner la discussion. Mais j'en fus incapable.

– Ce n'étaient pas des saints, alors je n'ai pas vraiment de peine, dis-je. Et ne me sors pas ta litanie comme quoi tout le monde a droit à la justice, parce que la seule chose qui t'importe, c'est de terminer ton petit livre. Le reste tu t'en fiches.

– Mon petit livre ? Écoute, fais-moi une faveur, va te faire foutre. Toi, l'hôtel, ton oncle et tout le reste.

– Attends, nous sommes tous les deux très fatigués, dis-je. Ce n'est pas le meilleur moment pour discuter.

Pour toute réponse, elle s'éloigna de la voiture d'un pas décidé.

– Laura, terminons cette discussion comme deux adultes, tu ne crois pas ?

– Ce que je crois, c'est que nous n'avons plus rien à nous dire, dit-elle sans se retourner. Quelques passants s'arrêtèrent pour nous regarder.

– Laura, sérieusement ?

Je passai les dix minutes suivantes à la poursuivre dans les rues de Torroella, essayant de lui faire dire quelque chose. Après être passée trois fois par le même coin de rue, elle s'arrêta et me regarda furieuse.

– Bordel, où est la gare dans ce patelin ?

CHAPITRE 57

Laura

Quand elle se rendit compte que le train avançait, Laura appuya la tête contre le siège. Ils partaient de la gare de Flaçà à destination de Barcelone. Cela faisait une heure que le conducteur de la dépanneuse venu pour remorquer la BMW leur avait fait la faveur de les rapprocher de la gare.

Depuis qu'ils s'étaient assis, Julián avait le regard dirigé vers la fenêtre, tournant le dos à Laura. Ils étaient à quelques centimètres l'un de l'autre, et en même temps plus éloignés que jamais.

Laura sortit de son sac à dos le livre qu'elle avait trouvé dans la bibliothèque. Elle vit que Julián se redressait dans son siège et l'observait du coin de l'œil.

– Ça ne te dérange pas que je lise ce truc, non ? lui demanda-t-elle.

– Fais ce que tu veux.

Elle mit à peine une heure pour lire les soixante pages que comportait la première partie de *Lupus occidere uiuendo debet*. C'était un réchauffé du premier paragraphe, soutenant que la véritable nature de l'homme était de faire ce qu'il lui plaît quand ça lui plaît. Apparemment, l'auteur anonyme n'avait qu'une seule intention : encourager le lecteur à agir sans penser aux conséquences. D'après cette espèce de bible d'une religion étrange, le seul être au monde à constamment peser le pour et le contre était l'être humain. La supériorité que nous donnait le raisonnement, argumentait le livre, était en réalité la prison de notre instinct.

Laura trouva un vestige de logique dans cette thèse. Il était certain que nous vivions sous anesthésie. Et au cours de la centaine d'années écoulée depuis la rédaction de ce livre, le phénomène s'était amplifié. « *Vingtième siècle, brocante problématique et fébrile* », disait le tango, mais le vingt-et-unième était dix fois pire. Le problème était que, pris au pied de la lettre, le manifeste laissait la voie libre à un homme pour violer une femme, par exemple. Ou pour rouer de coups son voisin.

Ce livre était une ordure prosélytique qui utilisait tous les artifices de la propagande bon marché. Et Laura, comme tout Latino-Américain un tant soit peu observateur, ne pouvait que constater que cela fonctionnait.

En arrivant à la fin de la première partie, elle relut plusieurs fois le dernier paragraphe.

C'est pour cela qu'à partir d'aujourd'hui naît un homme nouveau. Un homme qui n'aura pas peur de saisir fermement les rênes de la vie. Un homme qui n'est plus domestiqué comme le chien, mais sauvage comme le loup. Et pour que tous les hommes du monde prêts à vivre une vie sincère aient un lieu où se rencontrer entre gens de la même espèce, se fonde aujourd'hui, dans la ville de Barcelone, le club du L.O.U.D.

La seconde partie du livre décrivait le règlement du club. On y précisait entre autres qui pouvait en faire partie – des hommes majeurs –, ainsi que le protocole pour devenir membre, qui incluait de tuer un chien. Mais il n'y était fait aucune mention de Santa María de los Desamparados ni des anneaux. Elle referma le livre en sentant un feu la consumer de l'intérieur. Cette merde avait détruit la vie de plus d'une personne.

– Ça n'a pas grand-chose à voir avec ce que nous a raconté Jaume Serra, dit-elle à Julián.

Il acquiesça en silence, comme si cela lui était égal. Son téléphone sonna, Laura vit qu'il refusait un appel d'Anna, son ex.

– On dirait que c'est comme nous l'a dit Meritxell Puigbaró, continua-t-elle. La Fraternité des Loups n'est pas née d'un club d'étudiants, mais d'un groupe d'adultes à Barcelone. Avec le temps, elle s'est déplacée à Santa María de los Desamparados pour passer par différentes phases. La Fraternité décrite par Serra et celle responsable de cette bestialité n'ont rien en commun.

Julián la regarda un bref instant puis se replongea dans la playlist de son téléphone.

Une huître se fermait moins hermétiquement que ce type, pensa-t-elle.

– Même l'anneau est différent, insista-t-elle. Il n'y a pas cette inscription en latin qui s'est révélée être le titre de cette merde.

Julián poussa un soupir. Bon signe. Cela l'embêtait, mais au moins il allait lui parler.

– Écoute, Laura, Serra a été clair. Tous les groupes évoluent avec le temps. Certains textes mettent des siècles avant de trouver des disciples plus intégristes. L'Inquisition espagnole fut fondée quinze siècles après la naissance du Christ. Al-Qaïda est plus jeune que nous.

Laura claqua des doigts et fit un signe de tête en direction de Julián, comme s'il venait de dire quelque chose de révélateur. En réalité, ce n'était qu'une technique pour maintenir son attention.

– Maintenant je comprends, dit-elle. Ce livre prouve que la Fraternité des Loups tient ses origines d'une bande de fanatiques. Ensuite, elle s'est adoucie pour se transformer en ce groupe inoffensif dont parle Jaume Serra, puis d'autres ensuite, jusqu'à ce que le texte tombe entre les mains de Pep Codina et compagnie, qui l'ont pris au pied de la lettre. Ils donnèrent alors une signification différente à la Fraternité. Ils trouvèrent dans le livre la légitimation de n'importe quelle barbarie sans qu'ils se sentent fautifs. La question est : pourquoi ont-ils tous fini assassinés ?

Julián haussa les épaules, mais à partir de cet instant Laura sut que son désintérêt était plus feint que réel. Elle décida d'insister.

– Pourquoi quelqu'un tuerait-il trois types appartenant à une espèce de secte pour laquelle le respect de son prochain n'existe pas ?

– Pour qu'ils arrêtent de faire le mal, répondit Julián en refusant un autre appel d'Anna.

– Exact. Que t'a dit ton père quand tu lui as demandé si son frère avait été membre de la Fraternité ?

– Laura, vraiment, laisse-le tranquille. S'il te plaît.

Maintenant Julián fixait ses genoux, les yeux grands ouverts, quasiment sans cligner. Laura avait déjà vu cette expression chez de nombreux témoins. C'était l'attitude qu'ils prenaient quand enfin ils comprenaient ce qui était sous leur nez depuis le début.

Elle ne savait pas ce que ferait Julián à partir de maintenant. Si elle lui posait la question, il lui dirait de ne pas insister, qu'il ne voulait plus entendre parler de cette histoire et qu'il préférait ne plus remuer le passé. Mais peut-être, et seulement peut-être, avait-elle réussi à semer dans sa tête la graine qui pouvait les amener jusqu'à la vérité.

CHAPITRE 58

Laura

Ils marchèrent de la gare de Sants jusqu'au domicile de Julián. Il lui dit qu'il irait voir ses parents. Elle improvisa en lui répondant qu'elle profiterait de l'après-midi pour continuer sa visite des rues de Barcelone. Ensuite, la plus grande partie de la conversation tourna autour de l'envie qu'ils avaient de se doucher.

Après une demi-heure passée dans la salle de bain, Laura sortit dans la rue et prit la direction qui lui paraissait être celle du centre-ville. Avec l'aide du plan qu'elle s'était acheté, de passants bien disposés et de kiosquiers, elle mit moins d'une heure pour arriver à la place de Catalogne.

Elle déambula dans les quartiers jouxtant les Ramblas. L'un d'eux était le Raval et l'autre le Quartier gothique, mais dix minutes après avoir refermé le guide, elle ne se rappelait déjà plus lequel était lequel. Elle traversa les Ramblas plusieurs fois, découvrant de vieilles églises, des boutiques centenaires et des musées dont les bâtiments méritaient eux aussi d'être dans un musée. Après avoir longé une ruelle étroite truffée de bars et de boutiques de tatoueurs, elle émergea, derrière un arc de pierre, sur un port bondé de voiliers et de yachts de luxe qui brillaient sous un soleil déjà bas en cette fin d'après-midi.

Elle marchait le long du quai quand son téléphone sonna.

– Laura, c'est Gregorio Alcántara. J'ai un truc qui peut vous intéresser.

– Vous voulez que l'on se voie ?

– Ce n'est pas la peine. Je peux vous le dire au téléphone.

– Je suis tout ouïe. Je suppose que vous allez me dire que vous avez informé vos anciens collègues policiers des homicides d'El Chaltén.

– Oui, je l'ai fait. À cette heure, les échanges entre diplomates de nos deux pays ont déjà débuté. Mais je ne vous ai pas appelée pour ça. J'ai appelé pour vous informer que les Loups n'étaient pas quatre, mais six.

– Que voulez-vous dire ?

– Qu'en plus des quatre morts, il y a deux autres personnes qui furent membres de la Fraternité entre 1970 et 1975.

– Comment le savez-vous ?

– C'est au cours d'un de mes nombreux voyages à Torroella, pour les besoins de l'enquête, que j'ai rencontré ma femme. Ça fait trente ans que je suis marié avec une native de Torroella et j'y ai de nombreux amis. En interrogeant des gens du même âge que Codina et compagnie, j'ai fini par tomber sur quelqu'un qui fut sur le point de devenir membre de la Fraternité, mais il n'a pas réussi la première épreuve.

– Il y avait des épreuves pour y entrer ? demanda-t-elle, feignant la surprise.

– Comme dans toutes les sociétés secrètes, je suppose. Dans ce cas précis, il fallait tuer un chien.

C'était mot pour mot ce qu'elle avait lu dans *Lupus occidere uiuendo debet*.

– Cette personne n'a pas été capable de le faire, continua l'ex-policier, mais il m'a dit qu'avec lui il y avait deux autres garçons qui eux l'ont fait et ont intégré la Fraternité.

– Il vous a donné des noms ?

– Adrián Caplonch, l'un des entrepreneurs les plus talentueux de Torroella. Il se consacre...

– ... aux conserves. Je le connais, le coupa Laura. Et l'autre ?

– Il ne m'a pas donné le nom de l'autre. Il dit qu'il ne s'en souvient pas.

– Vous le croyez ?

– Cela me paraît difficile. Ce n'est pas le genre de détail qui s'oublie, et encore moins dans un petit village.

Laura, qui avait grandi à Puerto Deseado, était du même avis.

– Mademoiselle Badía. Encore une chose...

– Je vous écoute.

– Faites attention à vous. N'oubliez pas que quand quelqu'un disparaît à l'autre bout du monde, il peut s'écouler beaucoup de temps avant qu'on le retrouve.

Dites sur un autre ton, les paroles d'Alcántara auraient pu paraître menaçantes, mais l'ex-policier les avait prononcées comme on donne conseil ; l'aide d'un vieux renard à une plus jeune.

– Merci, répondit-elle tout en cherchant entre yachts et restaurants une bouche de métro.

CHAPITRE 59

Julián

Après notre retour de Torroella en train, je quittai Laura juste avant de passer sous la douche. J'avais envisagé de me rendre directement de la gare à la maison de mes parents, mais si je me présentais chez eux sale et débraillé, après avoir passé la pire nuit de ma vie, ils allaient me bombarder de questions.

Laura m'avait dit qu'elle allait profiter de l'après-midi pour se balader dans Barcelone, mais je la soupçonnai de me mentir. Je crois que c'était le genre de personne qui ne lâchait jamais l'os qu'il était en train de ronger. Nous ne parlâmes pas de la durée de son séjour chez moi ni d'un possible retour à El Chaltén. Ce n'était pas le moment.

Quand je sortis dans la rue, le quartier bouillonnait d'activité. Le trafic, les bus et beaucoup de monde sur les trottoirs faisant les derniers achats de la matinée. Au premier coin de rue, je me retrouvai face à elle.

– Anna.

En me voyant, elle me claqua deux baisers.

– Julián. J'allais chez toi. Je t'ai appelé plusieurs fois.

Cela me fit bizarre de l'entendre dire « chez toi ».

– Je n'ai pas pu te répondre, pardon. J'allais t'appeler dès... Attends, tu ne pars pas en Argentine ?

– Finalement, j'ai annulé. Pouvons-nous monter ?

– Il y a un problème ?

– C'est important. Pour toi et pour moi.

Je refis avec elle le trajet que je venais de parcourir dans l'autre sens et nous montâmes jusqu'à l'appartement que nous partagions encore il y a un mois et demi. Durant ce bref laps de temps, il s'était transformé en une caverne où vivaient un célibataire et une sorte d'amie ou collègue venue de l'autre bout du monde, qui elle non plus ne s'intéressait pas trop au rangement. C'est incroyable comme le chaos progresse rapidement quand personne ne s'en préoccupe.

– Tu disais ?

– J'ai plusieurs choses à te dire. Premièrement, je te demande de m'excuser.

– Anna...

– Écoute-moi. Excuses sincères. Pardonne-moi, s'il te plaît.

Je pris une profonde inspiration, essayant de trouver la force de mesurer mes paroles pour ne pas la blesser par dépit.

– Comprends-moi, ce que tu m'as fait m'a détruit, mais avec le temps tout se surmonte. Je t'en veux toujours, mais aujourd'hui moins qu'il y a un mois. Je suis sûr que dans quelque temps, j'arriverai à te pardonner complètement.

Elle m'observa, essayant de décider si elle me croyait, ou pas.

– Nous pourrions même être amis, ajoutai-je. Ce sera difficile, mais nous pouvons toujours essayer. Peut-être qu'avec le temps je réussirai même à te voir avec Rosario sans ressentir de la rage.

– Tu ne me verras plus avec Rosario. Nous avons rompu.

Jamais dans ma vie je n'ai eu autant envie de crier après quelqu'un jusqu'à en rester sans voix. Mais ce ne fut pas nécessaire. Tout ce que je lui aurais balancé en pleine figure, elle le résuma en une seule phrase énoncée avec un surprenant calme :

– J'ai ruiné notre relation pour une aventure qui n'a pas dépassé trois mois.

Je voulus brailler que oui. Le lui reprocher jusqu'à complète satisfaction. Mais j'aurais pu difficilement lui dire quelque chose qu'elle ne sût déjà. Comme disait une amie anglaise, ça n'a aucun sens de cravacher un cheval mort.

– C'est le propre de toute aventure, dis-je. On ne sait jamais combien de temps elle va durer.

– La tienne en Patagonie, c'est pareil ?

– Entre Laura et moi, il ne s'est rien passé.

– Je ne fais pas référence à ça. Je parle de ton voyage, de ce que tu as découvert là-bas.

– Ah ! ça, c'est une aventure avec un grand A. Mais elle est de celles qui ne durent pas. Je vais mettre l'hôtel en vente.

Anna acquiesça.

– Juli, j'ai autre chose à te dire.

– Oui ?

S'il te plaît, ne me dis pas que tu es enceinte, pensai-je.

– Mon frère m'a dit que tu lui avais demandé de l'aide pendant que tu étais en Patagonie. Il m'a aussi dit que trois cadavres avaient été découverts et qu'ils portaient l'anneau de la Fraternité des Loups.

– Toi aussi tu connais cette société ?

Du sac à main en cuir qu'elle portait accroché à son épaule, elle sortit un vieux cahier aux feuilles jaunies. Elle l'ouvrit au niveau d'une page cornée et lut à voix haute :

– Le patient pense qu'il n'arrivera jamais à se pardonner. Il affirme que ce qu'ils ont fait à Cucurell cette nuit-là va le tourmenter le restant de sa vie. Il culpabilise de ne pas avoir pu l'empêcher. Il se plaint fréquemment d'avoir du mal à trouver le sommeil. Et pendant ces épisodes d'insomnie, il se souvient de ce qui s'est passé et dit entendre une voix dans sa tête qui tente de le consoler en lui disant qu'il n'a rien pu faire car, en fin de compte, lui aussi était pieds et poings liés. Mais il s'en veut de ne rien avoir dit. Trente-six années se sont écoulées depuis ce que le patient appelle « cette sauvagerie ». Il dit qu'aujourd'hui la culpabilité lui pèse plus que jamais, mais c'est maintenant qu'il a le plus à perdre. Ce sont ses mots : « Le pouvoir et l'argent sont des armes à double tranchant. Plus tu es haut placé dans la société, plus tu as à perdre. Et moins tu es libre ».

Anna leva les yeux vers moi ; ils étaient remplis de larmes. Elle me regardait comme elle le faisait chaque fois qu'elle avait quelque chose à se faire pardonner.

CHAPITRE 60

Laura

Les vieux lampadaires, couverts de poussière et d'insectes, projetaient un halo jaunâtre sur la Carretera de los Aigües. De temps en temps, une petite lumière brillante apparaissait au détour d'un virage et quelques secondes après un cycliste motivé passait à toute vitesse près de Laura.

Elle mit les mains dans ses poches et accéléra le pas. Elle ne s'était pas suffisamment couverte. Ici, sur les hauteurs, la température était quelques degrés au-dessous de celle de la ville qui bruissait à ses pieds.

L'obscurité donnait à la maison de Caplonch un aspect encore plus majestueux. Entourée par les silhouettes sombres des arbres, la construction était éclairée d'en bas par de puissants projecteurs, comme s'il s'agissait d'un monument.

Elle dut sonner plusieurs fois avant que l'on vienne ouvrir.

– Oui ?

– Monsieur Caplonch, c'est Laura Badía. Je suis venue vous voir il y a quatre jours. J'ai besoin de vous parler.

– Maintenant ?

– Pardon de ne pas vous avoir prévenu. J'ai téléphoné, mais je n'ai pas pu vous joindre.

Il aurait été plus juste de dire « J'ai téléphoné, mais vous avez donné ordre à votre secrétaire de m'ignorer », mais à certains moments, sporadiques, Laura arrivait à trouver un soupçon de diplomatie.

– Je suis occupé.

– Monsieur Caplonch, je sais que vous avez été membre de la Fraternité des Loups en même temps que Pep Codina, Arnau Junqué, Gerard Martí et Mario Santiago. Ils ont tous été assassinés.

– Seul Codina a été assassiné. Les trois autres ont disparu dans les Pyrénées.

– C'est ce qu'ils voulaient laisser croire. En fait, ils n'étaient pas dans les Pyrénées, mais en Patagonie. Et ils sont morts eux aussi.

Un grésillement électrique lui répondit et, quinze secondes après, le portail s'ouvrit en bourdonnant.

Caplonch l'attendait devant la porte d'entrée, comme la première fois, mais son aspect était différent. Même style vestimentaire, mais sans l'attitude du vainqueur.

Ils passèrent dans la cuisine. Derrière le rectangle bleu de la piscine, la ville scintillait comme une galaxie orangée.

– Écoutez, monsieur Caplonch, je vais être claire et directe. La vérité va éclater au grand jour, mais la façon dont elle va éclater dépend de vous.

Le regard de Caplonch la traversa comme un couteau incandescent.

– Si vous me racontez ce que vous savez, je vais m'en servir pour résoudre un vieux mystère et pour que Julián comprenne un peu mieux ce qui est arrivé à sa famille. Sinon, la police va être informée de ce que j'ai découvert, et ce seront des policiers qui poseront les questions.

L'entrepreneur vida ses poumons, se dégonflant comme un ballon percé.

– Je comprends, dit-il. Ils m'ont fait tuer un chien pour entrer dans la Fraternité. J'ai détesté faire ça, je le jure.

– Je ne travaille pas pour la SPA.

– Je ne me suis jamais senti aussi mal de toute ma vie. Mais ils avaient une telle façon de vous parler, si convaincante...

Caplonch quitta sa chaise, ouvrit un placard et en tira une bouteille de whisky. Il servit deux verres généreux et en donna un à Laura.

– J'ai pensé que le chien était l'épreuve du feu, mais ce n'était que la première.

– La première de combien ?

– Ça, ils ne te le disaient pas. La première de plusieurs. Après vinrent d'autres choses dont je ne suis pas fier non plus, même si elles furent moins dommageables. En fait, à mesure que j'avançais, j'avais la sensation que tout devenait à chaque fois plus facile.

– Jusqu'à...?

– Jusqu'au viol de Cucurell.

Laura but une bonne gorgée de sa boisson, essayant de ne pas perdre contenance.

– Je n'avais aucune idée de ce qui allait se passer. Ils m'ont dit d'attendre dans le sous-sol de Santa María de los Desamparados. Il commençait à faire nuit et le collège était pratiquement vide.

– Les élèves pouvaient rester dans le collège quand il n'y avait plus personne ?

– En théorie, non. Mais ces gamins étaient les fils des personnalités les plus influentes de la ville. Ils faisaient et défaisaient à leur guise.

Laura ne put s'empêcher de regarder les hauts plafonds de la villa où vivait Caplonch.

– Ne vous méprenez pas. Tout cela, je l'ai gagné en travaillant. L'entreprise que j'ai héritée de mon père n'était rien d'autre qu'une conserverie régionale à peine rentable.

Certains ont commencé de plus bas, pensa-t-elle en acquiesçant.

– Ils m'ont dit que ce serait la dernière épreuve. Celle qui me donnerait accès au cercle le plus intime. À la véritable Fraternité des Loups. C'est à ce moment-là qu'ils ont amené Cucurell. Ils l'avaient étourdi d'un coup sur la tête. Ils l'ont attaché à de lourdes étagères et ont attendu qu'il se réveille. Tandis que Pep Codina lui parlait, Arnau Junqué s'est approché de moi et m'a expliqué ce qui allait se passer. Ils allaient le violer chacun leur tour, et après ils voulaient que je les imite.

– D'après la manière dont vous en parlez, je suppose que vous ne l'avez pas fait.

– Bien sûr que non ! Je leur ai crié de laisser le gamin tranquille, mais ils se sont moqués de moi et m'ont dit de me calmer, que l'on verrait bien ce que je pouvais faire. Quand j'ai voulu partir, ils m'ont attaché comme lui.

Les yeux de Caplonch avaient rougi et quelques larmes étaient sur le point de déborder de ses paupières.

– Alors ils l'ont violé, l'un après l'autre, m'obligeant à regarder. Je pensais qu'ils allaient me faire subir le même sort, mais quand ils ont eu fini, ils m'ont libéré et m'ont dit que c'était mon tour. J'ai tenté de fuir en courant, mais Junqué m'a rattrapé à côté de Cucurell en état de choc, il ne pleurait même plus. Je garderai à jamais l'image de ce gamin attaché nu, la respiration haletante et le regard perdu.

Caplonch resta silencieux et vida d'un trait son verre de whisky.

– Quand ils ont compris que je ne voulais ni ne pouvais faire ce qu'ils me demandaient, ils m'ont chassé à coups de pied, me menaçant du même sort si je racontais ce que j'avais vu.

– Je suppose que vous ne les avez jamais dénoncés, non ?

Caplonch secoua la tête.

– Plus le temps passe, et plus on devient complice de ce que l'on tait. Ensuite, je me suis marié et j'ai pensé que je ne pourrais plus jamais en parler parce que ma femme serait horrifiée en apprenant que je n'avais rien dit à l'époque des faits.

– Dans ce cas, pourquoi me le racontez-vous maintenant ?

– Justement parce que c'est vous.

– Pardon.

– Votre première visite m'a fait penser à cette nuit-là et je me suis rendu compte que je ne voulais pas mourir en emportant ce secret. Grâce à vous, j'ai trouvé le courage d'en parler à ma femme. Maintenant qu'elle sait, je n'ai plus rien à perdre.

Caplonch montra ses mains vides, comme pour dire « c'est tout ».

– Cette fameuse nuit, ils étaient six dans le souterrain, dit-elle.

– Qui vous a dit ça ?

Le fait que Caplonch répondît par une question lui confirma qu'elle était sur la bonne voie. En réalité, Laura n'avait aucune idée du nombre de personnes présentes ce soir-là, mais Alcántara lui avait dit qu'à cette époque la Fraternité comptait six membres.

– Peu importe. Y avait-il un sixième Loup dans le sous-sol ?

– Oui, mais il était tellement effrayé qu'ils ne lui ont même pas proposé de s'approcher de Cucurell.

– Et cette personne, elle non plus n'a jamais rien dit.

– Si moi je ne l'ai pas fait, elle encore moins. Nous sommes en train de parler de quelqu'un qui est beaucoup plus vulnérable.

– Plus vulnérable à l'époque ou aujourd'hui ?

– Les deux. À l'époque, parce qu'il n'était qu'un gosse. À présent, parce que traîner une telle casserole peut ruiner à jamais une carrière politique.

– Pourriez-vous être plus précis ?

– Le sixième était Quim Riera. Ancien maire de Torroella de Montgrí et candidat député au parlement catalan.

Laura s'arrêta sur le nom. Riera. Ce patronyme lui disait quelque chose.

– Comment choisissaient-ils leurs victimes ? Pourquoi Fernando Cucurell ?

Caplonch la regarda droit dans les yeux. Après quelques secondes, il désigna une chaise.

– Je crois que vous préférerez être assise quand vous entendrez ma réponse.

CHAPITRE 61

Julián, quelques heures plus tôt.

Anna sécha une larme du revers de la main et désigna le vieux cahier dans lequel elle venait de me lire ces quelques lignes.

– Ce sont les notes d'un psychologue, dit-elle. Le patient est mon père.

Ce fut comme si le sol se dérobait sous mes pieds. Le père d'Anna avait quelque chose à voir avec ce qui était arrivé à mon oncle ?

Même après avoir vécu trois ans en couple avec sa fille, je ne savais quasiment rien de Quim Riera. Nos plus longues conversations tournaient toujours autour de l'exercice physique et de l'alimentation. Bien qu'il eût l'âge de mon père, la condition physique de Quim était celle d'une personne ayant dix ans de moins. Comme Sosa, il était l'un des rares sexagénaires pouvant se permettre de vénérer leur corps.

L'autre point commun entre Riera et Sosa était la politique. Le père d'Anna – beau, charismatique et veuf – n'avait pas eu à fournir beaucoup d'efforts pour remporter les élections et devenir maire de Torroella de Montgrí. Son mandat était terminé depuis deux ans et maintenant il préparait, en tant que candidat, l'élection des députés du parlement catalan.

Comme tout bon politicien, il m'avait toujours bien traité même s'il était clair qu'il ne m'avait jamais vraiment accepté. À présent, peut-être que je comprenais pourquoi ; mon nom et ma famille le ramenaient à ses pires cauchemars.

– Tu te rappelles ce qu'il a répondu le jour où nous l'avons invité à venir dîner chez nous pour rencontrer tes parents ? me demanda Anna.

– « Vous me les présenterez le jour de la noce ». Comme pour écarter l'invitation.

Je l'avais alors interprété comme un commentaire dicté par le respect des traditions. Une réticence initiale qui s'amoindrirait avec le temps. Mais en trois années, et malgré notre insistance, nous n'avons jamais réussi à organiser une rencontre entre Quim Riera et mes parents.

– Tes parents eux non plus n'ont pas fait preuve de beaucoup d'enthousiasme, dit Anna.

C'était vrai. Si mes parents n'interféraient pas dans notre relation parce que je ne le permettais pas, ils n'avaient jamais totalement accepté Anna. Chaque fois qu'ils le pouvaient, ils faisaient ressortir un de ses défauts. Évidemment, je ne comprenais pas. Pour moi, Anna était parfaite.

– Nos parents nous ont menti, Juli. Tu te rappelles le jour où nous nous sommes rendu compte qu'ils avaient le même âge et avaient étudié dans le même collège ? Quand nous leur avons demandé s'ils se connaissaient, ils ont répondu la même chose.

– De vue.

Anna désigna le cahier.

– Là-dedans, il apparaît clairement que ce n'est pas seulement de vue. Mon père sait très précisément ce qui est arrivé à ton oncle.

Les paroles d'Anna levèrent un voile dans ma tête. Si mon père avait toujours été réticent à ma relation avec Anna, c'était parce que lui aussi savait quelque chose.

– Je dois aller parler avec mon père, dis-je en me levant du canapé.

Anna se mit debout en même temps que moi et nos corps se frôlèrent. Je la pris dans mes bras comme je ne l'avais pas fait depuis des mois. Je ne pus retenir quelques larmes qui finirent sur son épaule. Tandis que je la serrais fort contre ma poitrine, je sus que je serais capable de lui pardonner. Pas de me remettre avec elle, mais de ne pas lui en vouloir, sûrement. Je lui posai un baiser salé sur la joue.

– Merci pour ces trois merveilleuses années. Je te souhaite d'être heureuse. Et si tu as besoin de moi, je serai toujours là.

Anna acquiesça, séchant ses propres larmes et me prenant de nouveau dans ses bras.

– Je t'aime, Juli.

– Moi aussi.

Nous restâmes silencieux, nos corps collés l'un contre l'autre je ne sais combien de temps. Ce fut l'étreinte de deux amis qui savent qu'ils ne vont pas se revoir avant longtemps.

CHAPITRE 62

Julián

J'arrivai à l'appartement de mes parents sans les avoir prévenus, je le trouvai vide. N'importe quel autre lundi, j'aurais pensé que mon père déjeunait avec son ex-collègue et que ma mère était au travail. Mais ils venaient d'être victimes d'une tentative d'assassinat.

Je m'assis dans le canapé pour les attendre. Dès qu'ils seraient là, je demanderais à mon père ce que les Loups avaient fait à son frère. Certes, j'avais décidé de céder aux menaces et de stopper les investigations, mais cela ne voulait pas dire que je n'allais pas lui demander de me raconter ce qui s'était passé.

À mesure que les minutes passaient et que je testais mentalement différentes manières d'aborder le sujet, j'étais de plus en plus convaincu que mon père se fermerait comme une huître à la première question dérangeante. Ce fut peut-être pour cela que je me levai pour me rendre dans sa chambre.

À nouveau je me sentis sale, comme le jour où j'avais suivi Anna jusqu'à la place Sant Felip Neri pour découvrir qu'elle me trompait. C'est horrible d'espionner un être cher et d'envahir son intimité, mais en certaines occasions il n'y a pas d'autre option.

J'allai directement vers son côté du lit et ouvris le tiroir de la table de nuit. Je fouillai parmi des comprimés, des papiers, des lunettes et un anneau pénien. Le seul renseignement utile que je trouvai ici fut la certitude que je ne serai jamais préparé à l'image de mes parents utilisant des jouets sexuels.

Je continuai par l'armoire, ouvrant des cartons au pied des robes de ma mère. Je fouillai comme un intrus parmi ses souvenirs, quoique beaucoup fussent aussi les miens. Je trouvai de vieilles photos, des cartes postales que je leur avais envoyées quand j'avais commencé à voyager, et même le billet d'avion de leur lune de miel aux Canaries. Mais rien concernant Fernando Cucurell. C'était comme si le frère de mon père n'avait jamais existé.

J'allais m'avouer vaincu lorsque je tombai sur une vieille photographie en noir et blanc qui me donna un peu d'espoir. Je reconnus la femme aux cheveux rassemblés en chignon, vêtue des habits noirs du deuil, le visage grave. C'était ma grand-mère Montserrat. De chaque côté de sa jupe, il y avait un enfant. L'un d'eux avait neuf ou dix ans et l'autre, six ou sept. Le plus jeune était mon père. L'aîné, plus grand, un sourire d'une oreille à l'autre, devait être Fernando. Je regardai au dos de la photo, il n'y avait aucune indication.

En finissant avec l'armoire, je me rappelai que mes parents venaient de changer leur ancien lit pour un sommier coffre. Je tirai les poignées au pied du matelas et le sommier se leva comme un coffre de voiture. À l'intérieur, il était impossible d'ajouter ne serait-ce qu'une aiguille. Tout y était parfaitement rangé. Boîtes en carton étiquetées, édredons pour l'hiver, deux chaises pliantes et plusieurs sacs en plastique de couleur noire.

Je commençai par les boîtes, mais je n'y trouvai que les vieux plans de ma mère. Je passai aux sacs, où il n'y avait rien d'autre que des vêtements. En soulevant le dernier, je découvris le coffret en bois sombre dans lequel mon père rangeait les cigares qu'il achetait dans le bureau de tabac en face de la cathédrale. Il avait disparu de ma vue depuis des années, quand il avait arrêté de fumer.

Dedans, il n'y avait pas de tabac, mais une petite chemise en papier manille qui contenait deux enveloppes fermées. C'était deux lettres que mon père avait envoyées à Fernando Cucurell à l'adresse de l'appartement qu'il occupait au-dessus de son restaurant. Les deux lui avaient été réexpédiées. Le cachet de la poste indiquait la date du 13-05-1997 pour la première lettre et exactement un an plus tard pour la deuxième.

J'entendis une clé dans la serrure. Quelle poisse ! Au moins y avais-je laissé ma clé et fermé d'un tour. Je me dépêchai de remettre le lit comme je l'avais trouvé. Je rangeai la chemise avec les enveloppes dans mon sac à dos et ouvris la porte.

– Bonjour mon fils. Que fais-tu ici ? me salua mon père en m'embrassant sur la joue. Il portait un sac rempli de courses.

– Je suis venu voir comment vous allez après l'histoire de la voiture.

– Vivants, ce qui n'est pas rien.

– Maman ?

– Elle arrive, elle est allée à la pharmacie. Je te prépare un café ?

– Ce n'est pas la peine. Je ne pense pas rester très longtemps.

– Allons ! je viens d'arriver et tu me dis que tu viens nous voir. Attends-moi, je vais aux toilettes et je suis à toi.

Je m'installai dans le canapé, me sentant encore plus sale. Non seulement j'avais fouiné dans ses affaires, mais maintenant je lui avais menti.

Au bout d'un moment, j'entendis la chasse d'eau et les pas de mon père sur le parquet, il se dirigeait vers les chambres. Il revint au salon dans les cinq minutes.

Quand je le vis, j'eus l'impression que le glacier Viedma me tombait dessus. Il tenait dans une main la boîte à cigares vide.

– Donc tu es venu voir comment nous allions.

– Quoi ?

– Si tu veux mentir et violer mon intimité, c'est ton problème. Mais je ne vais pas te laisser me prendre pour un imbécile.

Échec et mat. La seule manière de sortir de là dignement, c'était de faire en sorte qu'il se range de mon côté.

– Comprends-moi, papa. J'avais besoin de réponses.

– Celui qui s'obstine à ne pas comprendre, c'est toi. Il est préférable que tu ne connaisses pas ces putains de réponses. Rends-moi ce que tu m'as pris, s'il te plaît.

– Papa, il y a plusieurs morts reliées à ton frère, une personne dont je ne sais absolument rien d'autre que les vagues informations que tu as bien voulu me donner.

– Donne-moi les lettres, Julián.

– Je sais qu'ils lui ont fait quelque chose de très moche. Et toi aussi tu le sais. Il s'est vengé et a tué les trois Loups, c'est ça ?

– Les lettres.

Il se planta sur le seuil de la porte du couloir, m'indiquant la sortie. Le torse bombé et les mains sur les hanches envoyaient un message clair : « Ne franchis plus cette porte ».

Je soufflai, résigné. Je lui avais menti, j'avais envahi son intimité et cela ne me servirait à rien. Je sortis la chemise du sac à dos, la lui montrai et la jetai sur la table, comme un délinquant jette son arme une fois encerclé par la police.

Lorsque mon père fit un pas vers la table, je sortis de l'appartement à toute vitesse. J'eus de la chance, l'ascenseur était encore à l'étage. Quand il commença à descendre, je vis mon père sortir sur le palier en criant, le poing levé.

Je regardai dans le sac à dos. Les deux lettres étaient bien là. La chemise sur la table était vide.

CHAPITRE 63

Julián

Si avoir suivi Anna sur les Ramblas ou fouillé dans les affaires de mes parents m'avait fait me sentir sale, la perspective d'ouvrir la première de ces deux enveloppes fut comme nager dans une fosse septique. J'avais littéralement envie de vomir. Mais le doute et la curiosité furent les plus forts, et à aucun moment ne me vint à l'esprit l'idée que si mon père avait mis tant d'obstination à occulter la vérité, c'était qu'il avait de bonnes raisons.

J'étais tellement nerveux qu'il me fallut presque une minute pour décider quelle enveloppe ouvrir en premier. Finalement, je choisis la plus ancienne. Mai 1997. J'avais douze ans et mon père un peu plus d'un an de sobriété. C'était deux ans après la discussion entre lui et Fernando dont m'avait parlé Lorenza Millán.

À l'intérieur, je trouvai une simple carte écrite à la main avec l'écriture haute et inclinée de mon père :

Mon cher frère,
J'ai mis deux ans pour trouver le courage de t'écrire. Aujourd'hui, ton anniversaire m'a fourni la motivation dont j'avais besoin.
Je n'ai aucune excuse pour t'avoir traité comme je l'ai fait la dernière fois que nous nous sommes vus, mais j'aimerais que tu comprennes, même si tu ne l'as pas vécu, combien est difficile le combat contre l'alcool. Il y a deux ans, quand j'ai débarqué dans ton restaurant et t'ai dit ces horreurs, j'étais sur le point de perdre ce combat pour

toujours. J'étais au plus bas et c'est pour cela que je t'ai asséné ces coups bas.

J'aimerais savoir comment tu vas, Fernando. Et aussi connaître la raison pour laquelle tu t'es retrouvé en fauteuil roulant. Quand et comment es-tu revenu à Barcelone ? Qu'en est-il de ton cher hôtel Montgrí ? Si tu savais comme je me sens coupable.

Nous, nous allons bien. Julián est fort et en bonne santé. Je suis sûr qu'il adorerait te revoir.

La porte de ma maison t'est ouverte, tu le sais bien. Je souhaite de tout mon cœur que tu la franchisses un jour.

Je t'aime, même si je ne te l'ai jamais dit auparavant. Je t'aime très fort, mon frère.

Heureux anniversaire.

Miguel

CHAPITRE 64

Il y a plusieurs années

Le garçon n'a plus seize ans. Maintenant, il en a trente. Presque une demi-vie s'est écoulée depuis la nuit dans la bibliothèque. Les Loups passèrent leur baccalauréat quelques semaines après l'avoir violé à quatre reprises. L'année suivante, ils étaient tous à Barcelone, étudiant dans les meilleures universités.

Lui, il est resté au village et travaille dans la construction. Il y a un bon moment qu'il ne fantasme plus sur sa vengeance. Il s'est résigné à vivre avec une blessure chronique, comme on s'habitue à un ulcère.

Par chance, il y a six ans, est arrivé ce qui ressemble le plus à un onguent miraculeux. La femme qui est assise en face de lui, celle avec laquelle il est en train de partager une collation dans un bar, a fait disparaître toutes les douleurs.

Le garçon, qui est maintenant un homme, a devant lui le café que vient de lui apporter l'unique serveur du bar, un jeune qui écoute de la musique dans son walkman avec le son au maximum. Il va porter la tasse à sa bouche quand il entend une voix qui lui hérisse les poils. Une voix qu'il reconnaîtra le restant de sa vie. Une voix qui soufflera pour toujours son haleine fétide sur sa nuque tandis qu'il essaie de se libérer de ses entraves.

Il se retourne discrètement et observe les quatre hommes qui viennent d'entrer dans le bar. Ce sont eux. Ils rient, fument, choisissent une table et s'y assoient. D'un claquement de doigts, ils appellent le serveur, qui ne va probablement pas les entendre puisqu'il est revenu en cuisine avec les écouteurs sur les oreilles.

– Ça va ? lui demande sa femme.

– Oui, évidemment, et il tend la main pour toucher la tête de l'enfant qu'il a eu avec elle il y a trois ans.

– Demande l'addition pendant que je vais aux toilettes.

– Non, répond-il en calculant la distance qu'elle devrait parcourir, comme il l'avait fait des milliers de fois dans le cloître de Santa María de los Desamparados.

– Tu ne veux pas demander l'addition ?

– Si, bien sûr. Mais les toilettes d'ici sont connues pour ne pas être très propres. Qui sait ce que tu pourrais attraper.

– Tu crois que les femmes ont pour habitude de s'asseoir sur les toilettes publiques ?

Avant qu'il ait le temps de répondre, son épouse lui sourit avec tendresse et prend la direction du fond de la salle. Elle marche comme elle en a l'habitude, en balançant les hanches que l'on devine larges et fermes sous la robe moulante.

Lorsque sa femme passe près de la table des Loups, il sent un feu lui brûler l'estomac. Pep Codina, qui semble être resté le leader, la dévore des yeux puis, avec un vague sourire, lance un commentaire qui fait éclater de rire les autres. Elle les foudroie du regard et entre dans les toilettes.

Les Loups se tournent vers lui pour savoir qui accompagne une femme aussi canon. Lui se penche vers son fils, faisant mine de se focaliser sur une tache de chocolat.

Il tente de se rassurer. Ils ne vont pas le reconnaître. Il n'a plus l'aspect squelettique et un peu efféminé de son adolescence. Maintenant c'est un homme large d'épaules, conséquence de son dur travail, ses cheveux se sont raréfiés à cause d'une calvitie qui transforme son crâne en un champ inculte.

Il fait des câlins à son fils qui rit en prononçant des mots auxquels il manque la moitié des consonnes.

Il n'a jamais raconté à personne ce qui s'est passé cette nuit-là. Même pas à son ami Manel. Surtout pas à son ami Manel. Si celui-ci l'avait su, il les aurait dérouillés, ce qui lui aurait valu une expulsion du collège et des problèmes à vie avec les familles les plus influentes de Torroella.

Vu ce qui s'est passé ensuite avec Manel, il se réjouit de ne pas lui en avoir parlé. Son ami préféra les livres à l'enclume de son père et partit étudier à l'université de Gérone dès qu'il put réunir l'argent nécessaire. Des années plus tard, il revint au village et obtint l'emploi dont il rêvait. Un emploi qu'il n'aurait jamais pu décrocher s'il avait été renvoyé de Santa María.

– Qu'est-ce qui vous arrive, bande d'imbéciles ?

Celle qui crie, c'est sa femme. Elle est sortie des toilettes et se tient à présent devant la table des Loups, les poings sur les hanches.

– Si vous avez quelque chose à me dire, dites-le-moi en face. Vous n'avez jamais vu une paire de seins.

– Comme ceux-ci, non, répond Pep Codina en parcourant le buste de ses yeux libidineux. Les trois autres l'imitent.

– Et tu ne les verras jamais de toute ta putain de vie. Tu n'as sûrement jamais baisé autre chose qu'une poupée gonflable.

– Tu veux lever le doute ?

– Va te faire foutre.

Sans cesser de sourire, Pep Codina se tourne vers lui, qui tient maintenant son fils dans ses bras :

– Et toi tu ne dis rien ? crie-t-il depuis l'autre bout du bar. Par chance, le local est vide. Le serveur est toujours dans la cuisine.

Il est comme paralysé. Il ne pourrait rien dire même s'il le voulait.

– Je n'ai pas besoin que mon mari me défende, crétin, intervient-elle. Mais à toi, qu'est-ce que je peux dire, que tu as le QI d'un crapaud en rut ?

Codina ignore les commentaires de la femme, comme un géant sur lequel les flèches rebondissent. Il s'adresse de nouveau à lui :

– Évidemment que tu ne vas rien dire Cucurell. Si tu n'as pas pu te défendre toi-même à l'époque, encore moins maintenant pour ta pute.

Le garçon, qui est à présent un homme, laisse un billet de cinquante pesetas sur la table et se dirige vers la porte avec son fils dans les bras.

– Tu es sûr que c'est ton fils ? crie Codina. D'habitude les homos n'ont pas d'enfants.

– *Adéu*, petite princesse, ajoute Junqué.

– Je t'emmerde, crie sa femme qui a cru que « petite princesse » était pour elle.

C'est mieux comme ça, pense-t-il.

En sortant du bar, il lui donne l'enfant et lui dit de rentrer à la maison, qu'il la rejoindra dans quelques minutes. Elle ne veut pas, mais il ne lui laisse pas le temps de répliquer et retourne à l'intérieur. Il tire une chaise et s'assied à la table des Loups. Tout son corps le démange comme si on lui avait mis une centaine d'araignées dans la chemise.

Tout d'abord il regarde leurs mains. Tous portent le même anneau que cette nuit-là. Puis, pour la première fois de sa vie, il les regarde un à un droit dans les yeux sans ressentir la moindre peur. Il calcule les possibilités de briser une bouteille contre la table et de les égorger tous les quatre ici même. Nulles. Ça, c'est pour les gens courageux dans les films, pas pour les gens ordinaires de la vie de tous les jours, comme lui. Il sait que, quoi qu'il tente, ils le maîtriseront sans effort. Comme ils l'ont déjà fait.

– Que veux-tu petite princesse ? Tu prends un verre avec nous et ensuite nous retournons à la bibliothèque ? C'est à cinq minutes d'ici.

Le garçon, qui maintenant est un homme, ne dit pas un mot. Il se lève et sort du bar. Un jour quelqu'un lui a dit que dans la vie il y a les héros et les rats. Lui, de toute évidence, n'est pas un héros.

CHAPITRE 65

Il y a plusieurs années

En sortant du bar, il parcourt lentement les cinquante mètres qui le séparent de sa maison.

– D'où connais-tu ces imbéciles ? lui demande-t-elle.

Elle est assise sur le sol de la cuisine. Entre ses jambes, l'enfant joue avec un train en bois et une poupée, ses deux jouets préférés.

– Du collège, répond-il, et il continue vers la chambre.

Il fouille dans l'armoire jusqu'à trouver, oublié au fond, l'objet long et lourd enveloppé dans un chiffon. Il le cache sous sa veste et se dirige vers la sortie.

– Où vas-tu ? demande-t-elle.

– Où va ? répète le petit.

– Faire un tour. J'ai besoin de réfléchir.

– Que voulaient dire ces hommes quand ils ont raconté que tu n'as pas su te défendre ?

– La vérité.

Il sort de chez lui et marche à toute vitesse, sentant le poids dans la poche intérieure de sa veste. Quand il arrive au bar, il voit par la fenêtre qu'ils sont toujours là. Il n'aura pas trop longtemps à attendre, le garçon leur apporte l'addition.

Une minute plus tard, ils sortent. Il est derrière eux dans les rues du village jusqu'à la place centrale. L'un d'eux se sépare des trois autres. Ce n'est rien moins que Pep Codina.

Il le suit dans des ruelles bordées d'édifices médiévaux. Il essaie de choisir le meilleur endroit pour fondre sur lui et détruire son visage à coups de poing. Lorsqu'ils passent dans une ruelle sombre, il sait que le moment est arrivé. Il accélère le pas, mais Codina entre dans un autre bar au coin de la rue.

Il l'attend dehors depuis une heure. Il fume, marche d'un côté à l'autre sous les arches d'un bâtiment et surtout revit mille fois cette nuit, il y a quatorze ans. Par moments, il met de côté sa souffrance pour penser à celle de Meritxell Puigbaró. Dix ans après l'avoir violé lui, les Loups recommencèrent avec cette fille de vingt-deux ans. Bien qu'elle fût plus courageuse que lui et les dénonçât avec noms et prénoms, cela ne servit à rien. Les juges les acquittèrent. Peut-être parce que les familles de ces vermines avaient engagé les meilleurs avocats de Barcelone.

L'attente est longue. De temps en temps, il déplie le chiffon et contemple le couteau que Manel lui a offert. C'est l'unique vestige de cette amitié qui commença à se refroidir après le baiser puis finit par se congeler durant les études de Manel à Gérone. À présent, ils ne sont plus que deux connaissances échangeant les mêmes banalités chaque fois qu'ils se rencontrent dans un commerce du village. Ils n'ont quasiment plus rien en commun, sauf peut-être la loyauté que l'on doit à un vieil ami.

Au cours de ces quatorze années, il s'est peu servi du couteau, si ce n'est à l'occasion d'un barbecue ou pour un jambon de Noël. Le temps a recouvert la lame d'une patine grise qui reflète à peine la lumière provenant du bar. Par contre le tranchant reste toujours aussi aiguisé.

Enfin il voit sortir Codina. Il commence à faire jour et le pavé est brillant de rosée. Dans un coin obscur de la place Pere Rigau, il se décide à lui parler.

– Pourquoi ne me frappes-tu pas maintenant, fils de pute ? dit-il sans crier, mais en s'assurant que l'autre l'entende bien.

– Toi ? Que veux-tu, petite princesse ?

Il empoigne le couteau, marche vers le Loup et le poignarde au niveau de la cuisse. Même dans la pénombre, il peut voir le visage de Codina se tendre sous l'effet de la panique.

En attendant qu'il sorte du bar, il a imaginé cent fois ce qu'il va lui faire : il appuiera le couteau sur sa poitrine et lui dira, tandis que l'autre chialera de trouille, que s'il s'approche encore de sa femme, il lui tranchera la gorge. Et, s'il a de la chance, le type pissera même dans son froc.

– Attends, je peux tout t'expliquer. Moi je ne voulais pas, explique le Loup en regardant de chaque côté.

– Tu ne voulais pas ? Alors pourquoi tu l'as fait ?

– Les autres. Ils m'ont mis la pression. Ils m'ont menacé.

– Félicitations, dit le garçon, serrant un peu plus le manche du couteau. Tu dois être le premier homme à bander sous la contrainte.

– C'est la vérité, je ne voulais pas.

– C'est toi qui menais la danse dans cette meute de merde. Ils faisaient toujours comme tu disais, et apparemment ça n'a pas changé.

À présent les souvenirs affluent dans la tête du garçon à la vitesse d'un TGV. L'odeur d'humidité du sous-sol crasseux, la pression des liens sur ses poignets, l'huile froide qu'ils ont versée entre ses fesses. Et la douleur. Beaucoup de douleur.

Il y en a un qui n'a pas voulu, c'est vrai, mais il sait que ce n'est pas celui qui est en face de lui.

– Sérieusement, tu ne voulais pas ?

– Je te le jure.

– Eh bien, moi non plus, dit-il, et il lui enfonce le couteau dans le ventre jusqu'au manche.

Le Loup ne crie pas, ne bouge pas. Il ouvre les yeux et lâche un grognement, comme quelqu'un qui tente de bouger un meuble trop lourd. Le garçon, qui maintenant est un homme, plonge encore deux fois la lame dans le ventre.

Quand Codina s'écroule sur le sol, il sait qu'il vient de ruiner sa vie et celle de sa famille. Pour lui, avant même que le cœur du Loup ait cessé de battre, il est clair qu'il a fait la plus grande erreur que peut commettre un homme. Il a agi sans réfléchir.

Il regarde autour de lui. La place est déserte. Il s'accroupit auprès du corps, il a cessé de respirer, il prend son portefeuille pour faire croire à un braquage et part en courant. Le sang du Loup, poisseux et tiède, colle à sa main ainsi qu'au chiffon dans lequel il a enveloppé le couteau. Les battements de son propre sang dans ses tempes résonnent comme des pas de géant.

CHAPITRE 66

Julián

Je finis de lire la première lettre avec un mélange d'inquiétude et de curiosité. Qu'avait voulu dire mon père à Fernando quand il lui a écrit que j'adorerais le revoir ?

J'ouvris la deuxième enveloppe qui, si j'en crois l'énorme tampon de la poste, elle non plus n'est jamais arrivée à son destinataire. À l'intérieur, je trouve un texte encore plus court que le précédent :

Mon cher frère,
Il y a un an la poste m'a réexpédié la lettre que je t'avais envoyée. Je sais qu'il ne s'agit pas d'une erreur d'adresse, mais que tu ne veux pas avoir de mes nouvelles. Je te comprends et je respecte ton choix.
Je t'écris donc, pour la dernière fois si c'est ton choix, pour que tu aies cette photo. J'espère que tu la conserveras pour te souvenir que, malgré tout, nous avons été heureux.
Joyeux anniversaire.
Je t'aime.
Miguel

La lettre était accompagnée d'un instantané carré, avec ce rouge saturé que seuls les appareils des années 80 ont réussi à supprimer. En arrière-plan, le Fitz Roy. Au premier plan, cinq personnes souriantes sur un promontoire rocheux qui me parut familier. Je cherchai dans mon téléphone les photos de Laura et moi prises par les touristes sur le mirador du chemin de la Laguna de los Tres. C'était le même endroit.

L'homme le plus grand du cliché était Juanmi Alonso. Dans son éternel uniforme kaki, il indiquait le sommet avec la main. Près de lui posait mon oncle, un béret sur la tête, mais sans la moustache ni le fauteuil roulant dans lequel il était quand je l'avais baptisé Don Quichotte. Les trois autres formaient une famille. Un homme et une femme serrés l'un contre l'autre tenant entre eux un enfant d'environ quatre ans. L'homme, les cheveux clairsemés, portait des lunettes de soleil. La femme, grande et élégante, avait de longs cheveux qui lui tombaient sur les épaules.

Maintenant je comprenais le « tu es enfin revenu » de Danilo.

Maintenant la sensation de déjà vu avec le Fitz Roy prenait tout son sens, comme si nous nous étions rencontrés dans une autre vie.

J'observai le jeune couple et l'enfant. La façon de s'habiller et les corps avaient changé, mais les sourires et les regards étaient les mêmes. Cet homme et cette femme étaient mes parents. Et l'enfant entre eux, posant devant le Fitz Roy, c'était moi.

La montagne et moi ne nous connaissions pas d'une autre vie, mais de celle-ci.

CINQUIÈME PARTIE

L'HÔTEL MONTGRÍ

CHAPITRE 67

Julián

La sonnerie me tira de l'espèce de transe dans laquelle j'étais depuis presque une heure, relisant les lettres et observant la photo. Ce n'était pas le bourdonnement électrique de l'interphone, mais le *ding-dong* de quelqu'un qui appelle du palier, de l'autre côté de la porte.

Je collai un œil au judas et vis le visage de mon père déformé par la lentille.

– Je sais que tu es là, Julián. La clé est dans la serrure.

Dès que j'eus ouvert, il pénétra chez moi avec l'impétuosité d'un taureau. Mais en voyant les enveloppes ouvertes sur la table, il s'écroula sur une chaise comme si on l'avait débranché.

– Je crois qu'il n'y a plus de retour en arrière possible, papa, dis-je avec tout le calme que je pus réunir. Le mieux, c'est que tu me racontes tout. Je ne vais pas te juger, je te le promets. Mais maintenant j'en sais trop, et si tu ne me dis pas ce qui s'est passé, alors ce que je vais m'imaginer pourrait être pire que la vérité.

– Ça, c'est impossible.

– S'il te plaît, papa, fais-moi confiance.

Il lâcha un profond soupir, comme celui d'un enfant qui a longtemps pleuré, et acquiesça en hochant la tête de quelques millimètres à peine.

– Je ne saurais même pas par où commencer.

– Par le début.

– Là est le problème. Quand tout cela a-t-il commencé ?

– La dispute avec ton frère.

– Ça, c'est la fin.

– Pourquoi ne m'as-tu jamais dit que tu avais un frère ?

– Parce que je voulais que tu sois heureux, mon fils. Tant que tu ne saurais rien à propos de Fernando, tu resterais à l'abri de cette merde qui nous est tombée dessus.

Je le regardai dans les yeux sans rien dire. Il tordit les lèvres en un sourire amer et vida ses poumons.

– Comme tu le sais, ton oncle et moi avons été élevés dans une famille de la classe moyenne inférieure. Notre mère était femme au foyer et notre père, maçon. Ils émigrèrent en Argentine, mais là-bas ce fut pire qu'ici. Ils eurent Fernando à Buenos Aires et rentrèrent quand ma mère était enceinte de moi. Tu me donnes un peu d'eau ?

Je lui servis un verre. Il but avec le regard rivé sur la table basse, comme si ses souvenirs étaient inscrits dessus.

– À l'école primaire, il devint clair pour mes parents que j'avais des prédispositions pour les études. Un professeur leur dit qu'il connaissait le directeur de Santa María de los Desamparados et qu'il existait la possibilité que l'on m'octroie une bourse. Je débutais là-bas à douze ans. J'étais l'un des rares élèves dont les parents n'avaient pas beaucoup d'argent. Le collège était un lieu de haut standing, rempli d'enfants snobs qui n'avaient rien à voir avec moi.

– Tu n'as pas réussi à te faire des amis ?

– Si, Manel Castañeda, le fils de la cuisinière. C'est lui qui m'a offert le couteau.

– Quel couteau ?

Mon père inspira à fond, comme quelqu'un qui s'apprête à plonger au fond d'une piscine très profonde.

– En plus d'être très pauvre, j'eus la malchance de développer des traits plutôt féminins durant la puberté. Nez fin, cheveux frisés, des yeux qui paraissaient maquillés. À l'adolescence il y en avait même qui me prenaient pour une fille. Au collège j'eus droit à toutes sortes de brimades. Maintenant on appelle ça du harcèlement, *bullying* en anglais. Pourquoi crois-tu que je fais parfois des plaisanteries de mauvais goût et des remarques machistes ? C'est une sorte de tic qui me reste de l'adolescence. Une manière de me dire « bien sûr que tu es macho, Miguel. Il n'y a pas de doute ».

– Maman dit que tu étais très beau quand tu étais jeune.

– Oh, oui ! Tellement beau qu'ils m'appelaient « Petite princesse ».

Il prononça ces deux mots en crachant chaque syllabe, comme s'ils lui donnaient la nausée.

CHAPITRE 68

Il y a plusieurs années

Le couteau dans la poche intérieure de sa veste semble peser autant qu'un pavé. Quand il arrive chez lui, sa femme l'attend assise dans le canapé. Elle fait un signe pour qu'il ne parle pas trop fort et indique la porte de la chambre du petit.

– Que faisais-tu, Miguel ? parvient-elle à chuchoter juste avant que son regard se pose sur la main couverte de sang.

– Pardonne-moi, est tout ce qu'il arrive à articuler.

– Que s'est-il passé ?

Il en est sûr, s'il lui raconte la vérité, sa relation avec Consuelo sera terminée. Mais il ne se sent pas capable d'ajouter un autre secret à sa vie. Surtout pas avec elle. Alors il parle. Il raconte l'horreur déchaînée par l'insignifiant baiser avec Manel. Il lui confesse qu'avec ce qui s'est passé cet après-midi en sa présence, il n'a pas pu s'empêcher de les suivre. Et au fil des heures, la rage n'a fait qu'augmenter jusqu'à lui interdire totalement de réfléchir.

– Je te le jure, je n'ai pris le couteau que pour leur faire peur.

– Tu l'as tué ?

Il acquiesce.

Elle marche en silence d'un bout à l'autre de la salle à manger.

– Si ça s'est passé comme tu le dis, alors tu as bien fait.

– Je te le jure.

Elle s'approche de lui, le regarde droit dans les yeux quelques secondes, puis le prend dans ses bras. Durant un instant, dans la tête de Miguel, il n'y a plus de place ni pour le passé ni pour l'homicide qu'il vient de commettre. En ce moment, il pense que cette étreinte avec sa femme est peut-être la dernière avant qu'on ne le jette en prison. Il est possible qu'il ne sente plus jamais sa chaleur contre sa poitrine, qu'il ne voie pas son fils grandir. Mais il sait aussi que, même si le courant l'entraîne, il n'arrêtera pas de ramer tant qu'il en aura la force.

– Consuelo, nous devons partir.

– Où ?

– N'importe où. Il faut fuir. Je les connais, ils voudront se venger, dit-il en regardant sa main ensanglantée. Mon Dieu, qu'ai-je fait ? J'ai ruiné ta vie et celle de Julián.

– Attends, calme-toi.

– Je ne peux pas me calmer. Ça ne leur suffira pas de me voir derrière des barreaux. Ils vont frapper là où ça fait mal. Notre fils est en danger, tu comprends ? Et toi aussi.

Avant qu'il puisse ajouter un mot, la porte d'entrée s'ouvre. Il fait un pas en avant pour s'interposer entre la porte et sa femme. Il saisit le couteau et le pointe en avant. La lame tremble.

Une silhouette grande et trapue apparaît sur le seuil de la salle à manger. C'est son frère Fernando. Il est venu d'Argentine pour passer quelques jours de vacances avec eux. Ou plus exactement, il a passé quelques jours, car il semblerait que cette nuit et les suivantes il reste chez un ami à Barcelone.

– Fernando, que fais-tu ici ?

Mais son frère ne répond pas. Il regarde le couteau couvert de sang, Miguel le laisse tomber par terre comme s'il s'était changé en serpent.

– Que s'est-il passé ? À qui appartient ce sang ?

Il ne sait que répondre. Il ne peut pas.

– Miguel, mon chéri, je crois qu'il serait mieux que tu racontes tout à ton frère.

Sa femme a raison. Il ne peut pas cacher l'évidence. Et encore moins demain, quand la nouvelle du meurtre va sortir dans les journaux. Alors il s'effondre dans le canapé, comme si mille tuiles étaient tombées sur ses épaules.

– J'ai tué un homme, murmure-t-il.

Il suppose que son frère, qui en tant qu'aîné, a toujours cru avoir le droit de lui dire ce qu'il devait faire, va se mettre à crier. Mais Fernando se contente de hocher la tête, comme pour lui indiquer qu'il a compris cette première information et qu'il attend la suite.

Pour la seconde fois en une demi-heure, Miguel raconte ce qui s'est passé. Il ajoute quelques détails qu'il a oublié de mentionner à Consuelo. Ils l'écoutent en silence. Les seules interruptions sont ses propres sanglots.

– Dès qu'ils auront trouvé le corps, ils ouvriront une enquête, lui dit Fernando, comme si Miguel ne le savait pas déjà. Les amis de Codina vont parler de l'altercation dans le bar et la police va venir t'interroger.

Miguel ne met qu'un instant pour comprendre que sa vie va une nouvelle fois se briser. Et ce sera encore à cause des Loups. Ou peut-être est-ce de sa faute à lui, pour ne pas avoir eu le courage de les affronter quand il était adolescent et pour n'avoir pas su contrôler sa colère quatorze ans après. Il songe comme il est important que la justice arrive à temps. Si lui, ou quelqu'un d'autre, avait dénoncé son viol, est-ce que ce qu'il vient de commettre serait arrivé ?

– Pour moi, c'est fichu, dit-il. Je vais finir en prison. Le plus important, c'est de mettre Consuelo et Julián en lieu sûr.

– Quoi ? demande-t-elle.

Il reprend son souffle et la regarde, choisissant soigneusement ses mots.

– Ces gens obéissent à d'autres lois. Œil pour œil, dent pour dent. Ils ne vont pas se contenter de s'en prendre à moi, tu comprends ?

Il sait bien que sa femme comprend.

– Attends, intervient Fernando. Consuelo, tu m'as dit qu'ils t'ont proposé un travail à Barcelone, non ? Accepte-le.

– Tu crois qu'ils ne vont pas la retrouver dans Barcelone ?

– Tu les appelles et tu leur dis que tu acceptes le poste. Et demain, vous disparaissez tous les trois, mais vous n'irez pas à Barcelone.

– Où, alors ?

– À El Chaltén, avec moi.

– C'est de la folie, dit Consuelo.

Fernando indique la pièce qu'elle utilise comme bureau.

– Tu as fait les plans de mon hôtel, non ? Et bien maintenant vous allez m'aider à le construire.

Miguel considère ce qu'a dit son frère. Sur la table à dessin du bureau est toujours étalé le plan que Consuelo est en train de modifier depuis plusieurs jours pour l'adapter aux requêtes de Fernando. Il y a deux ans, quand il est parti pour El Chaltén, il lui a demandé les plans d'un hôtel qu'elle avait construit dans les Pyrénées. Il disait qu'il aimerait quelque chose de semblable pour son projet en Patagonie. Maintenant que Fernando est en vacances avant d'entamer la construction, il lui a proposé quelques changements.

– Peut-être que vous seriez venus une fois l'hôtel terminé. Ou pas, qui sait ? Mais à présent vous devez partir, pour protéger Julián.

– Potéger Ulián ?

Miguel regarde vers la porte qui donne sur les chambres. Son fils est là, sur le seuil, dans son pyjama avec les dinosaures.

– Viens, Juli, on va au lit, s'empresse de dire Consuelo, et elle le prend dans ses bras pour l'emporter dans la chambre.

Miguel a remarqué le regard de son fils dirigé sur ses mains, couvertes de sang.

CHAPITRE 69

Il y a plusieurs années

Les sept cierges éclairent à peine la pièce dans la vieille maison de campagne. Bien que ces faibles flammes soient incapables de réchauffer l'air frais de la nuit, Arnau Junqué a le visage brûlant. Pourtant, il n'est pas fiévreux. Cela fait une heure qu'il est là, assis immobile face à l'autel, et c'est bien la rage qui le réchauffe.

Il entend des pas dans son dos, mais il ne se retourne pas. Il distingue les voix de Mario, et de Gerard, qui entrent dans la pièce en invoquant le salut de toujours :

– *Lupus occidere uiuendo debet.*

– *Lupus occidere uiuendo debet*, répète Arnau.

Sans quitter l'autel des yeux, il caresse son anneau. Il ne reste plus que trois véritables Loups, avec un anneau en argent et l'inscription à l'intérieur. Les autres, les centaines de membres qui sont passés par la Fraternité au cours des décennies n'étaient rien de plus que des gamins venus pour picoler et baver, une babiole en laiton autour du doigt. Mais pas eux. Eux ils ont été les premiers à découvrir ce qu'être un véritable Loup signifiait. Et maintenant Pep Codina, un vrai parmi les vrais, est mort.

Il entend ses camarades ôter leurs manteaux. Ils s'assoient à ses côtés, se disposant à entamer une réunion très différente de celles qu'ils tiennent chaque mois dans cette maison abandonnée. Cette nuit, il n'y a ni animal à sacrifier, ni prostituée à humilier, ni psychotrope à consommer. La réunion d'aujourd'hui est aussi secrète que les autres – même les épouses de Gerard et Mario ne sont pas au courant –, mais mille fois plus importante.

Ils avaient convenu d'un rendez-vous il y a cinq heures, devant la grille du cimetière, après que le fossoyeur eut jeté la dernière pelletée de terre sur le cercueil de Pep Codina.

Il cesse de fixer l'autel pour se tourner vers ses camarades :

– Miguel Cucurell va le payer très cher. Personne ne s'en prend à un loup sans déchaîner la furie de la meute, et il ferme le poing pour regarder l'anneau. Qu'avez-vous dit à la police ?

– Ce dont nous avions convenu. Nous avons bu un verre dans le bar puis nous nous sommes séparés. Rien d'anormal.

– Aucune mention de la discussion avec Cucurell ?

– Aucune, répondent les deux autres à l'unisson.

Arnau Junqué sourit.

– Très bien. Nous allons régler ça à notre manière.

– Qu'allons-nous faire ?

Il comprend que ses deux camarades attendent une réponse. Maintenant que Pep n'est plus là, la meute a besoin d'un nouveau leader. Et un Loup n'arrive pas au sommet par vote ou par consensus. Un Loup mord.

– La seule chose que l'on puisse faire ; tuer Miguel Cucurell et toute sa famille.

– Comment allons-nous procéder sans être pris ?

– Je trouverai un moyen. En premier lieu, il faut laisser passer un peu de temps. La vengeance est un plat qui se mange froid.

CHAPITRE 70

Il y a plusieurs années

Fernando Cucurell n'a jamais été aussi heureux d'avoir payé ses impôts. Il va par les rues sans asphalte, le dossier contenant les reçus sous le bras et un large sourire sur le visage. Aujourd'hui vient de se terminer la demi-année sans impôts accordée gracieusement par la municipalité d'El Chaltén pour encourager son esprit d'entreprise. La semaine prochaine cela fera six mois que l'hôtel Montgrí a hébergé son premier hôte. Et presque deux ans que Miguel, Consuelo et Julián ont traversé l'océan pour venir vivre avec lui.

Dans un certain sens, son frère a eu de la chance. La police ne s'est jamais présentée le jour suivant l'assassinat de Pep Codina. Ni les autres jours. Ni jamais. Apparemment, personne ne l'a relié à la victime. Au lieu de finir en prison, Miguel vit avec sa famille dans un endroit paradisiaque, à l'autre bout du monde.

De temps en temps, l'ombre de ce qui s'est passé assombrit son visage et Fernando craint qu'il ne retombe au fond du puits de l'alcoolisme dans lequel il était avant de rencontrer Consuelo. Mais jusqu'à présent son frère reste fort.

Lui comme son épouse se sont révélés être d'excellents cohabitants et compagnons de travail. Et le petit Julián est un enchantement. Tous les quatre partagent la maison que Fernando a bâtie à l'autre bout du demi-hectare de terrain.

Durant l'année que prit la construction de l'hôtel, Consuelo supervisa les travaux, exécutés en majorité par

Miguel et Fernando. De temps en temps, ils étaient aidés par un maçon du village qui venait avec son fils Danilo pour qu'il joue avec Julián. Malgré la différence d'âge, Julián et Danilo s'entendent à merveille.

Dès l'ouverture du commerce, la famille essaie de s'adapter à son nouveau rôle d'hôtelier. C'est pour Consuelo que c'est le plus difficile. Elle aide à la réception et en cuisine en attendant que surgisse un nouveau projet. Ce ne sera pas facile parce que, même si El Chaltén est un village avec un énorme potentiel, il n'y a qu'une cinquantaine d'habitants permanents. Ici, une architecte a autant de clients qu'un marchand de parapluies dans le désert.

Le petit Julián, qui a maintenant cinq ans, est un des quatre élèves du jardin d'enfants du village, qui partage des bâtiments avec l'école primaire, la bibliothèque municipale et un centre de santé géré par une seule infirmière. Les après-midis, il gambade dans la cour de l'hôtel et le terrain attenant qui est, comme la majorité des terrains du village, totalement désert. Souvent il est rejoint par son ami Danilo.

D'un point de vue purement commercial, Fernando ne peut pas se plaindre. La popularité d'El Chaltén comme destination touristique ne cesse de croître d'une manière incroyable. Il y a chaque fois plus de visiteurs, argentins et étrangers, qui parcourent les cinq cents kilomètres d'une route en piteux état depuis Río Gallegos pour voir ce que certains ont déjà baptisé la capitale nationale du trekking. L'hôtel Montgrí propose, en plus d'un hébergement, des excursions dans la montagne. La randonnée star est, sans aucun doute possible, la sortie qui va jusqu'au glacier Viedma, l'un des plus grands au monde.

Tandis qu'il marche vers l'hôtel, Fernando Cucurell sourit en pensant à tout cela. Son rêve est devenu réalité et en même temps, il a évité que la famille de son frère explose en vol. Il est heureux.

C'est alors qu'il reste paralysé par ce qu'il voit. Le dossier qu'il portait sous le bras tombe au sol et le vent de Patagonie emporte les reçus de ces premiers impôts payés avec tant de joie. Trente mètres devant lui se trouve le seul restaurant du village, et par la porte sortent les trois dernières personnes qu'il aurait voulu voir à El Chaltén.

En premier, il reconnaît Mario Santiago. Il a les cheveux un peu plus courts, mais il est pareil que la dernière fois qu'il l'a vu, quand ils étaient adolescents. Ensuite, il identifie les deux autres. Le pire cauchemar de son frère est devenu réalité. Ces trois débiles sont venus de l'autre bout du monde pour venger la mort de leur compagnon de secte.

Il court vers l'hôtel le plus vite que ses jambes peuvent aller. Il trouve Miguel à la réception.

– Où sont Consuelo et Julián ?

– Dehors, ils jouent.

Il sort à toute vitesse. Il les trouve en train de taper dans un ballon sur le terrain vague d'à côté.

– Consuelo, rentrez à l'hôtel immédiatement.

– On peut savoir ce qui se passe ? demande Miguel qui l'a suivi.

– Écoutez-moi bien. Vous devez partir. Ils sont là.

– Qui ? l'interroge Consuelo.

Mais Fernando sait qu'il n'a pas besoin de donner d'explications. Il se dirige vers la réception en leur faisant signe de le suivre.

– Où pouvons-nous aller ? demande Miguel.

– N'importe où, mais loin d'ici. Pour le moment, cachez-vous dans la maison et n'en sortez sous aucun prétexte. Vous m'avez compris ? Sous aucun prétexte.

Fernando observe le couple et leur enfant traverser le couloir des chambres et sortir de l'hôtel par la porte de derrière. Quand il les perd de vue, il accroche sur le tableau de la réception un petit panneau triangulaire qui dit « Je reviens dans quelques minutes » et il se dirige vers l'entrée de l'hôtel.

– Fernando !

Derrière lui, c'est son frère qui l'appelle.

– Que fais-tu ici ? Tu ne m'as pas compris ? Tu dois te cacher sans attendre.

Miguel secoue la tête.

– Nous n'allons partir nulle part.

– Ils sont ici. Pourquoi crois-tu qu'ils sont venus ?

– Toi et moi le savons parfaitement.

Fernando lâche un soupir et regarde du coin de l'œil la réception de l'hôtel. Son cœur bat à mille à l'heure.

– Écoute-moi, dit-il.

– Non, toi écoute-moi.

D'une voix posée, Miguel explique son plan. Par la précision des détails, Fernando comprend qu'il le prépare depuis longtemps. Quand il a terminé, Fernando reste un moment silencieux, considérant ce que vient de lui exposer son frère.

– Non, dit-il. Je ne peux pas faire ce que tu me demandes.

– Et pourquoi ?

– Écoute, Miguel, ce que t'ont fait ces fils de putes est horrible. Mais tu ne peux pas assassiner des gens par vengeance.

– Il ne s'agit pas de vengeance, mais de survie.

– Si tu veux survivre, toi et ta famille devez partir d'ici et vous mettre en lieu sûr.

– En lieu sûr ? Si nous n'avons pas réussi à être en sécurité ici, dans un patelin perdu à l'autre bout du monde, où crois-tu que nous allons l'être ?

Fernando regarde son frère droit dans les yeux. Il espère y trouver de la rage, mais il n'y a là qu'une supplique.

– Je t'en prie, Fernando. Aide-moi, rien qu'une fois de plus.

CHAPITRE 71

Il y a plusieurs années

Fernando Cucurell sort de l'hôtel Montgrí et presse le pas en direction du restaurant où il a vu les Loups. Il les trouve à la sortie du village.

– Gerard ! crie-t-il en courant vers eux.

Gerard Marti se retourne. Fernando sait qu'il l'a reconnu car son regard est chargé de méfiance.

– Gerard, mon pote, qu'est-ce que tu fais là ? dit-il en les rejoignant. Mario ? Arnau ? Putain, quelle joie de vous revoir !

Il leur a parlé en souriant. Maintenant, il les prend dans ses bras, l'un après l'autre. Puis il leur serre la main et remarque que les trois portent l'anneau des Loups.

– Quelle... quelle coïncidence, bégaie Gerard Martí.

– C'est ce que je dis. Quelle coïncidence et quelle joie ! Quand êtes-vous arrivés ? Combien de temps allez-vous rester ? Je veux tout savoir.

– Eh bien nous venons d'arriver, il n'y a même pas une heure, répond Martí. Nous passons le temps pendant qu'ils préparent nos chambres à l'auberge.

– Pas question d'aller à l'auberge. Je suis le propriétaire du meilleur hôtel d'El Chaltén. Bon, c'est aussi le seul. Je vous y invite.

Tous trois secouent la tête.

– Ce serait avec plaisir, mais nous avons déjà payé là-bas, s'empresse de répondre Arnau Junqué.

– Aucun problème, l'arrête-t-il en repoussant l'argument d'un geste de la main. Juanmi, le gérant, est un ami. Je lui parle, il vous rend l'argent et vous vous installez dans mon hôtel. Et surtout, n'essayez pas de me payer ne serait-ce qu'un centime. Tant que vous êtes à El Chaltén, vous êtes mes invités. Ce n'est pas tous les jours que j'ai des visites de gens de mon village.

Il sourit à nouveau et donne une claque dans le dos de chacun, essayant de dissimuler le tremblement de ses jambes.

– Quelle joie, les gars ! Sérieusement, quelle joie. Allons voir Juanmi.

Sans attendre leur réponse, Fernando se dirige vers la sortie du village. Durant le trajet, les trois Loups essaient de le faire changer d'avis avec toutes sortes d'excuses, mais il parvient à se débarrasser de chacune d'elles avec élégance. En arrivant à l'auberge, il trouve Juanmi en train de poncer une planche devant l'entrée.

– Juanmi, tu ne vas pas le croire, dit-il en désignant les Loups. Ils sont de mon village ! J'aimerais les inviter à loger dans mon hôtel. Pourrais-tu leur rendre l'argent ?

– Si c'est Cucurell le Castillan qui me le demande, pas de problème.

– Merci, Juanmi.

– Ça ne va pas ? C'est la première fois que je t'appelle le Castillan sans que tu m'expliques la différence entre Castille et Catalogne.

– C'est l'émotion, se justifie-t-il en montrant ses compatriotes.

– Je ne savais pas que tu avais des sentiments, réplique Juanmi avec un sourire, puis il se tourne vers les Loups. Suivez-moi, je vais vous rembourser.

Fernando attend à l'extérieur pendant une quinzaine de minutes jusqu'à ce que les Loups sortent chargés de leurs bagages. Il remercie Juanmi et fait signe aux trois autres de le suivre. Au bout de cinquante mètres, il palpe les poches de son blouson, de son pantalon et secoue la tête.

– Le briquet. Il a dû tomber quand je me suis assis pour vous attendre. Je reviens dans une seconde.

Sans leur laisser le temps de répondre, il part en courant vers l'auberge.

– Sous quels noms se sont-ils enregistrés ? demande-t-il à Juanmi qui a repris le ponçage de la planche.

– Ce sont tes amis et tu ne connais pas leurs noms ?

– Allez, regarde les noms et dis-moi.

– Pas besoin de regarder. Juan Gómez, Pablo García et Carlos Ruiz.

– Tu leur as demandé des papiers d'identité ?

– Passeport, aux trois.

– Ils avaient des passeports avec ces noms ?

– Bien sûr, quels noms voulais-tu qu'ils aient ? John, Paul et Ringo ?

– Merci. Maintenant, donne-moi un briquet.

– Quoi ?

– Donne-moi un briquet.

– Qu'est-ce qu'il t'arrive aujourd'hui ? Tu es bizarre. Tu sais bien que je ne fume pas.

– Moi non plus, c'est pour ça. Allez, va chercher un briquet.

Juanmi secoue la tête et rentre dans l'auberge. Il revient avec un Bic rouge que Fernando lui arrache de la main.

– Ne parle de ça à personne. Je t'expliquerai plus tard, dit-il avant de repartir en courant.

En émergeant du rideau d'arbres qui encercle l'auberge, il soupire d'aise, les trois sont toujours là où il les a laissés. Il craignait qu'ils disparaissent à la moindre occasion, mais il devait s'assurer que leur voyage à El Chaltén n'était pas rien qu'une énorme coïncidence.

Ça ne l'était pas. Personne n'utilise un faux passeport pour faire du tourisme.

– Excusez-moi, les gars. Comme ils disent ici, je n'oublie pas ma tête parce qu'elle est accrochée au corps. Il leur montre le briquet pour se justifier puis leur indique le chemin. Ça fait combien de temps qu'on ne s'est pas vus ? Quinze ans ? Vingt ? La vie est incroyable. Quelles sont les probabilités que nous nous rencontrions à l'autre bout du monde ?

Ils répondent avec des phrases courtes et ambiguës. Fernando a du mal, mais il parvient à maintenir la conversation tout au long des cinq cents mètres qui séparent l'auberge de l'hôtel.

– Voici l'hôtel Montgrí, annonce-t-il quand ils arrivent enfin. Je lui ai donné ce nom en l'honneur de notre région.

Sourires tendus.

Les trois entrent dans le hall de réception. Fernando passe derrière le comptoir, range le panneau indiquant son absence et appuie les coudes sur la surface de bois. Il regarde les Loups.

– Normalement, c'est le moment où je demande les passeports des clients. Mais avec vous ce n'est pas la peine. En fait, je ne vais même pas vous enregistrer. C'est une chose de vous inviter, c'en est une autre de payer des impôts pour cela, dit-il en accompagnant sa phrase d'un clin d'œil.

Il se tourne vers les clés suspendues au mur. Elles sont toutes là, c'est la fin de la saison et l'hôtel est vide. Il en décroche trois et leur dit de le suivre. Après leur avoir montré les chambres, il les invite à prendre un verre de vin à la réception. Ils s'excusent, mais Fernando insiste jusqu'à ce qu'ils acceptent.

– Il y a aussi mon frère qui est là. Il a déménagé il y a quelque temps avec sa famille, vous le saviez ? demande-t-il en remplissant les verres.

En un geste qui paraît chorégraphié, les trois Loups haussent les épaules et plissent les lèvres, comme s'ils venaient de découvrir que Fernando a un frère. En Argentine, on dirait qu'ils dissimulent comme un chien qui vient de renverser une marmite.

– En ce moment, ils ne sont pas au village, leur explique-t-il. Ils ont un jeune enfant, Julián, et ils ont dû l'amener chez le pédiatre à Río Gallegos. Ils reviennent dans deux jours. Vous vous souvenez de mon frère Miguel, non ?

– Nous nous connaissions de vue, au collège Santa María de los Desamparados, dit Gerard Martí. Mais il a un an de moins que nous et nous n'avions quasiment aucune occasion d'être en relation. Du moins en ce qui me concerne.

– Moi non plus, dit Mario Santiago.

– Ni moi, ajoute Arnau Junqué.

– C'est un type génial, sûrement que vous allez bien vous entendre. Qu'avez-vous prévu pour El Chaltén ?

– Comme tout le monde, je suppose. Marcher dans la montagne.

Fernando agite les mains en l'air, leur faisant comprendre qu'ils n'ont rien à ajouter.

– Je vais vous emmener sur la randonnée la plus impressionnante de vos vies.

– Ce n'est pas nécessaire, Fernando, dit Martí. Loger dans cet hôtel, c'est déjà trop abuser de ton hospitalité.

– Pas du tout. Je le fais avec plaisir. Avez-vous déjà marché sur un glacier ?

Les trois Loups secouent la tête.

– C'est une expérience unique, ce n'est pas la peine d'en discuter plus longtemps. Demain matin à sept heures, nous partons là-bas.

CHAPITRE 72

Il y a plusieurs années

Fernando Cucurell gravit la pente de glace. Les lunettes de soleil et le bonnet en laine jusqu'aux sourcils camouflent sa nervosité. Son cœur bat la chamade. Cela fait quinze minutes qu'ils ont amarré la barque, et maintenant Gerard Martí et Mario Santiago le suivent sur le glacier. L'être humain le plus proche, calcule Fernando, est à vingt kilomètres à vol d'oiseau. Sauf qu'il y a un problème.

Seuls deux Loups sont venus à l'excursion. Arnau Junqué s'est réveillé avec une forte fièvre et des douleurs articulaires. Une banale grippe, s'est-il diagnostiqué. Avec cet imprévu, il aurait fallu annuler le plan.

Bien que Fernando ait marché une centaine de fois sur le glacier, celle d'aujourd'hui est la première où le paysage ne lui coupe pas le souffle. Il ne souligne pas la gamme des bleus, il ne compare pas le grondement de la glace au rugissement d'un monstre blessé, comme il le fait habituellement avec les touristes. Il ne sent même pas le froid sur son visage tandis qu'il arpente ce cube de glace dix fois plus grand que la ville de Barcelone. Aujourd'hui, toute son attention est centrée sur les quatre pieds qui font crisser la glace derrière lui. Si ça se passe mal, il n'a qu'un piolet pour se défendre.

Il se demande si la magie du lieu aura disparu pour toujours. Si, à partir d'aujourd'hui, chaque fois qu'il grimpera vers le Viedma, ses épaules se contracteront comme en ce moment et s'il songera au côté sombre de la nature humaine.

Il guide les Loups entre des murs de glace qui forment de profondes crevasses. Mario Santiago demande s'ils peuvent s'arrêter un moment pour se reposer.

– Bien sûr, répond-il. Nous sommes proches de mon endroit favori.

À peine a-t-il prononcé la phrase, qu'il retient son souffle. Un glacier est un fleuve de glace et, comme il le dit régulièrement aux touristes, on ne peut pas nager deux fois de suite dans la même eau. Il est impossible d'avoir un endroit favori, car chaque jour le glacier est différent. Mais les Loups ne se relèvent pas la gaffe.

Ils mettent dix minutes pour arriver à la petite cascade choisie par Fernando quelques heures plus tôt, quand il est venu avec Miguel. Le jet qui émerge de l'une des parois tombe dans une cavité bleutée d'un mètre de large qui avale l'eau avec un rugissement continu. L'endroit est réellement magnifique, mais ce n'est pas pour sa beauté qu'ils l'ont choisi, mais parce qu'il a la forme d'un amphithéâtre entouré de murs de glace aussi hauts que des maisons de trois étages. Ce qui se passe ici, seuls les condors peuvent le voir.

Il sort de son sac à dos une bouteille de whisky et trois verres. Fidèle à son rituel, accompli chaque fois qu'il conduit des gens jusqu'au Viedma, il sert la boisson et la rafraîchit avec la glace qu'il brise en se servant du piolet.

– À nos retrouvailles, dit-il en offrant un verre à chaque Loup.

– À nos retrouvailles, répètent-ils.

Ils trinquent. Fernando porte le verre à sa bouche, mais avant que le liquide n'entre en contact avec ses lèvres, il fait semblant de glisser sur la glace et laisse échapper le verre. Celui-ci explose à ses pieds, projetant des morceaux dans toutes les directions. Certains glissent plusieurs mètres sur la surface glacée et tombent dans le puits bleuté.

– Tu veux un peu du mien ? offre Mario Santiago.

– Non, ce n'est pas la peine. J'ai déjà fait ça mille fois. Savourez le vôtre.

Les Loups boivent.

– Ce n'est pas le meilleur whisky que j'ai bu, mais c'est avec le plus beau panorama, dit Gerard Martí. Ce site est unique.

Fernando acquiesce, tout en réfléchissant à la façon de procéder. Selon le plan, c'est le moment d'envoyer le signal à son frère – un cri de mariachi sous prétexte de voir comment la voix résonne sur la glace – pour qu'il sorte de sa cachette et fasse sa part du travail. Mais le fait qu'Arnau Junqué soit resté à l'hôtel complique tout. Il doit en avertir Miguel. C'est une chose de faire disparaître les trois Loups ici, au milieu de nulle part, c'en est une autre complètement différente de devoir revenir au village pour le troisième.

– Attendez-moi ici un instant. Je dois aller pisser, s'excuse-t-il.

Il contourne la grande colonne de glace derrière laquelle, il y a trois heures, il a laissé Miguel engoncé dans son épais anorak. Son frère n'est plus là. Il sait qu'il ne s'est pas trompé d'endroit car le sol est constellé d'empreintes de crampons. En les observant, il pense avoir découvert la raison de l'absence de Miguel.

Il y a une fracture dans la glace. Ce n'est pas encore une faille, ce n'est qu'une ligne, comme sur un pare-brise fissuré. Une veine sur le marbre bleuté. Il est allé suffisamment de fois sur le glacier pour savoir qu'il n'y a pas de danger, mais son frère ne le sait pas. Peut-être a-t-il eu peur et cherché un autre endroit où se cacher ?

Trop d'écart avec le plan initial pour que ça se termine bien, pense-t-il tandis qu'il revient vers les Loups. Les deux ampoules de diazépam ajoutées au whisky commencent à faire effet ; ils ont déjà du mal à articuler.

– Voulez-vous entendre comment la voix résonne sur la glace ?

Martí et Santiago acquiescent d'un geste fatigué. Fernando met ses mains en porte-voix, mais il n'a pas le temps de lancer le cri. Son frère sort de derrière une autre colonne de glace, la Winchester à la main.

– Salut, les connards. Vous me cherchiez ?

Il vise Mario Santiago et actionne le levier comme Fernando lui a montré la première fois qu'il l'a amené chasser le guanaco. Maintenant, la carabine est prête à tirer. Un des Loups secoue la tête et cligne des yeux comme s'il avait de la poussière dedans.

– Que nous as-tu fait boire ?

– Il vous reste environ cinq minutes avant de vous écrouler endormis, répond Miguel. Et, croyez-moi, personne ne se réveille d'une sieste sur un glacier.

– Que veux-tu ?

– La paix. Mais ce n'est pas possible, n'est-ce pas ? Ça ne vous a pas suffi de me pourrir la vie, en plus vous voulez me tuer pour venger cette merde.

Mario Santiago tente de se jeter sur lui, mais il le fait quasiment au ralenti. Miguel n'a aucun mal à l'éviter.

– Pep était notre frère et tu l'as poignardé à Torroella.

– Le même Pep qui m'a violé en 1975 ?

– Nous étions des gamins, dit Santiago.

– J'étais encore plus gamin que vous. Et vous avez détruit ma vie.

Sans ajouter un mot, Miguel presse la détente, la détonation se répercute sur les mille arêtes de glace. Mario Santiago s'écroule immédiatement et sous lui une tache rouge se répand comme la grenadine dans un cocktail.

Fernando entend une seconde déflagration, plus intense. C'est le bruit caractéristique de la glace qui se rompt. La balle qui a traversé Santiago a ouvert dans la paroi verticale une faille de la largeur d'un poing. Fernando estime sa hauteur à plus de six mètres. Si ce morceau de glace se détache, ils vont tous mourir.

Il n'a été distrait qu'une fraction de seconde pour comprendre cela, et son frère lui aussi a dû baisser sa garde. Gerard Martí saute sur Miguel avec une agilité anormale après le whisky trafiqué.

Le plaquage du Loup lui a fait lâcher la carabine. Tous deux roulent sur la glace en se frappant à coups de poing. Fernando se précipite vers l'arme, mais elle est tombée dans une crevasse qui n'était pas là l'instant d'avant. La glace est littéralement en train de s'ouvrir sous ses pieds.

Il soupèse les options. S'il reste là, il va mourir d'un instant à l'autre. Mais il ne peut pas abandonner son frère en train de se faire étrangler des deux mains par Gerard Martí.

Il se jette sur le Loup et commence à lui serrer le cou comme il serre celui de son frère. Mais Martí a plusieurs secondes d'avance. Miguel a les yeux qui lui sortent de la tête et il va perdre connaissance. Si Fernando ne change pas de stratégie, le premier à mourir sera son frère.

Il lâche le Loup et regarde autour de lui. Le piolet est trop loin. Ce qui est à sa portée, frôlant ses crampons, c'est un bloc de glace de la taille d'un panier à provisions. Le lever au-dessus de sa tête lui coûte énormément d'efforts, mais l'éclater en trois morceaux sur le crâne de Gerard Martí, beaucoup moins. La gravité est de son côté.

Le Loup tombe inerte. C'est à peine si un filet de sang suinte entre ses cheveux.

– Ça va ? demande-t-il à Miguel.
Son frère tousse et sèche les larmes dans ses yeux.

– Ça va, répond-il d'une voix rauque.

Fernando regarde Martí immobile sur la glace. Il a tué un homme. Peut-être pas. Peut-être est-il toujours en vie.

Avant qu'il puisse vérifier, le glacier rugit à nouveau. La faille dans la paroi est à présent aussi large qu'une personne. C'est la première fois qu'il sent la glace bouger sous ses pieds. En levant les yeux, il est certain que ce sera aussi la dernière.

Cela fait assez longtemps que Fernando vit à El Chaltén pour savoir que l'on ne peut pas prévoir quel sera le prochain bloc de glace à se détacher d'un glacier. Ceux qui paraissent ne tenir que par un fil peuvent mettre des jours à se décrocher, tandis que les parois apparemment plus solides ont l'habitude de s'effondrer sans prévenir. Cependant, le morceau en face de lui ne laisse aucune place au doute. Il le voit avancer au ralenti. Ils vont mourir écrasés.

Il attrape Miguel par le bras et ils détalent à toutes jambes par où ils sont venus. Il entend un grondement dans son dos, mais il ne perd pas de temps à regarder derrière lui. Il court encore plus vite, tirant son frère. Il sent un coup sec sur le talon. C'est l'un des mille morceaux de glace qui les doublent en glissant sur le sol comme des palets de hockey. À chaque instant, la plaque sur laquelle ils courent peut s'ouvrir, s'effondrer ou basculer de 180 degrés. Ce serait plus facile de s'échapper de l'estomac d'une baleine que de ce cratère congelé.

Ils montent par où ils sont descendus à une vitesse que seuls peuvent atteindre ceux qui fuient pour survivre. Fernando ne se retourne pas tant qu'ils ne sont pas parvenus au sommet, hors de danger. Il remarque alors que la cascade où ils se battaient trente secondes auparavant n'existe plus. Elle a été ensevelie sous une avalanche de glace de la taille d'un camion. Et avec elle, les deux Loups.

CHAPITRE 73

Julián

Je m'étais trompé quand j'avais dit à mon père que, s'il ne me racontait pas ce qui s'était réellement passé, ce que j'allais m'imaginer pourrait être pire. Mon cerveau n'aurait pas été capable de produire une histoire surpassant celle qu'il venait de me confesser. Jusqu'à aujourd'hui, je croyais que la partie la plus sombre de son passé avait été l'alcoolisme. À présent, je comprenais que cela n'avait été qu'une conséquence de la véritable horreur.

– Ça fait trente ans que je me demande ce que j'aurais pu faire d'autre. Avec eux, c'était tuer ou mourir. Ils agissaient en suivant leurs règles.

J'avalai ma salive. Je supposai que mon père lui aussi s'était demandé comment je réagirais si un jour j'apprenais ce qu'il avait fait. Si à cet instant je prononçais le mot de trop, je pouvais le détruire pour toujours.

– J'aurais fait la même chose, papa.

Ce fut comme si la phrase avait appuyé sur un bouton. Il enfouit la tête dans ses mains et se mit à pleurer comme jamais je ne l'avais vu faire. C'était un sanglot profond qui secouait tout son être. Un sanglot qu'il retenait depuis des dizaines d'années.

Je m'assis à côté de lui et lui caressai le dos. Parfois, il semblait pouvoir contrôler son chagrin et il essayait de parler, mais les sanglots revenaient sans qu'il puisse les contenir. Il balbutiait des paroles que je n'arrivais pas à comprendre, mais dont je devinais la signification.

– Tu as bien fait, papa, répétai-je plusieurs fois. Par moments, il acquiesçait et à d'autres, il niait.

Après des minutes interminables, les spasmes s'espacèrent et il parvint à sécher ses larmes. Quand enfin il releva la tête pour me regarder, il se toucha l'épaule.

– Je ne voulais pas que tu découvres que ces épaules supportaient le poids de quatre morts, Julián. J'ai tué deux personnes de mes propres mains. Et les autres, c'est comme si je l'avais fait.

Avec les deux premières, mon père se référait à Pep Codina à Torroella et Mario Santiago sur le glacier. La mort de Gerard Martí c'était, d'après ce qu'il venait de me raconter, mon oncle qui en était responsable.

Il prit une profonde inspiration et poursuivit son récit. Il m'expliqua ce qui s'était passé avec le quatrième Loup. Celui que j'avais découvert, trente après, dans l'hôtel Montgrí.

CHAPITRE 74

Il y a plusieurs années

Dans la chambre numéro sept, Arnau Junqué se réveille pour la quatrième fois de la matinée. Les rayons de soleil qui s'infiltrent à travers les volets tombent quasiment à la verticale. Sa montre indique midi et demi.

Il n'est pas couvert de sueur, comme les fois précédentes. À présent un froid profond s'est emparé de tout son corps et le fait frissonner. Malgré cela, il se sent plus solide qu'à sept heures ce matin, quand Fernando Cucurell a cogné à sa porte dans le but de le réveiller pour la randonnée sur le glacier.

Maintenant plus aucun bruit ne lui parvient de l'autre côté de cette porte. Il entend seulement le doux bruissement du vent sur la fenêtre... et son estomac. Il n'a rien avalé depuis plus de douze heures et, même avec de la fièvre, pour lui c'est incroyable.

Quand il se lève, il a mal à toutes les articulations. Entre ça et la fièvre, les symptômes sont clairs. Comme dirait son père, l'un des meilleurs médecins de Torroella de Montgrí, c'est une grippe *de mil dimonis*.

Il met des vêtements chauds et sort de la chambre. Il n'y a personne dans la salle à manger ni à la réception. Il fait tinter la clochette en bronze sur le comptoir, mais cela ne produit aucun effet. Il va même jusqu'à passer la tête par la porte va-et-vient de la cuisine, mais ici tout est calme, propre et ordonné. Il est seul dans l'hôtel.

Il allume un feu dans la cheminée de la salle à manger puis s'installe dans un fauteuil pour attendre. Bien qu'il sache que Fernando Cucurell est sur le glacier avec

Mario et Gerard, il suppose qu'il aura laissé quelqu'un pour s'occuper de l'hôtel durant son absence. Quelqu'un qui va revenir et qui pourra lui préparer à manger.

Quarante minutes plus tard, le bois dans la cheminée n'est plus que braises et son estomac a cessé de réclamer. Il envisage d'aller en cuisine se chercher à manger, mais il ne veut pas prendre le risque d'être surpris dans un endroit où il ne devrait pas être. Les choses étant ce qu'elles sont, moins il attire l'attention, mieux c'est.

Il retourne dans sa chambre et se couvre autant qu'il le peut de vêtements chauds, écharpe et bonnet de laine inclus. En partie pour le froid et aussi pour ne pas être reconnu. Il ne va pas commettre la même erreur qu'hier. Cela leur a déjà apporté bien trop de problèmes.

Il sort dans le tiède milieu de journée. Autour de lui, il y a environ une douzaine de maisons disséminées sur des parcelles désertes. Il se dirige vers l'entrée du village. Le bus avec lequel ils sont venus de Calafate hier les a laissés devant une construction qui fait office de restaurant, épicerie et station-service.

Il entre dans la salle et choisit la table du fond, près d'une fenêtre qui donne sur la rue. Trente secondes plus tard, la femme qui les a servis hier s'approche :

– Bonjour. C'est pour manger ?

– Oui.

– Il y a du ragoût avec des pommes de terre.

– D'accord.

– Eau ou vin ?

– Vin.

La femme acquiesce et part en cuisine.

Arnau Junqué regarde par la fenêtre le village immobile, comme mort. Il doit reconnaître que Miguel Cucurell a choisi l'endroit idéal pour se cacher. Mais malgré ça, il l'a retrouvé. Il sourit. Maintenant il suffit d'attendre que Cucurell rejoigne sa famille, et enfin il paiera pour le meurtre de Pep.

Le ragoût lui paraît très améliorable, mais la faim est la plus forte. À peine a-t-il eu le temps d'avaler deux bouchées qu'entre dans la salle un adolescent dégingandé avec un sourire niais imprimé sur le visage. Quand il marche, sa tête se balance comme celle de ces chiens en matière plastique que l'on met dans les voitures.

Sur les douze tables du restaurant, le gamin choisit la plus proche de la sienne. Dans son for intérieur, Junqué le maudit. Il a dû ôter son écharpe pour manger, et l'idée qu'on le voie de près ne lui plaît pas du tout.

La femme revient avec une nouvelle assiette de ragoût qu'elle pose devant le jeune.

– Danilo, tu laisses le monsieur manger tranquillement. On est d'accord ?

– Oui, Clara, dit le garçon. Puis il regarde Arnau Junqué, un sourire espiègle sur les lèvres.

En voyant cela, il se détend. L'adolescent souffre d'un retard mental.

– Clara n'aime pas que je dérange les clients, chuchote le garçon quand la femme s'est éloignée.

Junqué hoche la tête et continue de manger.

– Toi, ça te dérange si je te parle ?

Il regarde devant lui sans lui répondre.

– Où loges-tu ? À l'auberge des Parcs ou à l'hôtel Montgrí ?

– ...

– J'espère que c'est à l'hôtel. Fernando est un ami. Miguel aussi. Consuelo aussi. Julián aussi. Je les ai aidés à construire l'hôtel. Je tuais les fourmis.

En entendant cela, Junqué se tourne vers le garçon.

– Moi aussi je suis un ami de Miguel. J'ai très envie de le voir.

– Il ne va pas tarder à revenir. Il est parti tôt ce matin.

– Ce matin ?

– Oui.

Tout en mâchant, le garçon indique la rue avec le menton.

– Je vis en face de chez lui, dit-il après avoir avalé. Je l'ai vu sortir avec Fernando ce matin vers cinq heures.

– Tu en es sûr ?

– Tout ce qu'il y a de sûr.

Si ce que dit le gamin est vrai, Miguel n'a pas quitté le village comme l'a dit son frère. Où sont-ils allés tous les deux à cinq heures du matin, si à sept heures Fernando était de retour pour accompagner Gerard et Mario au glacier ?

Fernando Cucurell leur a menti. Lui et son pédé de frère leur ont tendu une embuscade et ils sont tombés dedans la tête la première. À l'heure qu'il est, ses camarades pourraient être morts. Il regarde l'anneau à son doigt. Peut-être qu'il est le seul Loup encore en vie.

– Je suis aussi un ami de Consuelo. Sais-tu où je peux la trouver ?

Le garçon arque les sourcils, comme si la question était la plus idiote du monde.

– Dans sa maison, à côté de l'hôtel.

– Et sais-tu si elle est au village ? Fernando m'a dit qu'elle avait prévu d'aller à Río Gallegos un de ces jours.

Le gamin hausse les épaules.

– Hier à midi, elle était toujours là.

Junqué hoche la tête, s'essuie la bouche avec sa serviette et se lève.

– Tu ne vas pas finir le ragoût ?

– Je n'ai plus faim.

– Je peux le manger ?

– Il est tout à toi, dit-il, et il avale son verre de vin rouge d'un seul trait.

– Ne bois pas si vite, tu vas te saouler.

Sans prendre le temps de lui répondre, il laisse un billet sur la table et sort du restaurant à toute vitesse.

Pendant qu'il marche vers l'hôtel, il se demande quelles possibilités il a d'aider ses camarades : aucune. Il ne sait pas comment aller jusqu'au glacier, et encore moins quoi faire une fois là-bas.

La réception de l'hôtel est toujours déserte. Il passe derrière le comptoir à la recherche du moindre détail lui fournissant une piste à suivre. Il feuillette les pages du registre des clients et vérifie que Fernando n'a pas enregistré son nom ni ceux de ses compagnons. Parmi les documents, il trouve un coupe-papier, mais il n'est pas aiguisé et pas assez long. Il le jette avec dédain sur le comptoir, puis il entre dans la cuisine où il empoigne le plus grand couteau qu'il trouve. Celui-ci fera l'affaire.

Il sort et se précipite vers l'autre extrémité de la parcelle. Juste avant d'arriver à la maison, il ralentit sa marche et continue à pas de loup. Il colle une oreille à la porte d'entrée et perçoit les pleurs d'un enfant. Il sourit. Il lève le poing pour toquer, mais se ravise. Il fait un pas en arrière et fracasse le bois d'un coup de pied.

La serrure cède et la porte s'affaisse à l'intérieur. Les pleurs de l'enfant cessent, remplacés par un cri de femme.

Elle est à table, face à deux assiettes de nourriture et deux verres de jus de fruits. Elle tient dans ses bras un enfant en pyjama de flanelle bleu. Il la reconnaît. C'est la même femme qui deux années plus tôt leur avait tenu tête dans un bar de Torroella, quelques heures avant que son mari assassine Pep Codina.

– Rebonjour, dit-il en montrant le couteau.

La femme le regarde avec ce mélange de peur et de haine qu'ont les victimes juste avant de recevoir le premier coup de griffe. Le petit, par contre, l'observe tranquillement.

– Si tu approches, je te tue, dit-elle en se levant avec l'enfant dans une main et une fourchette dans l'autre qu'elle brandit en l'air.

Junqué sourit et fait un pas en avant.

– Donne-moi l'enfant et il ne t'arrivera rien.

– Fils de pute.

Il sourit de nouveau et hoche la tête. C'est la réaction qu'il attendait. Défendre sa progéniture jusqu'à la mort s'il le faut. Comme une louve.

– Que veux-tu ? demande-t-elle sans lâcher l'enfant. Elle le défie du regard. Son ample poitrine monte et descend au rythme de sa respiration agitée.

L'arrogance de la femme ne l'impressionne pas. Au contraire, elle l'excite. À cet instant, Arnau Junqué oublie la fièvre et ses amis. À présent son corps ne conçoit qu'une seule idée : la pénétrer.

– Je te propose un marché. Tu enfermes l'enfant dans sa chambre et tu viens ici, dit-il en mettant la main sur son entrejambe qui commence à durcir.

La femme reste pétrifiée.

– Tu veux sauver ton enfant ? Je te dis comment.

Elle paraît le comprendre, car elle acquiesce de la tête. Il est un peu déçu. Il pensait qu'une femme comme elle offrirait plus de résistance. Son entrejambe perd de sa dureté.

– D'accord. Je reviens tout de suite, dit-elle en s'avançant vers une porte qui semble conduire vers le reste de la maison.

La suite se déroule en une fraction de seconde. D'un geste rapide, la femme saisit quelque chose sur la table et le lui jette au visage. C'est un liquide froid qui brûle les yeux comme de l'acide. Il lui faut une seconde pour reconnaître l'odeur. C'est du jus d'orange.

– Viens ici, pétasse, dit-il en se jetant sur elle à l'aveugle.

La femme parvient à l'éviter, sort de la maison en courant avec l'enfant dans ses bras et appelle à l'aide à grands cris. Arnau Junqué s'essuie les yeux avec sa manche et part à sa poursuite. Il ne lui faut pas longtemps pour la rattraper. Il la saisit avant qu'elle n'arrive à la grille et, avec un large sourire, lui met le couteau sous la gorge.

CHAPITRE 75

Il y a plusieurs années

Consuelo Guelbenzu Otchotorena n'a jamais eu aussi peur de toute sa vie. L'homme qui appuie le couteau sur sa gorge et la ramène vers l'hôtel mesure près de deux mètres et a des bras de la taille de ses cuisses. Elle sait que si elle veut sauver sa vie et celle de Julián, qu'elle serre dans ses bras, elle doit se libérer de cet homme. Mais elle ne voit pas comment faire.

Ils entrent dans la réception. Sans la lâcher, le type ferme la porte à clé. Elle profite du fait qu'il ne la regarde pas pour prendre le coupe-papier qui est sur le comptoir. Ensuite, il la balade dans toute la réception pour tirer un à un les rideaux de chaque fenêtre.

En arrivant à la dernière, Consuelo voit, à deux cents mètres dans la rue, la camionnette de Fernando qui approche. Elle ne sait pas si c'est une bonne ou une mauvaise nouvelle. Dans deux minutes, son mari et son beau-frère entreront dans l'hôtel. Si à ce moment-là l'homme tient toujours le couteau appuyé sur sa gorge, il pourra les manœuvrer à sa guise.

Elle doit réfléchir vite.

– Pourquoi tu ne me dis pas ce que tu veux une fois pour toutes ? demande-t-elle.

– Ce que je veux faire est une chose. Mais ce qui est important, c'est ce que je dois faire. Ton mari a tué quelqu'un qui m'était très proche. Plus qu'un frère.

– Alors, règle tes comptes avec lui et laisse-nous partir.

Arnau Junqué éclate de rire. Consuelo regarde autour d'elle, cherchant un moyen de s'échapper. La salle, qu'elle-même a dessinée, ne lui fournit aucune solution. Même si elle n'avait pas le petit Julián collé à elle comme une sangsue, elle ne saurait pas quoi faire.

La poignée de la porte pivote. De l'autre côté, Fernando, ou bien Miguel, est en train d'essayer d'ouvrir. Son agresseur lui aussi le remarque, sa surprise fait que le couteau s'écarte de quelques centimètres de la peau. Elle sait qu'elle n'aura pas d'autre opportunité. Elle lui plante le coupe-papier dans la cuisse et lui mord le poignet. L'homme lâche un grognement et ouvre la main, laissant tomber le couteau.

Elle recule avec Julián dans ses bras en même temps qu'elle entend un bruit de verre brisé. Son mari et son beau-frère entrent par la fenêtre et se jettent sur le Loup. Mais l'homme, qui s'est arraché le coupe-papier, saisit un tisonnier près de la cheminée et frappe Fernando à la tempe.

Depuis un coin de la salle, Consuelo voit son beau-frère s'écrouler, inconscient, comme une marionnette à laquelle on a coupé les cordes. L'avantage de deux contre un s'évanouit. Miguel ne pourra jamais gagner un combat à mains nues contre ce colosse qui le dépasse d'une bonne tête. Elle doit l'aider, mais ne veut pas exposer Julián.

Elle s'enfuit par le couloir des chambres en direction de la porte à l'arrière de l'hôtel. Elle a l'intention de sortir pour demander de l'aide, mais elle comprend vite que si elle perd ces précieuses secondes, son mari pourrait ne pas survivre.

Elle s'arrête devant la dernière chambre et ouvre la porte.

– Maman te laisse là, mais elle revient tout de suite te chercher. C'est d'accord, mon amour ?

Julián secoue la tête et se met à pleurer, s'agrippant à la jambe de Consuelo. Elle se sépare de son fils, bloque le système d'ouverture de l'intérieur et ferme la porte. Elle voit la poignée tourner frénétiquement à droite et à gauche, mais Julián n'arrive pas à ouvrir.

Quand elle revient dans la salle à manger, Arnau Junqué a plaqué son mari au sol. À chaque coup de poing qu'il reçoit, Miguel crache du sang et des dents. Consuelo sait qu'il n'y a pas d'autre solution, elle doit ramasser le couteau et le planter de toutes ses forces dans le dos du type. Mais elle a deux problèmes. Le premier : la peur qui empêche ses jambes d'obéir à son cerveau. Le second : pour atteindre le couteau, qui est de l'autre côté de la pièce, elle doit passer dangereusement près de Junqué.

Miguel encaisse un autre coup et une nouvelle dent roule sur les lattes du parquet. Si elle ne fait rien, son mari va mourir.

Elle arrive enfin à avancer. Elle passe dans le dos de Junqué, qui par miracle ne la remarque pas, et ramasse le couteau. Sa main tremble.

Elle fait un pas, mais une voix la paralyse.

– Maman !

Julián est à la porte du couloir. Il n'a mis que quelques secondes pour déverrouiller le loquet de sécurité qui bloquait la porte de l'intérieur.

Son fils court maintenant vers elle.

– Non, Julián !

Si le cri sert à quelque chose, c'est à avertir Arnau Junqué. Quand Julián passe près de lui, il lâche Miguel et l'intercepte. Son fils donne des coups de pied et pleure en l'appelant.

– Laisse-le ! crie-t-elle à s'en déchirer la gorge.

Junqué sourit et s'approche d'elle, tenant fermement Julián sous un bras.

À nouveau, un bruit de verre brisé. Son mari s'est relevé et vient de casser une bouteille contre une table. Il la tient par le goulot et la brandit.

– Lâche mon fils, tas de merde !

Arnau Junqué se tourne vers Miguel et lui dit quelque chose qu'elle n'arrive pas à comprendre – et qui ne l'intéresse pas. En cet instant, ce qui compte, c'est que le Loup lui tourne le dos. Elle se jette sur lui et plonge la lame dans un rein.

Julián tombe par terre et court vers son père. Junqué se retourne et la saisit par le cou d'une seule main ; elle ne peut plus respirer. Avec son autre main, il essaie d'attraper le bras qui tient le couteau. Elle l'agite, lui lacérant plusieurs fois la paume, jusqu'à ce qu'elle parvienne à lui plonger la lame dans le ventre.

La pression sur son cou diminue et l'homme tombe à ses pieds. Il ne parle plus ni ne la regarde plus. Il emploie toute son énergie à compresser la plaie.

Elle court vers Miguel et le prend dans ses bras, ils maintiennent Julián entre eux pour qu'il ne voie pas l'homme en train de perdre son sang à quatre mètres de lui. Elle sait qu'ils doivent partir de là, sortir l'enfant de cette salle infestée de violence. Mais elle a les pieds cloués au sol. Elle ne peut partir sans s'être assurée que cette ordure est bien morte. Son mari lui confie Julián et s'agenouille près de Fernando qui revient à lui.

Quand son beau-frère finit par se mettre debout, la première chose qu'il demande est :

– Vous allez bien ?

Consuelo acquiesce et regarde autour d'elle. Il y a du sang partout et Arnau Junqué ne bouge plus. Tout est fini.

Du moins c'est ce qu'elle croit, jusqu'à ce qu'une voix brise le silence.

– Que s'est-il passé ?

C'est Juanmi Alonso qui pose la question. Il a la moitié du corps penché par la fenêtre cassée par Fernando et Miguel. Derrière lui, il y a Danilo. En voyant Consuelo couverte de sang et Junqué inerte dans une mare de sang, ils restent pétrifiés.

– Il est mort ? demande Danilo.

Fernando se précipite vers eux et les éloigne de la fenêtre. Elle, cramponnée à Julián, observe son mari. Il a le regard perdu dans tout ce sang répandu sur le sol de l'hôtel qu'ils ont bâti de leurs propres mains.

Ils sont fichus, pense Consuelo. Dans peu de temps ils la mettront dans une cellule, séparée de Julián et de Miguel, dans un pays qui n'est pas le sien. Elle soulève Julián et part en courant par le couloir vers la porte arrière de l'hôtel. Elle traverse le pré, regardant dans toutes les directions, et s'enferme dans la maison que sa famille a partagée avec Fernando durant un an et demi, quand ils croyaient qu'il était possible d'être heureux.

CHAPITRE 76

Il y a plusieurs années

Encore un peu étourdi par le coup sur la tempe, Fernando explique en quelques mots à son ami Juanmi ce qui s'est passé. Il lui répète plusieurs fois que c'était de la légitime défense. Que ces hommes étaient venus pour tuer son frère.

– Ce type était un monstre. Je te le jure sur notre amitié, Juanmi. J'ai besoin que tu m'aides à garder le secret, s'il te plaît. Et à leurrer Danilo pour que, s'il raconte quelque chose, on ne le croie pas.

Le jeune Danilo est assis à plusieurs mètres de là, sur la barrière en tronc de l'hôtel. Il regarde le sol entre ses pieds. Pourvu qu'il soit en train de chercher des fourmis et qu'il ne pense pas à ce qu'il vient de voir, pense Fernando.

Quand Danilo est revenu pour demander si l'homme était mort, Fernando lui a dit que non, qu'il s'était cassé la figure parce qu'il était saoul, et qu'en tombant il s'était cogné le nez qui avait beaucoup saigné. C'est une explication ridicule, mais c'est la première qui lui est venue à l'esprit. Par chance, le cerveau insondable du jeune paraît l'avoir acceptée, il dit que lui-même a vu Junqué boire beaucoup de vin.

– Nous, on ne sait rien, Fernando, lui dit Juanmi en le regardant droit dans les yeux. Si quelqu'un pose des questions, nous n'avons rien vu.

– Tu me le jures ?

– Je te le jure.

Fernando serre son ami dans ses bras en le remerciant. Il lui demande d'emmener Danilo et de le distraire. Qu'il essaie de voir s'il est tracassé par ce qu'il a vu ou s'il a avalé le mensonge.

Quand il se retourne pour revenir à l'hôtel, tous les volets sont tirés. En essayant d'ouvrir la porte de la réception, il la trouve fermée à clé. Il doit frapper plusieurs fois avant que Miguel vienne lui ouvrir.

Le cadavre d'Arnau Junqué est toujours là, encerclé par une flaque brillante qui continue de s'étendre. Miguel marche de long en large, la tête basse, comme un animal en cage.

Fernando pense à son futur. Ou, plus exactement, au futur qu'il n'a pas. Il regrette d'avoir accepté d'aider son frère. Il a su que c'était une mauvaise idée dès le moment où Arnau Junqué a refusé d'aller sur le glacier. Ils auraient dû annuler le plan, mais Miguel a sorti le fusil avant qu'il ait pu l'informer des changements.

– Pourquoi as-tu changé d'endroit sur le glacier ?

– Il y avait une fissure dans la glace. Quelle importance ? répond-il sans le regarder ni cesser de marcher.

– Si tu n'avais pas bougé de là où je t'avais laissé, j'aurais pu te prévenir que Junqué était resté à l'hôtel, dit-il en indiquant le cadavre.

– Qu'est-ce que ça change maintenant, Fernando ?

– Ça change que nous aurions pu chercher une autre façon de les liquider dans un endroit éloigné, comme c'était prévu.

– Tu crois que nous aurions eu une autre opportunité ? Ne sois pas naïf. Et calme-toi, j'ai besoin de réfléchir.

– Comment veux-tu que je me calme ? Ta femme a tué un homme dans mon hôtel ! Et il y a deux témoins.

En élevant la voix, une douleur explose sur le côté de sa tête, là où il a reçu le coup. Il ferme les yeux et serre les dents pour passer le pic de douleur. Quand il rouvre les yeux, Miguel a arrêté sa déambulation, il lève le regard vers lui.

– Consuelo a défendu Julián. Elle ne pouvait pas savoir que Danilo et Juanmi entreraient juste à ce moment-là. À sa place, n'importe qui aurait réagi de la même façon. Si tu avais des enfants, tu comprendrais ça.

Fernando sait qu'au fond son frère a raison, mais la rage et le mal de tête l'aveuglent totalement. La seule chose qu'il est capable de voir à travers ce voile de colère, c'est que l'hôtel Montgrí, son rêve de toujours, est en train de lui filer entre les doigts comme du sable.

– Désolé, je n'ai pas d'enfants.

– Et c'est bien dommage ; ça ne te ferait pas de mal d'avoir dans ta vie quelque chose qui compte plus que ton hôtel.

– Qu'est-ce que tu dis ?

– La vérité, Fernando. En ce moment, tu ne penses qu'à toi. Tu crois que j'ai ruiné ta vie et tu n'es pas capable de te rendre compte que tu n'es pas le seul à être dans le pétrin jusqu'au cou.

Il inspire profondément pour essayer de retrouver son calme, mais le self-control n'a jamais été son fort.

– Tu veux dire que je ne suis qu'un égoïste ? dit-il sans élever la voix pour éviter d'amplifier la douleur. Je vous ouvre la porte de ma maison et vous donne, à toi et ta famille, l'opportunité de tout recommencer, et pour finir je suis un égoïste. Sans moi, tu serais en train de pourrir en prison.

– Eh bien, regarde à quoi ça a servi.

– Tu es un imbécile. Et ta femme encore plus.

Le mal de tête s'intensifie au maximum. Il a l'impression qu'on lui transperce la tempe.

– Que soit maudit le jour où je vous ai proposé de venir chez moi.

– Tu crois que ça nous a amusés de nous terrer comme des rats ? Que ça nous a fait plaisir de nous arracher de nos vies pour nous transporter à l'autre bout du monde ?

– Alors tu aurais dû éviter de poignarder une personne.

– Ces fils de putes ont gagné leur place en enfer depuis seize ans !

Fernando regarde son frère dans les yeux. S'il était capable de penser, il se tairait. Mais il ne peut pas. La douleur et les nerfs se sont emparés de lui et le forcent à creuser plus profond.

– Tu ne vas jamais prendre tes responsabilités, ne serait-ce qu'un minimum ? dit-il.

– Responsabilités ? De quoi parles-tu ?

– Tu t'es laissé passer dessus, Miguel.

– Comment peux-tu me dire ça ? Espèce de connard.

– Si tu n'avais pas joué au pédé et si tu t'étais défendu à l'époque, rien de tout cela ne serait arrivé.

Il n'a pas le temps d'éviter le coup de poing de Miguel. Une douleur, différente, plus aiguë, mais moins dangereuse, remonte par le nez jusqu'au sommet du crâne. Il se prend le visage dans les mains et note le goût de sang dans sa bouche.

– Qu'est-ce que tu ne comprends pas quand je te dis qu'ils étaient quatre et que je ne pouvais pas bouger un doigt ? Tu crois que ça m'a plu quand ils m'ont attaché et qu'ils sont passés l'un après l'autre ? Tu sais ce que j'ai ressenti ?

– Et tu penses être la seule personne au monde qui a eu des problèmes et que ça te donne le droit de détruire ma vie ? Toi tu vas partir avec ta famille, fuyant comme tu l'as déjà fait. Mais moi je vais rester ici, et tôt ou tard on va découvrir la mort de ces types, pour peu que Juanmi et Danilo gardent le silence. Et alors c'est moi qui pourrirai en prison et pas toi, et je penserai à toi et te haïrai. Je te haïrai encore plus que maintenant.

– Tu n'as pas la moindre idée de ce que tu es en train de dire, répond Miguel en prenant le couloir pour sortir par la porte de derrière.

CHAPITRE 77

Julián

– Comment est-il possible que je n'aie aucun souvenir de tout cela ?

– Tu n'avais que cinq ans.

– Il y en a qui ont des souvenirs beaucoup plus anciens.

Mon père acquiesça comme s'il attendait cette question.

– À quel âge as-tu commencé à perdre tes cheveux ?

– Vingt ans, mais quel est le rapport entre la calvitie et la mémoire ?

– Aucun. Mais certains perdent leurs cheveux à quarante ans, et d'autres, les plus chanceux, jamais. Il y a des grands et des petits. Si tu vas à la plage, tu vois de la cellulite et des culs plats, des peaux brunes et des blanches, des dos poilus, des cicatrices.

Mon père fit une pause pour se toucher la tempe avec l'index.

– Là aussi, nous sommes différents, mais comme ça ne se voit pas, c'est plus difficile à comprendre. Il y en a qui se souviennent dès trois ans, d'autres qui n'ont pas d'images précises avant sept ans.

– Comment saviez-vous, toi et maman, que je n'aurais aucun souvenir ?

– Nous ne le savions pas. On s'en est rendu compte avec le temps. Nous parlions de moins en moins d'El Chaltén et de ton oncle Fernando. Nous avons même consulté un psychologue qui nous a dit que chez les enfants de cet âge il est normal d'oublier les anciens souvenirs pour laisser la place aux nouveaux. Tu as eu deux ou trois autres consultations, et sa conclusion fut encourageante : tu ne montrais aucun signe de traumatisme.

Ce que mon père voulait me dire, même s'il ne le formulerait jamais avec ces mots, c'était que j'avais eu de la chance de n'avoir gardé aucun souvenir. Et il avait raison. D'après ma mémoire, le pire que j'avais vécu au cours de mon enfance, c'était d'avoir eu un père alcoolique pendant des années.

– Tu comprends maintenant pourquoi je ne t'ai jamais parlé de ton oncle ? Mon frère Fernando est le début d'un écheveau de problèmes, et je n'ai jamais voulu que tu le démêles, Julián. Je t'ai protégé de mon secret pour que tu ne saches pas ce qui s'est passé. Pas par honneur, ni par honte, mais pour que cette douleur et cette rage meurent avec moi et ne te soient jamais transmises.

Il me regarda dans les yeux et m'adressa un sourire amer, rempli des fausses dents qui remplaçaient celles perdues dans un accident de voiture entre Barcelone et Bilbao. Du moins c'est ce que je croyais jusqu'à aujourd'hui.

– Tu penses que Fernando m'a laissé l'hôtel pour que je connaisse la vérité.

– C'est le plus probable. Et il savait ce que tu allais trouver à l'intérieur.

– Pourquoi voulait-il que je sois au courant de cette histoire ?

– Pour nous aider.

– Aider qui ?

– Moi, toi et ta mère.

– Que veux-tu dire ?

– Depuis que Fernando sait ce que les Loups m'ont fait, il attribue tous mes problèmes à cela. Mon alcoolisme, les hauts et les bas avec ta mère, la perte d'un travail... pour lui, mon grand problème, c'est d'avoir gardé pour

391

moi ce qu'il m'était arrivé. Il croyait que si je laissais sortir la vérité au grand jour, je serais plus libre et plus heureux.

– Comment sais-tu ce qu'il croyait si vous ne vous parliez plus ?

– Jusqu'à ce que nous quittions El Chalten, il me l'a dit à chaque fois qu'il en a eu l'occasion. Et il me l'a répété la seule fois où je l'ai revu.

– Quand tu es allé à son restaurant en 1995.

– Oui. Fernando était une autre personne. Il était dans un fauteuil roulant et dirigeait ce grill. Il avait l'air heureux. Moi, cela faisait plusieurs jours que je plantais devant le restaurant sans trouver le courage de lui parler. Je ne savais pas trop quoi lui dire. Je n'étais pas dans mes meilleurs jours, comme tu le sais maintenant. Durant une moitié de la journée, j'étais trop ivre pour avoir les idées claires et durant l'autre, la gueule de bois et l'envie de boire ne me laissaient pas en paix.

– As-tu appris ce qui s'est passé entre le moment où nous sommes partis d'El Chaltén et le jour où tu l'as revu ?

– Avec le temps, j'ai réussi à réunir quelques éléments de l'histoire.

CHAPITRE 78

Il y a plusieurs années

Fernando Cucurell a perdu la notion du temps. Il est assis dans un des fauteuils de la réception, le bout de ses chaussures à quelques centimètres de la mare de sang qui s'étale autour du cadavre d'Arnau Junqué. Il est incapable de dire s'il est là depuis quinze minutes ou une heure.

Probablement, une heure. Peut-être plus, parce que cela fait un bon moment qu'il a entendu le moteur de la voiture de son frère qui s'éloignait par la rue principale.

Le mal de tête s'est calmé et maintenant il n'arrête pas de penser aux horreurs qu'il vient de dire à Miguel. Comment son frère peut-il être tenu pour responsable de ce qu'il a subi ? Mais Fernando Cucurell n'est pas de ceux qui reconnaissent s'être trompés, il est de ceux qui préfèrent traîner éternellement les conséquences de leurs erreurs.

Dans tous les cas, ce qui compte maintenant, c'est de survivre. Effacer tous les indices de la présence des Loups dans son hôtel. Ceux du glacier, il n'y a pas à s'en préoccuper ; il peut se passer des années avant qu'ils émergent de la glace, s'ils émergent. Mais pour celui qui est en face de lui, c'est une autre histoire.

Si Juanmi et Danilo ne l'avaient pas vu, ce serait différent. En réalité, si Danilo ne l'avait pas vu. Ce gamin est trop pur pour mentir. La seule façon de procéder pour qu'il ne parle pas, c'est de lui faire croire que ce qu'il a vu n'a pas d'importance. Fernando trouvera bien comment y arriver.

Dans l'immédiat, il faut se débarrasser du cadavre.

Il vide ses poumons et se met debout. Il prend Junqué par les chevilles et le tire. Le déplacer requiert toutes ses forces. S'il n'avait pas passé les dernières années à construire l'hôtel, ses muscles n'auraient pas été capables de bouger ce corps d'un seul centimètre.

Il lui faut une vingtaine de minutes pour traîner le cadavre jusqu'au pied du lit de la seule chambre avec une cave. À l'origine, la cuisine devait être plus grande et avoir une cave, mais il y a eu un changement lors de la construction et la cave s'est retrouvée sous la chambre numéro 7. Fernando ne l'a jamais utilisée.

Il tire sur l'anneau qui permet de soulever une trappe carrée révélant un petit escalier qui se perd dans les ténèbres. Ce qu'il se prépare à faire est irréversible. S'il pousse le corps, il ne lui sera plus possible de le remonter. C'est pour cela qu'il s'accorde quelques minutes pour reprendre son souffle et réfléchir.

La cave ne figure pas sur les plans de l'hôtel. Les seuls à connaître son existence sont lui, Miguel et Consuelo. Le sol est en terre et il lui serait possible d'enterrer Junqué. Plus tard, il pourrait même apporter de la terre de l'extérieur et ainsi combler entièrement la cave pour qu'elle n'existe plus.

Il pousse le corps qui tombe avec le bruit d'un sac de pommes de terre. Il referme la trappe. Sur le sol, il y a une large traînée de sang, comme si quelqu'un avait peint le chemin qui va de la réception à la chambre. Il lui faut une heure pour nettoyer le sang avec une serpillière, de l'eau et beaucoup de désinfectant.

Il retourne s'asseoir dans le canapé. Là où, quelques instants auparavant, il y avait un cadavre, du sang et plusieurs dents de son frère, à présent il ne reste que des traces d'humidité et une forte odeur d'ammoniaque. Un whisky lui ferait le plus grand bien, mais il doit garder toute sa lucidité durant les heures qui vont suivre. Il se contente d'un thé noir bien fort.

Il boit le liquide brûlant tout en se demandant combien de temps la police va mettre pour frapper à la porte de l'hôtel. Des heures ? Des jours ? Des mois ? Fernando Cucurell sait qu'en faisant disparaître le cadavre il gagne du temps, mais il n'est pas assez bête pour croire que ces trois crimes resteront cachés pour toujours. Ces gens ont une famille qui tôt ou tard va les réclamer.

Il ne boit que la moitié de son infusion et va de chambre en chambre récupérer les bagages des trois Loups. Il repense à son frère, à Consuelo et surtout au pauvre Julián. Le reverra-t-il ? Maintenant que l'adrénaline l'abandonne, une sensation de terreur s'empare de lui. Non pour son implication dans la mort de ces trois monstres – Darwin serait fier – mais à cause des horreurs qu'il a dites à son frère dans le seul but de le blesser. Il a fait passer son hôtel en premier et laissé au second plan ce qui a marqué Miguel à vie.

Il s'assure de la fermeture de tous les volets puis sort. Il verrouille l'hôtel et la maison et se prépare à faire ce qu'il n'a jamais fait auparavant : demander pardon.

CHAPITRE 79

Il y a plusieurs années

Fernando grimpe dans la camionnette et appuie si fort sur l'accélérateur que les roues dérapent. Les chiffres verts de l'horloge du tableau de bord indiquent 20:14. Cela fait au moins deux heures que son frère est parti avec Consuelo et Julián, sûrement vers Río Gallegos. Ce sera difficile de les rattraper, mais il va essayer.

Ce n'est qu'en passant sur le pont du Río Fitz Roy qu'il réduit sa vitesse. C'est la troisième fois de la journée qu'il sort d'El Chaltén par la route 23. La première, c'était pour amener Miguel sur le glacier. La seconde, pour lui livrer les Loups.

Il reste au maximum une demi-heure de jour. Comme pour Miguel et sa famille, quand il arrivera à Río Gallegos il fera nuit. Et s'il parvient à se faire pardonner, peut-être reviendront-ils ensemble à El Chaltén.

Au bout de trente kilomètres, il quitte la route principale pour prendre une ancienne piste à sa droite. À partir de cet instant, chaque seconde est du temps perdu qui l'éloigne encore plus de son frère, mais il ne peut pas prendre plus de risques avec la charge qu'il transporte.

Il parcourt les sept cents mètres qui le séparent du bord du lac Viedma. Sur cette même rive, mais plus près d'El Chaltén, il a embarqué deux fois dans la matinée pour aller jusqu'au glacier.

Il traîne une à une les trois valises jusqu'à un petit promontoire rocheux au bord de l'eau. Il n'a pas plus d'un mètre et demi de hauteur, mais c'est suffisant pour ce qu'il doit faire. En général, le Viedma a des berges plates qui gagnent progressivement en profondeur. Cependant, à cet endroit, où il est venu certains après-midis d'été avec Miguel et sa famille, cette petite falaise fournit une belle plateforme d'où plonger sans se rompre les os. Ici, il y a au moins trois mètres de profondeur.

Lui, évidemment, ne va pas sauter. Il ouvre les valises et met autant de pierres qu'il le peut au milieu des vêtements des Loups. Une à une il les referme et les jette à l'eau. Il attend que la mousse formée par la dernière se soit dissipée pour être sûr qu'aucune ne remonte à la surface. Il prend le temps de respirer à fond deux ou trois fois avant de courir vers la camionnette. Il a perdu treize minutes.

Il reprend la route principale et retourne à la monotonie du voyage. Au bout d'une heure, alors qu'il fait déjà nuit, il aperçoit à l'horizon deux points rouge brillant. C'est le premier véhicule qu'il voit depuis son départ d'El Chaltén.

Il accélère, mais son espoir ne dure que peu de temps. Deux puissants phares apparaissent sous les lumières rouges. Ce que Fernando a pris pour les feux arrière d'un véhicule, sont en fait ceux du toit d'un camion qu'il estime à environ deux kilomètres de lui.

Il fait des appels de phares, comme c'est la coutume sur les routes de Patagonie, mais le camion ne répond pas. Il réduit un peu sa vitesse et renouvelle sa manœuvre. Rien. Les appels de phares ne sont pas seulement destinés à saluer celui que l'on croise, c'est aussi une façon de s'assurer qu'il n'est pas endormi. Les trajets de plusieurs milliers de kilomètres ont l'habitude de jouer de mauvais tours aux conducteurs fatigués.

Quand le camion n'est plus qu'à deux cents mètres, Fernando s'aperçoit avec stupeur qu'il est sur la partie gauche de la chaussée. Il lui fait toute une série d'appels de phares et appuie en continu sur le klaxon. Le véhicule change alors brusquement de trajectoire et Fernando comprend, en une fraction de seconde, que le chauffeur vient de se réveiller et qu'il tente d'éviter le choc frontal.

Tout se passe en un clin d'œil. Le choc est comme l'explosion d'une bombe. Fernando, qui cramponnait le volant de toutes ses forces, est projeté à travers le pare-brise et va atterrir le dos sur les cailloux glacés de la piste.

CHAPITRE 80

Il y a plusieurs années

Il se réveille dans une pièce aux murs blancs qui sent le désinfectant.

– Bonjour, lui dit une infirmière en uniforme bleu ciel.

– Où suis-je ?

– À l'hôpital de Río Gallegos. Tu as eu un accident de voiture. Tu as percuté un camion à une centaine de kilomètres d'El Chaltén. Tu t'en souviens ?

– Quelle heure est-il ? demande-t-il en essayant de s'asseoir dans son lit, mais son corps ne répond pas.

– Onze heures du matin.

– De quel jour ?

– Mardi.

– Merde !

– Que se passe-t-il ?

– Merde ! répète-t-il en donnant un coup de poing sur le matelas.

– Du calme. Je vais chercher la doctoresse, dit l'infirmière, et elle sort de la chambre.

Il jure à nouveau. Miguel et sa famille ont dû partir pour Buenos Aires depuis au moins vingt-quatre heures. Il envisage de crier, d'arracher la perfusion et de sortir en courant, mais il n'a même pas assez de force pour combattre la douce torpeur qui s'empare de lui.

Il est réveillé par une main chaude sur son épaule.

– Fernando Cucurell ? Je suis la docteure Muñoz.

Le médecin, une femme d'âge moyen, affiche un sourire aux dents régulières et blanches. L'infirmière qui est allée la chercher se tient un pas derrière elle.

– Vous souvenez-vous de ce qui s'est passé ?

– Un camion. Il roulait à gauche. Comment va le chauffeur ?

À la façon dont la femme le regarde, il sait que les nouvelles ne sont pas bonnes.

– Il est décédé.

Fernando ferme les yeux et serre les dents.

– Monsieur Cucurell, je sais que c'est difficile, mais maintenant il est important que nous parlions de vous. Comment vous sentez-vous ?

– De la ceinture jusqu'en haut, j'ai mal partout.

– Et en bas ?

Il voit que la doctoresse appuie une main sur son mollet.

– Ici, vous sentez ? lui demande-t-elle en serrant la jambe avec les doigts.

– Non.

– Et là ? demande-t-elle encore en passant à l'autre jambe.

– Non plus.

La doctoresse hoche imperceptiblement la tête.

– Que m'est-il arrivé ?

– Monsieur Cucurell, on vous a trouvé à dix mètres de votre véhicule. Certainement avez-vous été éjecté lors de l'impact. Votre colonne vertébrale présente trois fractures et il est probable que la moelle épinière ait été touchée.

– Je ne remarcherai plus ?

– Il est trop tôt pour le dire.

– Qu'en pensez-vous ?

Deux larmes roulent sur ses joues.

– Ce que je pense n'a pas d'importance, ce qui compte, c'est ce que je sais. Et je sais que la volonté et le travail jouent un rôle fondamental dans la récupération. Donc je ne baisse pas les bras avant d'avoir commencé.

Fernando Cucurell émet un rire amer. La doctoresse se retourne et demande à l'infirmière de les laisser seuls.

– Votre carte d'identité mentionne que vous vivez à El Chaltén.

– C'est exact. Je suis propriétaire d'un hôtel là-bas.

– Vos papiers disent aussi que vous êtes né à Buenos Aires et pourtant vous avez un accent espagnol.

– J'ai grandi en Espagne. Quel est le rapport ?

– À quel endroit ?

– Barcelone, répond-il pour gagner du temps.

– Une ville magnifique. J'ai eu la chance de la connaître au cours d'un semestre d'échange à Valence durant mes études.

– Docteure, je ne sais pas si je vais remarcher. Je ne suis pas là pour parler de tourisme.

– Moi non plus.

– Alors ?

– Comme vous le savez, monsieur Cucurell, la Patagonie est un endroit merveilleux pour y vivre, mais c'est l'un des plus rudes pour y être malade. Il y a peu d'hôpitaux, peu de spécialistes et peu d'équipements. Si vous voulez mettre de votre côté un maximum de chances de remarcher, ce n'est pas précisément à El Chaltén que vous devez rester. Vous permettez que je vous donne un conseil ?

– Évidemment.

– Retournez à Barcelone.

CHAPITRE 81

Il y a plusieurs années

Fernando Cucurell s'est habitué à se déplacer dans Barcelone en fauteuil roulant. Après des dizaines de tests et autres exercices de rééducation, le diagnostic des médecins est unanime : il ne remarchera plus.

Cela fait six mois qu'il a quitté El Chaltén. Ou plus exactement, Río Gallegos. Quand ils autorisèrent sa sortie d'hôpital, il ne trouva aucun intérêt à retourner à l'hôtel. Sans ses jambes, il n'aurait même pas été capable de porter ses affaires par ses propres moyens. Bien sûr, il aurait pu compter sur l'aide de Juanmi, mais il avait déjà mis beaucoup trop de poids sur ses épaules.

Il se borna à l'appeler de l'aéroport pour lui dire qu'il ne reviendrait pas à El Chaltén avant longtemps. La seule question de Juanmi fut comment il pouvait l'aider. « Surveille l'hôtel et ne laisse personne y pénétrer », répondit-il. Juanmi lui expliqua que Danilo s'en chargeait déjà parce que, disait-il, Fernando en personne le lui avait demandé.

Il sourit en entendant cela. À sa manière, Danilo disait la vérité. Deux ans auparavant, Fernando avait dû aller à El Calafate avec Miguel et sa famille et il avait demandé à Danilo de surveiller l'hôtel. À son retour, il lui offrit des bonbons et le gamin en fut si heureux qu'il lui promit qu'à chaque fois qu'il s'absenterait il serait le gardien de l'hôtel Montgrí.

Il pense chaque jour à cette dernière conversation avec Juanmi. Ce ne fut pas qu'un adieu à son ami, mais un point final à son histoire en Patagonie. Une heure après avoir raccroché le téléphone, il monta dans l'avion et laissa tout derrière lui.

Maintenant que les consultations avec les médecins vont en s'espaçant toujours plus, il doit chercher quelque chose à faire avant de devenir fou. Il a pensé ouvrir un restaurant en profitant du fait que Barcelone est en pleine préparation des Olympiades. Un vieil ami d'enfance lui a présenté sa fiancée, elle aussi a cette même idée qui lui trotte dans la tête depuis un bon moment. Elle se nomme Lorenza et semble être une femme intelligente. Et en plus, elle a deux jambes qui fonctionnent.

La matinée est agréable. Cela fait quinze minutes qu'un taxi a laissé Fernando devant les guichets du Camp Nou, où il vient d'acheter trois places pour le match de dimanche. Il veut inviter Lorenza et son fiancé à fêter la signature du contrat de location du local dans le quartier d'Horta où ils vont ouvrir leur restaurant.

Avec les billets dans la poche, il s'enfonce dans les ruelles du quartier des Corts. Après six mois, il peut se permettre des balades plus longues sans que ses épaules le fassent trop souffrir.

Il attend sur le trottoir que le feu piéton change de couleur, quand il les voit. Consuelo et le petit Julián attendent main dans la main pour traverser en sens inverse. Il se dépêche de faire marche arrière avec son fauteuil, mais le feu vient de passer au vert. Il a juste le temps d'enfoncer un peu plus son béret. Entre ça et la barbe qu'il s'est laissé pousser, ils ne vont pas le reconnaître.

Il pourrait baisser les yeux, mais la curiosité est la plus forte. Consuelo et Julián, qui porte un petit sac à dos jaune, passent à un mètre de lui sans s'arrêter ni faire un seul commentaire. Elle ne le regarde même pas. Être en fauteuil roulant, c'est comme se transformer en Méduse : personne ne veut établir un contact visuel de peur de se transformer en pierre.

Julián, en revanche, le regarde. Leurs visages sont à la même hauteur. Fernando lui sourit et le petit lui renvoie son sourire, mais ne semble pas le reconnaître.

Quand ils l'ont laissé derrière eux, il fait demi-tour et pointe le fauteuil dans leur direction. Il attend que son neveu tire la main de sa mère, se retourne et le montre du doigt, mais rien de tout cela n'arrive. Le petit ne sait pas qu'il vient de croiser son oncle.

Il a envie de les appeler. De les prendre dans ses bras. De leur demander le pardon qu'il était parti chercher il y a sept mois. Mais il a aussi très peur qu'ils le voient dans cet état et qu'ils aient de la peine. Et encore plus peur qu'ils apprennent que c'est en voulant les rejoindre qu'il a eu cet accident.

Il les suit à distance raisonnable. À un pâté de maisons devant lui, il voit sa belle-sœur s'accroupir, donner un baiser à Julián et le regarder entrer dans l'école. Une fois seule, elle ne revient pas sur ses pas, mais continue dans le même sens. Il respire de soulagement ; il n'aura pas à la croiser une seconde fois.

La cour de récréation donne sur un parc. Il range le fauteuil près d'un banc et attend. Une heure plus tard, une sonnerie se fait entendre et la cour se remplit d'enfants. Il ne met pas longtemps à repérer Julián, c'est celui qui court le plus.

Son neveu s'arrête pour discuter avec un autre enfant très près de la grille. Fernando s'approche avec la peur au ventre. Cette fois, va-t-il le reconnaître? Souhaite-t-il que Julián le reconnaisse ?

Le gamin le regarde, mais ne l'identifie toujours pas. Fernando fouille dans ses poches et trouve quelques bonbons. Il les jette à travers la grille et les enfants s'agglutinent autour des friandises. Quand le calme revient, il voit que Julián en a attrapé un.

Il lui fait un salut de la main, enlève le frein du fauteuil et s'éloigne. Il se promet de revenir vite, avec encore plus de bonbons.

CHAPITRE 82

Julián

Mon père a de nouveau les yeux remplis de larmes.

– Fernando a tout perdu à cause de moi. Son hôtel, ses jambes, tout.

– Que dis-tu, papa ? Ce n'est pas de ta faute.

– Non ? Alors c'est la faute à qui ?

– À personne. À la vie. À je-ne-sais-quoi. Même si nous essayons, nous ne pouvons pas contrôler tout ce qui nous arrive.

Je me sentais hypocrite. C'est moi qui disais ça, moi qui continuais de croire que j'avais une certaine responsabilité dans ce que m'avait fait Anna.

– Maintenant tu sais la vérité. Mon pire cauchemar est devenu réalité.

– Eh bien pour moi la seule chose qui change, c'est que je te connais un peu mieux. Et je t'aime aujourd'hui comme hier. Ce qui m'embête toujours le plus, c'est que tu votes à droite et que tu m'aies transmis le gène de la calvitie.

Rire ensemble fut un soulagement. J'aurais aimé congeler le temps en cet instant où nous réagîmes de la meilleure manière possible face au malheur : en riant. Mais très vite, un silence s'installa entre nous, signe qu'il était temps de reprendre le récit.

– Es-tu revenu pour lui parler après la fois où tu es allé le voir à son restaurant ?

– Non.

– Pourquoi n'avez-vous jamais tenté de vous réconcilier ?

– En partie par orgueil, en partie par culpabilité, et aussi parce que l'on croit que la vie est longue et que nous aurons assez de temps pour régler nos problèmes.

Je ne savais pas si je devais continuer dans cette direction. J'avais beaucoup d'autres questions en réserve, mais je voulais commencer par celles qui seraient les moins douloureuses. Tandis que je réfléchissais à tout cela, la sonnette de la porte d'entrée retentit. Je la remerciai comme un boxeur au bout du rouleau.

– Ce doit être ta mère. Je lui ai dit de venir de toute urgence.

Il ouvrit la porte, et ma mère entra avec un sourire crispé, regardant autour d'elle comme un officier passant en revue ses troupes. Quand elle vit les enveloppes ouvertes et mon père, les épaules affaissées, elle lâcha deux ou trois jurons en basque.

– Mon fils..., me dit-elle en inclinant la tête comme lorsqu'elle s'adressait à moi quand j'étais gamin pour me dire qu'aujourd'hui elle ne pourrait pas aller me chercher au bahut à cause de son travail.

– À présent il sait tout, Consuelo. Et c'est bien ainsi.

– Je ne le prends pas si mal que ça, intervins-je, dissimulant comme je le pus la stupeur qui m'envahissait. Tu me l'as expliqué, et je comprends. Je vous comprends, vraiment.

– Pardonne-nous, dit mon père. J'ai toujours pensé qu'en cachant la vérité, tu pourrais vivre tranquille. J'ai déjà ruiné la vie de mon frère, je ne voulais pas en plus ruiner la tienne. C'est pour ça que l'on a tenté de t'éloigner de là avec la lettre et la photo.

– Les menaces, c'était vous ?

– Oui, reconnut mon père, la tête basse.

– Mais à El Chaltén aussi j'en ai reçu une. Elle était imprimée avec la même typographie.

– C'était encore nous. Bon, en réalité c'était Juanmi Alonso, mais à notre demande.

– Alonso était en train de réparer un pont au milieu des bois quand je l'ai reçue.

– Pas exactement.

– Comment ça ? J'ai marché quatre heures pour aller le voir.

– Oui, mais avant que tu ailles à lui, il était déjà allé à toi.

– Je ne comprends rien.

– Le jour suivant ton arrivée à El Chaltén, Alonso fut informé, en parlant à la radio avec le bureau des Parcs nationaux, que l'héritier de l'hôtel Montgrí était au village. Tu sais maintenant que les rumeurs courent très vite là-bas.

Je me souvins que lorsque nous étions à la Laguna de Los Tres, l'un des ouvriers avait été prévenu qu'ils opéraient en urgence d'une appendicite l'un de ses fils, mais je ne savais pas qu'ils utilisaient aussi la radio pour colporter les potins.

– En apprenant ton arrivée à El Chaltén, il descendit au village et me téléphona. Nous ne nous étions pas parlé depuis trente ans.

– Que t'a-t-il dit ?

– Il m'a demandé si j'avais besoin d'aide. Je lui ai répondu que oui, et nous avons rédigé cette lettre.

– Attends. Il t'a proposé son aide, comme ça, sans demander d'explications ?

– En ne dénonçant pas la mort d'Arnau Junqué, Juanmi s'est transformé en complice. Lui aussi avait intérêt à ce que cette histoire demeure secrète.

– Malgré ça, il m'a mis sur la piste quand il m'a dit que Fernando s'était rendu en Espagne en 1989, juste à l'époque de l'assassinat de Pep Codina.

– C'est moi qui lui ai dit de t'en informer. Je supposai que ton amie policière ne manquerait pas d'enquêter sur ce voyage. Je lui ai aussi demandé d'entrer dans la maison pour prendre les papiers que Fernando avait laissés dans la table de nuit.

– Il y avait, entre autres, les plans signés par moi sur lesquels ton oncle s'est basé pour bâtir le Montgrí, intervint ma mère. Et peut-être d'autres papiers qui t'auraient permis de comprendre que nous avions vécu à El Chaltén.

Je me rappelai les empreintes qu'avait trouvées la police scientifique.

– Nous voulions que tu vives tranquillement et que ce calvaire meure avec nous, ajouta mon père.

– Personne ne peut vivre tranquillement avec des lettres de menaces et un passé qu'il ne comprend pas.

– Nous ne savions pas comment t'éloigner de tout ça, Julián. Au début, nous avons cru que les menaces suffiraient. Que quand tu sentirais le danger, tu te débarrasserais de l'hôtel. En général, on veut bien hériter de l'argent, mais pas des problèmes. Mais pour toi, la vérité sur ta famille est la plus importante, et c'est là que nous avons imaginé mon attaque de panique.

– Mais ça non plus ne t'a pas empêché de continuer, ajouta ma mère sur un ton de reproche.

– Les roues crevées à Torroella, et l'accident ce même jour c'est aussi vous qui l'avez provoqué ?

Ils acquiescèrent tous deux en silence.

– Attendez, il y a un truc qui cloche. Si vous avez eu un accrochage à Barcelone, qui nous a suivis jusqu'à Santa María de los Desamparados pour nous enfermer dans le sous-sol et crever les quatre roues de notre voiture ?

La sonnette retentit à nouveau. Nous n'avions vraiment pas besoin que quelqu'un vienne pour en rajouter.

CHAPITRE 83

Julián

C'était Laura. Nous ne nous étions pas revus depuis notre passage à mon appartement pour prendre une douche après le voyage en train.

– Je viens de voir Caplonch et j'ai du nouveau, dit-elle en entrant comme une tornade. Je sais que tu ne veux plus rien savoir de tout ça, mais c'est important. Il s'agit de ton père et du père d'Anna.

Elle lâcha sa phrase comme un train sans frein, une seconde avant de se rendre compte que nous n'étions pas seuls.

Mon père se prit une nouvelle fois la tête dans les mains. Ma mère me regardait avec sa typique figure dissimulatrice qui ne dissimulait rien du tout.

– Que se passe-t-il avec le père d'Anna ?

Laura n'ajouta pas un mot. Dans la salle à manger, on entendit les mouches voler.

– Quoi que tu aies à me dire, tu peux le dire devant mes parents.

– Que sais-tu ? Ou plutôt, que crois-tu savoir, Laura ? demanda ma mère.

Laura raconta que Caplonch lui avait expliqué ce que les Loups avaient fait à mon père. Elle parla avec tact, bien que je doute qu'en de pareilles circonstances les mots choisis aient une quelconque importance. D'après son récit, il était clair qu'elle avait reconstitué à grands traits, mais de manière étonnamment proche de la vérité, l'histoire que venait de me raconter mon père.

– Caplonch m'a dit que cette nuit-là dans le sous-sol il y avait aussi le père d'Anna.

Mon père hocha la tête.

– C'est vrai. Il était là et ils l'ont obligé à regarder. Comme un rituel d'initiation. Ils lui disaient qu'il devait gagner l'anneau d'argent. L'un des sons dont je me souviens le mieux de cette nuit, ce sont ses sanglots. Il avait les paupières serrées pour ne pas regarder, mais de temps en temps un des Loups s'approchait pour lui dire que s'il n'ouvrait pas les yeux, il allait terminer comme moi.

– Tu lui as parlé depuis cette histoire ?

– Une seule fois, quelques semaines après. Il est venu me voir pour me demander si j'avais l'intention de porter plainte. Je lui ai dit que non.

– Pourquoi ?

La bouche de mon père se tordit en une grimace amère.

– À cette époque... Que je suis bête, maintenant aussi il y a des milliers de victimes de viol qui se taisent. Par honte, par peur. Pourquoi crois-tu que les dénonciations de prêtres pédophiles sortent vingt, trente ou quarante ans après ? Parce que pour la majorité des gens, parler est le dernier recours. Avant, ils ont tout essayé. L'enfouir dans leur mémoire, l'ignorer, comprendre pourquoi eux, et jusqu'à se sentir coupables. « J'ai dû faire quelque chose pour qu'il m'arrive cela ». C'est le côté horrible de l'esprit humain.

– Le père d'Anna respecta ta décision ? l'interrogeai-je.

– Oui, et c'est pour ça que je lui en ai voulu. Au fond de moi, je demandais à grands cris que quelqu'un raconte ce qui s'était passé. Je n'avais pas le courage de le faire moi-même. J'avais besoin de son aide, mais il n'a pas su le voir. Aujourd'hui je ne lui en veux plus, nous n'avions que seize ans.

Maintenant je comprenais la réticence de mes parents à rencontrer mon futur beau-père. Et vice versa.

– Nous ne pouvions pas nous empêcher de la voir comme la fille de cet homme, ajouta ma mère. Nous avons fait notre possible pour ne pas nuire à ta relation, mais nous n'avons pas pu lui ouvrir les bras.

– Eh bien à partir de maintenant, vous n'aurez plus ce problème.

– Ne parle pas trop vite. Parfois les couples se réconcilient.

– Pour le nôtre, ce n'est pas possible. Anna préfère les filles. Elle est lesbienne.

– Plutôt bisexuelle. Et cette façon de mettre des étiquettes aux gens date du Moyen Âge, Julián.

Le commentaire aurait été digne de ma mère, mais c'était mon père qui l'avait prononcé.

– Que veux-tu que je fasse ? Que je lui offre un drapeau arc-en-ciel ?

– Que tu ne mélanges pas tout. Anna t'a fait porter les cornes, c'est quelque chose de sérieux, mais que ce soit avec une femme ne le rend pas pire.

Sa réponse me laissa sans voix. Premièrement, parce que les rôles à la maison avaient toujours été les mêmes : maman progressiste, papa troglodyte. Et deuxièmement, parce que ça m'embêtait qu'il ait raison. J'avais pris comme un coup de pied dans les couilles que la personne qui avait amené la discorde dans notre couple s'appelât Rosario et pas Carlos, José ou Raúl.

Je décidai de faire ce que quiconque ferait dans la même situation : changer de sujet de conversation.

– Tu n'as jamais reparlé avec le père d'Anna ?

– Jamais jusqu'à il y a deux jours.

– Il y a deux jours ?

Mon père sortit son téléphone de sa poche.

– La voiture de ta mère est équipée d'un système de géolocalisation, en cas de vol. Quand j'ai vu que vous reveniez à Torroella, j'ai appelé Quim Riera.

411

– Je suppose que si ma voiture n'a pas démarré ce matin-là, et si j'ai dû emprunter celle de maman, ce n'était pas le fait du hasard ?

Mon père, en plus des clés de mon parking et de ma voiture, était beaucoup plus doué que moi en mécanique.

– Non, confessa ma mère, mais nous l'avons fait parce que c'était la seule manière...

– Ça ne change rien maintenant, trancha mon père. Ce qui compte, c'est que j'ai appelé le père d'Anna. Après tout, il avait autant sinon plus que moi à perdre si la vérité était révélée. Un truc comme ça détruit la vie d'un homme politique.

– C'est lui qui nous a enfermés dans le sous-sol ?

– Non. Il vous a suivis jusqu'à ce que vous passiez par-dessus la grille et il m'a appelé pour me prévenir. Et moi, j'ai appelé un vieil ami.

– Qui nous a enfermés ? demanda Laura.

– Manel.

– Celui qui t'a offert le couteau ?

– Oui.

– Voyons. Explique-moi, parce que je n'y comprends plus rien. Que faisait-il là ? Comment est-il entré dans le collège ?

– Par la porte, avec son propre jeu de clés. C'est le bibliothécaire.

– Castañeda c'est Manel ?

– Exact. Je lui ai demandé d'aller au collège et de vous y surprendre, mais quand il s'est rendu compte que vous étiez au sous-sol, il a profité de l'opportunité et vous a enfermés pour vous faire peur.

– À présent, je comprends sa réticence à nous fournir des informations, dit Laura.

Les paroles de Laura me mirent en alerte, il y avait encore quelque chose qui ne collait pas.

– Attends, dis-je. Si tu n'as jamais dit à Manel ce qu'ils t'ont fait, pourquoi n'a-t-il pas voulu nous aider la première fois que nous sommes allés à Santa María ?

– À cause de ton nom. Il t'a dit de revenir dans une semaine pour gagner du temps et ainsi pouvoir m'appeler. Il le fit le soir même. Il m'a dit que vous vous étiez présentés, cherchant des informations sur cette époque. Alors je n'ai pas eu d'autre choix que de lui raconter ce qui s'était passé et lui demander qu'il m'aide afin que tu n'apprennes jamais la vérité.

Je pris quelques secondes pour réfléchir à ce que tout cela signifiait. Mon père avait raconté son pire secret à quelqu'un à qui il n'avait pas parlé depuis des années seulement pour que je ne découvre pas la vérité. Je ne savais pas si je devais l'embrasser ou l'étrangler.

– Nous avons cru que te faire peur et te laisser croire que tu nous mettais en danger suffiraient à t'éloigner de tout cela. J'aurais fait n'importe quoi pour que tu ne connaisses pas la vérité.

– Et pourtant, maintenant, je la connais.

– C'est vrai, maintenant tu sais tout. Et j'espère qu'un jour tu me comprendras. Je ne voulais pas que tu en souffres toi aussi. Ce fut déjà trop de ruiner le rêve de mon frère et pourrir la vie de ta mère en deux occasions.

– Ne dis pas ça, mon amour, le consola ma mère.

– C'est la vérité, Consuelo. Tu as du sang sur les mains par ma faute. Et comment je t'ai remerciée ? En te faisant passer quatre années horribles pendant lesquelles ma seule activité fut de lever le coude pour me servir toujours plus de vin.

– Ce fut beaucoup de temps après. Retomber dans une addiction peut arriver à n'importe qui.

– Une addiction qui n'existerait pas si je ne m'étais pas laissé piétiner par ces merdes !

Je pris les mains de mon père dans les miennes. Pour la première fois, j'eus la sensation de soutenir de vieilles mains fatiguées et pas celles fortes et calleuses de toute une vie dédiée au travail.

– Écoute-moi bien, papa. Tu n'es pas responsable de ce qu'il t'est arrivé, et toi non plus, maman. Vous comprenez ? Ici, c'est vous les victimes. Les coupables sont tous morts.

Nous plongeâmes tous trois dans un profond silence, chacun dans ses pensées. Il dura peu. Ma mère, sur ce sujet, était tout le contraire de Laura. Laura pouvait garder le silence pendant un long moment, jusqu'à ce que la personne en face d'elle finisse par parler. Par contre, ma mère se sentait obligée de remplir avec des paroles le moindre intervalle de silence.

– Vous avez faim ? Voulez-vous que je prépare une omelette ?

Au moins avait-elle le tact de nous proposer le seul plat qu'elle réussissait bien. Je l'imaginai en train d'éplucher les pommes de terre avec son petit couteau en mauvais état et quasiment pas aiguisé. Le seul que son aichmophobie lui permettait d'utiliser.

C'est à ce moment-là que je compris l'origine de sa phobie. Chaque fois que j'avais lu sur le sujet, les experts s'accordaient pour dire que la peur prenait racine dans un événement traumatique survenu avec un objet tranchant.

J'allai jusqu'à elle et la pris dans mes bras.

– Merci, maman, lui dis-je à l'oreille, merci de m'avoir sauvé la vie.

CHAPITRE 84

Julián

Quand je me séparai de ma mère et séchai mes larmes, Laura m'observait, inquiète.

– Il y a autre chose, dit-elle. Alcántara a révélé à ses ex-collègues policiers l'identité des trois cadavres de Chaltén.

– Que va-t-il se passer maintenant ? demandai-je.

– Les autorités des deux pays vont se mettre d'accord pour rapatrier les corps. Une fois arrivés en Espagne, ils vont procéder à une nouvelle identification puis informer les familles.

– Ils voudront des réponses, dit mon père, et ils vont rapidement savoir que l'hôtel s'appelait Montgrí et qu'il appartenait à Fernando Cucurell.

– Qu'allons-nous faire ? demanda ma mère.

– Que *voulez-vous* faire ? lui demanda Laura.

– Je ne comprends pas, dis-je.

– La police espagnole n'a aucune autorité pour enquêter sur un homicide en Argentine, expliqua Laura. C'est pour cette raison que du côté espagnol, ils vont traiter cela comme une affaire diplomatique. Ils vont concentrer leurs efforts sur le rapatriement des corps afin de donner à chacun une sépulture sur laquelle les familles pourront aller se recueillir. Certainement qu'ils recevront une copie de tous les documents que possède la police de Santa Cruz, mais ils contiennent peu d'informations utiles. Je les ai vus de mes propres yeux. On n'investit pas trop de moyens dans une enquête sur un homicide vieux de trente ans.

– Mais tôt ou tard quelqu'un viendra pour nous interroger sur Fernando Cucurell, dit Consuelo.

– C'est possible. Ou peut-être pas. Si l'on découvre que vous avez vécu à El Chalten à cette époque, sûrement. Mais il n'est pas évident que cela arrive.

– Pourquoi pas ? demanda mon père. Nous sommes partis et revenus en avion avec une compagnie qui existe encore. Il y a des archives.

– Cela ne veut pas dire qu'ils ont conservé la liste des passagers d'un vol qui date de trente ans. À cette époque, l'informatique faisait ses premiers pas. Et même si ces archives existent, peut-être que personne ne fera les recoupements qui amèneraient à les consulter.

– Que suggérez-vous alors ? demanda ma mère.

– Les lois sont faites pour dispenser la justice, mais ce n'est pas un système parfait. Dans quatre-vingt-dix-neuf pour cent des cas, ça fonctionne. Mais il reste un pour cent pour lequel appliquer les lois se révèle injuste. Miguel a été violé, ça l'a marqué à vie. Des années après, l'un de ses violeurs est revenu pour le provoquer, lui et sa famille. Alors il s'est défendu. Puis il a fui, mais ils ne l'ont pas laissé en paix et l'ont retrouvé. Une fois encore, il a dû se défendre. Et toi aussi, Consuelo.

– Tout cela est soutenable devant la justice, répondit ma mère.

– Si un avocat arrive à prouver que les Loups ont violé ton mari, oui. Mais ça risque d'être difficile après presque quarante-cinq ans.

– Si nous nous taisons, nous salissons la mémoire de mon frère.

– La mémoire de Fernando est déjà salie, répondit Laura. Trois personnes de son village natal tuées à l'autre bout du monde. L'une d'elles dans son propre hôtel. Tous les indices vont vers lui. Et cela, aussi triste que ce soit, bénéficie à vous autres puisqu'il est mort.

Nous gardâmes le silence durant un instant.

– Et ton livre ? demanda ma mère.

– À présent, il n'a plus d'importance.

– Aujourd'hui peut-être, mais plus tard, quand ce ne sera plus pour toi qu'un lointain souvenir, quelles garanties avons-nous que tu ne publieras pas tout ? Qu'arriverait-il si un éditeur ou un producteur de télévision t'offrait une grosse somme d'argent ?

– Maman, je crois que dans la vraie vie cela n'arrive pas.

– Mais ça pourrait.

– Il y a suffisamment de livres dans le monde. Le mien n'est pas indispensable. Ce qui comptait vraiment pour moi, c'était de répondre aux questions soulevées par cette affaire, pas de les publier. Si ça peut vous rassurer, je vous donne ma parole que rien ne sera révélé.

– Et tu as réussi à répondre à toutes les questions ?

– Presque toutes, mais il me manque quelques détails.

– Lesquels ?

– Par exemple, pourquoi Fernando a-t-il laissé le cadavre d'Arnau Junqué sur le lit de la chambre sept ? N'aurait-il pas été plus sensé de le cacher dans la cave ?

– Ça, je pense que nous ne le saurons jamais, dit mon père.

– Je suppose que non, répondit Laura.

CHAPITRE 85

Il y a plusieurs années

En ouvrant les yeux, Arnau Junqué voit la même chose que lorsqu'ils étaient fermés : l'obscurité.

Peu à peu, il se rappelle la bagarre avec Miguel et sa femme. Vraiment, ils l'ont poignardé ? Parfois il rêve qu'il perd une dent, et en se réveillant il note avec satisfaction que sa langue ne détecte rien d'anormal. Cette fois, cependant, en portant la main à son ventre, il trouve une substance visqueuse et tiède qui lui colle aux doigts.

Il ne sait pas où il est ni depuis combien de temps, mais s'il veut rester en vie, il doit trouver un médecin. Il cherche à tâtons dans l'obscurité. Chaque mouvement le fait souffrir comme si un rat le rongeait de l'intérieur.

Son avant-bras tape contre quelque chose de dur. Une étagère en bois ? Non, un escalier.

Il veut se relever pour monter, mais la douleur l'oblige à se recoucher sur le sol. Il tente de crier, mais il n'émet qu'un son étouffé.

Il attend quelques secondes et essaie une nouvelle fois de se remettre sur ses pieds. La douleur est intense, il serre les dents de toutes ses forces. Cette fois, comme dans ses rêves, il sent un craquement dans sa bouche et un plombage sort de son logement. Il le crache et s'accroche à l'escalier.

Il est pris de vertiges. Il essaie de respirer à fond, mais cela aussi le fait souffrir. Il arrive à peine à quelques respirations courtes, comme une femme qui accouche, avant de pousser.

Il monte une marche. Il pense qu'il va s'évanouir de douleur, mais il parvient à grimper une marche de plus. À la troisième, sa tête cogne contre un plafond de bois. Il est dans une cave.

Il veut ouvrir la trappe, mais il n'arrive pas à lever les mains plus haut que ses épaules sans avoir l'impression qu'on lui perfore les poumons. Il pousse avec la tête et l'abattant se soulève sur un côté.

La clarté qui entre par l'ouverture lui fournit assez d'énergie pour gravir une autre marche. La trappe s'ouvre un peu plus. Il est dans une des chambres de l'hôtel Montgrí.

Quand il arrive enfin à sortir, la trappe se referme derrière lui avec un bruit sourd. Il reste étendu sur le sol de la chambre, respirant un air qui le brûle comme du feu. En ce moment il ne pense pas à Miguel Cucurell ni à la femme qui l'a poignardé. Il veut seulement appeler à l'aide, mais pour ça il doit reprendre son souffle.

Il se traîne jusqu'au lit et s'y assoit. Juste quelques secondes, se dit-il.

En fermant les yeux, une obscurité s'empare de lui, beaucoup plus profonde et infinie que celle de la cave. Une douce obscurité à laquelle il est impossible de ne pas s'abandonner pour toujours.

CHAPITRE 86

Publié par la presse espagnole

TROIS HOMMES DISPARUS DANS LES PYRÉNÉES IL Y A VINGT-HUIT ANS RETROUVÉS ASSASSINÉS EN PATAGONIE

Le 5 avril 1991, Gerard Martí, Mario Santiago et Arnau Junqué ont été vus pour la dernière fois au bureau d'information du Parc naturel Cadí-Moixeró (Catalogne). Vingt-huit ans après, leurs cadavres ont été identifiés à l'autre bout du monde, dans la touristique localité d'El Chaltén, située en Patagonie argentine. D'après les autopsies, les trois hommes seraient morts assassinés.

Il y a deux ans, un groupe de touristes découvrit, presque par hasard, un corps incrusté dans la paroi du glacier Viedma, près d'El Chaltén. Grâce à un énorme travail de l'équipe des plongeurs de la Préfecture navale argentine, le cadavre fut récupéré en même temps qu'un autre, lui aussi emprisonné dans la glace. Les autopsies révélèrent qu'il s'agissait de jeunes hommes pris dans la glace depuis une trentaine d'années. L'un d'eux présentait une blessure par balle au niveau du ventre et l'autre, un traumatisme cranio-encéphalique.

La police argentine ne parvint pas à identifier les corps ni à réaliser d'avancées notables sur le cas jusqu'au mois de mars dernier quand un troisième cadavre fut découvert dans un hôtel abandonné d'El Chaltén. Le corps avait été momifié à cause du manque d'humidité du lieu et on estima qu'il était là depuis approximativement trente ans. Cette date coïncide non seulement avec le décès des deux autres, mais aussi avec la date de fermeture de l'hôtel.

Mais les méandres de l'histoire ne s'arrêtent pas là. En effet, l'hôtel abandonné se nommait Montgrí et les trois victimes étaient originaires de Torroella de Montgrí. En ce qui concerne l'établissement, il avait appartenu à Fernando Cucurell, natif du même village et d'âge similaire aux trois victimes.

L'identification des trois cadavres fut possible grâce à la collaboration désintéressée de l'ancien policier Gregorio Alcántara qui, sur la base d'investigations indépendantes, réussit à établir que les trois hommes disparus en 1991 dans le Parc naturel Cadí-Moixeró, à 120 kilomètres de Barcelone, correspondaient aux trois cadavres découverts à l'autre bout du monde. On ignore comment Martí, Santiago et Junqué finirent en Patagonie.

Le personnel diplomatique des deux pays est en train de coordonner le rapatriement des corps. Quant à l'enquête sur les homicides, le ministère des Affaires étrangères espagnol assure qu'il mettra tout en œuvre pour que l'Argentine réactive l'enquête. La police argentine, de son côté, assure que l'apparition du troisième cadavre dans l'hôtel Montgrí pourrait constituer une base solide pour éclaircir les trois meurtres.

Des sources proches de l'enquête sur ce triple homicide ont désigné Fernando Cucurell, propriétaire de l'hôtel Montgrí, comme personne d'intérêt. Cucurell est décédé en fin d'année dernière à Barcelone, ville où il résidait depuis au moins vingt-cinq ans.

Il reste à voir si, après une trentaine d'années et le principal suspect mort, avec les deux gouvernements travaillant conjointement, les assassinats de Martí, Santiago et Junqué seront un jour élucidés. Au moins, les familles pourront se recueillir sur leurs tombes.

CHAPITRE 87

Laura

– C'est là que l'on descend, annonça Julián quand la porte du wagon s'ouvrit sur la station Plaza España.

Après avoir parcouru un labyrinthe de tunnels humides et surchauffés, ils émergèrent à la surface. Laura reçut avec plaisir la brise rafraîchissante de la nuit sur son visage. Elle n'aurait jamais imaginé que l'air à proximité d'un rond-point bondé de véhicules puisse lui paraître frais.

Julián indiqua un bâtiment cylindrique surmonté d'une coupole aplatie qui, estima Laura, se situait entre le gâteau d'anniversaire et le vaisseau spatial.

– C'était une arène. Maintenant c'est un centre commercial.

– C'est... particulier.

De l'autre côté du rond-point, deux imposantes tours de brique bordaient une large avenue qui finissait cinq cents mètres plus loin, au pied d'une colline.

– Cette montagne, c'est Montjuïc, un autre symbole de Barcelone.

Laura sourit intérieurement. Encore une fois, ce qu'elle avait devant elle ne ressemblait en rien aux montagnes auxquelles elle était habituée.

– Toi, tu ne ferais pas un mauvais guide touristique. Si tu reviens à Chaltén, tu sais déjà comment gagner ta vie.

– Propriétaire d'hôtel et guide... ça ressemble trop à Fernando, tu ne crois pas ?

– Vu sous cet angle...

Ils avancèrent en silence, laissant derrière eux les deux tours. Là où se terminait l'avenue, des escaliers mécaniques montaient entre des arbres cubiques et des esplanades de ciment vers un bâtiment qui lui rappela le palais du Congrès de Buenos Aires. Depuis le dôme, sept rayons de lumière se projetaient vers le ciel.

Bien que la voie fût large, il y avait tellement de gens que Laura devait avancer en faisant attention à ne heurter personne. Marcher ici était plus difficile que devant la Sagrada Família.

– Je sais que tu peux me le demander n'importe quand, lui dit Julián, alors je te réponds avant : non, je n'ai toujours pas réfléchi à ce que je vais faire. Par moments, je pense vendre l'hôtel et ne jamais retourner à El Chaltén. À d'autres, je me sens quasiment obligé de le restaurer de mes propres mains et lui donner la vie qu'avait rêvée mon oncle.

– C'est normal que tu sois un peu perdu. Tu as tant de problèmes à régler.

– Et toi ? Sérieusement, tu ne vas pas finir ton livre ?

– Sérieusement. Ça n'a pas de sens. Détruire tes parents et aussi les familles des Loups. Je ne crois pas que ce soit facile d'apprendre que la personne que tu pleures depuis trente ans était un monstre. Ces familles ont suffisamment souffert.

– Alors que penses-tu faire ?

Cela faisait vingt-quatre heures que Laura évitait de se poser cette question. Elle n'était pas sûre de vouloir rester à El Chaltén maintenant que les meurtres du glacier étaient élucidés. Elle n'était pas née pour brosser les chevaux ni pour balader les touristes, mais pour résoudre les meurtres.

– Je trouverai bien un autre os à ronger.

– Tu peux rester chez moi autant que tu veux. Regarde cette ville. Elle ne mérite pas que tu partes sans la visiter.

– J'ai eu un peu de temps pour faire du tourisme.

– Le tourisme express et connaître un endroit sont deux choses bien distinctes.

Elle ne le savait que trop bien. Elle était habituée à recevoir des touristes qui voulaient faire toutes les randonnées de Chaltén en trois jours parce qu'après ils devaient aller à Calafate, Ushuaïa ou Bariloche. Pour beaucoup, l'objectif principal semblait consister à planter des épingles sur une carte.

– En plus, tu aurais un guide de luxe, dit Julián en se désignant du doigt.

Elle rit et le prit par le bras. Ils marchèrent un bon moment sans parler, jusqu'à ce qu'il s'arrête au milieu de la foule.

– Maintenant nous devons attendre qu'il soit 9 h 25, dit-il en regardant sa montre.

Près d'eux, une famille indienne libéra un banc que Julián s'empressa d'occuper. Ils s'assirent pour observer l'avenue. Des bassins remplis d'eau faisaient office de séparation entre les voitures et les milliers de piétons.

– Que va-t-il se passer à 9 h 25 ?

– Dans trois minutes, tu vas le savoir.

Laura sourit et se consacra à l'observation des touristes qui passaient devant elle en discutant dans toutes les langues de la terre.

Trois minutes plus tard, l'eau des bassins se remplit de lumière. En un instant la marée humaine devint silencieuse. Beaucoup montraient l'extrémité de l'avenue, près de la montagne.

Laura remarqua que l'eau du dernier bassin commençait à prendre vie et montait en un geyser plus haut qu'elle. Quelques secondes après un autre bassin, puis un autre, et ainsi de suite des colonnes d'eau se dressèrent l'une après l'autre comme des dominos qui se relèvent. Une minute plus tard, toute l'avenue était bordée de jets d'eau verticaux. Les touristes recommencèrent à discuter, mais le bruit de l'eau rendait leurs paroles quasi inaudibles.

Elle sentit la main de Julián sur son épaule.

– La fontaine magique de Montjuïc, dit-il en montrant la montagne.

En se retournant, elle comprit que ce qu'elle venait de voir n'était qu'un prélude. Là où auparavant il n'y avait qu'un escalier qui montait vers le palais, à présent se dressaient des centaines de geysers illuminés formant une sorte de cage liquide de la taille d'une église.

Julián la prit par le bras et l'emmena vers la fontaine. Cependant, avant qu'ils n'y arrivent, les lumières s'éteignirent et les jets moururent d'un coup. Il ne resta qu'une fraîche rosée et une légère odeur de chlore flottant dans l'air de la nuit.

– C'est déjà fini ?

– Ça ne fait que commencer.

Quinze secondes plus tard, l'eau réapparut, mais cette fois teintée par des lumières de toutes les couleurs. Elle bougeait et changeait de forme au rythme d'une musique classique qui résonnait sur toute l'esplanade. Elle allait de jets rouges parfaitement cylindriques, qui semblaient voyager dans des tubes transparents, à des sprays de gouttes lilas aussi fines qu'un brouillard.

– Maintenant je comprends pourquoi elle s'appelle la fontaine magique.

– On dit que quel que soit ton vœu, cette fontaine le réalise.

– Comme c'est original.

– Tu m'as percé à jour, je viens de l'inventer. Mais ça aussi, c'est digne d'un bon guide touristique, non ?

Laura éclata de rire et l'embrassa sans réfléchir. Elle remarqua qu'il avait passé ses bras autour d'elle et se sentit bien. Cela faisait longtemps que personne ne la prenait plus dans les bras.

– Tu sais, dit-il. Si la décision entre rester à Barcelone et revenir à El Chaltén dépendait de cet instant, je choisirais de revenir.

Laura lui caressa la joue et le regarda dans les yeux. C'était le lieu et le moment parfait pour un baiser, mais aucun des deux n'avança son visage. Une fois, elle avait lu que les étreintes apportaient le calme et les baisers déchaînaient les tempêtes.

Ils n'étaient pas pour les tempêtes. Pour le moment, lui devait passer à autre chose après sa déconvenue avec Anna et elle, décider de ce qu'elle allait faire de sa vie. Ils étaient deux marins qui avaient survécu à un ouragan et avaient besoin de reprendre des forces.

Et durant l'accalmie, Laura aurait bien besoin d'un guide touristique.

CHAPITRE 88

Julián. Un an plus tard.

Je me sens sale. Je ne marche pas de nuit sur les Ramblas pour confirmer une infidélité et je ne suis pas retourné fouiller dans la vie de mes parents pour déterrer un secret. Aujourd'hui c'est différent. Je me sens sale parce que je suis sale. La sueur visqueuse d'une journée entière de travail fait que la fine poussière soulevée par la ponceuse me colle à la peau. Si je me regardais dans un miroir, certainement que j'y verrais un clown blanc mal maquillé. Mais dans la réception de l'hôtel Montgrí, il n'y a plus de miroir. Je l'ai enlevé avant de peindre.

Je me sens comme le papier journal qui recouvre le sol. J'appuie mon dos contre le mur que je peindrai demain. En face de moi, dans la cheminée, je peux voir les cendres du feu de la veille. Si ce n'était pas vendredi, je resterais assis ici un bon moment, jusqu'à ce que le froid de la Patagonie l'emporte sur la chaleur accumulée durant cette journée de travail, et m'oblige à le rallumer.

Mais les vendredis, elle vient. Alors j'éteins les lumières, sors de l'hôtel et traverse la parcelle jusqu'à ma maison. Au loin, un groupe de touristes rigole dans la cour de la brasserie de Mauricio et Roberto que j'appelle à présent Barbu un et Barbu deux. Je regarde le ciel et vois la Croix du Sud. Si demain le ciel reste dégagé, ce sera le dixième jour consécutif que le Fitz Roy se laisse voir. Un vrai record.

Il est huit heures et elle a l'habitude d'arriver à neuf heures. Je me douche rapidement, dans l'espoir de l'attendre avec le dîner prêt, mais elle entre dans la maison juste au moment où je sors de la salle de bain.

– Salut, Julián, dit-elle en posant ses clés sur la petite table près de la porte.

J'apprécie que, bien que nous vivions ensemble depuis deux mois, elle continue d'utiliser mon prénom entier. Enveloppé dans la serviette de bain, je m'approche d'elle et l'enlace.

– Salut, inspectrice Badía.

Je lui donne un long baiser, qui fait que les cinq jours d'attente en valent la peine.

Je ne lui demande pas comment s'est passée sa journée, parce qu'elle me parlerait de morts, de blessures et de sang. Elle adore. Elle est née pour ça. Depuis qu'elle a récupéré son poste dans la police, elle passe toute la semaine à enquêter sur les crimes de la province. Et cela la rend heureuse.

Elle me dit qu'elle meurt de faim et je lui réponds que je vais lui préparer un plat digne d'une étoile au guide Michelin. Quand elle entre dans la salle de bain pour se doucher, je mets de l'eau à bouillir pour faire des pâtes. C'est sûr, aucun de nous deux ne gagnera la médaille d'or du meilleur gourmet.

Je mets la table et m'assieds dans le canapé en attendant que l'eau bouille. Par habitude, je consulte mon téléphone. Sur les réseaux sociaux, les plaintes et les animaux adorables ne passent jamais de mode. Je parcours avec le pouce les publications jusqu'à ce que l'une d'elles attire mon attention.

C'est une photo qu'a postée Anna il y a trois heures. Elle est un peu plus blonde que la dernière fois que je l'ai vue, il y a un an. Elle sourit les yeux fermés tandis qu'une femme que je ne connais pas l'embrasse sur la joue. Il y a assez de tendresse d'un côté comme de l'autre pour qu'elles soient amies. Si elles n'avaient pas le même âge, on pourrait l'interpréter comme un baiser entre mère et fille.

Comme commentaire de la photo, il n'y a qu'un seul mot. Un hashtag, pour être précis : *#loveislove*.

– L'amour c'est l'amour, traduis-je à voix basse.

Je souris. L'image, qui il y a quelque temps m'aurait choqué, me rend maintenant doublement heureux. Heureux qu'Anna soit bien, et heureux parce que je suis capable de me réjouir de son bonheur. Mais en relisant le hashtag, mon sentiment devient plus nuancé. Anna vit dans un monde où son amour nécessite encore une étiquette.

D'une certaine manière, voir Anna, c'est aussi voir mon père. Et, surtout, me voir moi essayant de leur mettre une étiquette. Lesbienne ? Gay ? Bisexuel ? Hétérosexuel ? Personne capable de tomber amoureux de quelqu'un sans s'occuper de ce qu'il a entre les jambes ?

La vie de mon père a été régie par les étiquettes. Celle qu'il s'est mise lui-même et avant tout, celle que lui ont collée les autres. S'il avait donné un baiser à une Manuela et pas à un Manel, sa vie aurait été différente.

Je suppose que, si John Lennon vivait encore, il changerait un vers d'*Imagine*, celui où il parle d'un monde sans religions pour parler d'un monde sans étiquettes. Et ce serait vraiment une société où nous pourrions vivre en paix, sans nous sentir réduits à une orientation sexuelle, une couleur de peau, un accent ou un handicap.

Mais si Anna a choisi de se mettre cette étiquette, c'est parce qu'elle la considère nécessaire pour donner une visibilité à sa réalité. Nous ne sommes pas encore prêts pour la nouvelle version d'*Imagine*, comme nous n'étions pas prêts il y a cinquante ans à un monde sans religions.

Avec le pouce, j'appuie sur le cœur en bas de la photo : J'aime. Souhaitons, pensé-je, qu'un jour le seul hashtag qui ait du sens soit *#people*.

Parce que nous ne sommes que cela, des personnes. Il m'a fallu une année pour le comprendre. Certains ne comprendront jamais.

NOTE AU LECTEUR

Un grand merci pour m'avoir lu ! J'espère que cette histoire t'a plu. Si c'est le cas, je me permets de solliciter ton aide afin de gagner de nouveaux lecteurs en laissant un avis sur la page web où tu as acheté ce livre. Cela ne va te prendre qu'une petite minute, mais pour moi l'impact positif est énorme.

D'un autre côté, si tu veux en savoir plus sur le passé de Laura Badía et comment elle est arrivée à El Chaltén, je te recommande mon roman *Le collectionneur de flèches*, qui a gagné le prix littéraire d'Amazon et qui est en cours d'adaptation pour la télévision.

Pour finir, j'aimerais t'inviter à faire partie de ma liste de diffusion. Je l'utilise pour poster des récits inédits, des chapitres en exclusivité, partager des scènes qui n'ont pas été incluses dans le roman et informer lorsque je publie quelque chose de nouveau. Je n'ai pas l'habitude d'écrire plus d'un courrier par mois, donc ne t'inquiète pas je ne vais pas saturer ta messagerie (et pas de spam, je te le promets). Si tu veux arrêter, tu trouveras un bouton sur ma page web.

Encore une fois, merci. Sans toi, rien de cela ne serait possible.

Cristian Perfumo

www.cristianperfumo.com/fr

LE COLLECTIONNEUR DE FLÈCHES

Découvrez le passé de Laura Badía. Roman lauréat du prix littéraire Amazon

La tranquillité d'un village de Patagonie est soudainement ébranlée; un de ses habitants est retrouvé mort dans son canapé et son corps porte de multiples traces de torture.

Pour Laura Badía, l'experte en criminalistique chargée de l'enquête, cette affaire est celle de sa vie: il va lui falloir élucider un assassinat d'une extrême sauvagerie et la disparition du domicile de la victime de treize pointes de flèches taillées par le peuple Tehuelche il y a des milliers d'années. Une collection dont tout le monde parle mais que presque personne n'a jamais vue, qui renferme la clé d'un des plus grands mystères archéologiques de notre temps, dont la valeur scientifique est inestimable, tout comme sa valeur sur le marché noir.

Aidée par un archéologue, Laura va se retrouver embarquée dans une périlleuse recherche qui la conduira du fameux glacier Perito Moreno jusqu'aux recoins les plus isolés et les moins courus de Patagonie.

OÙ J'AI ENTERRÉ FABIANA ORQUERA

Une maison au milieu de nulle part. Un crime que personne n'a résolu en trente ans. Une lettre qui change tout.

Été 1983 : En Patagonie, dans une maison de campagne à quinze kilomètres du voisin le plus proche, un descandidats au poste de maire de la petite ville de Puerto Deseado se réveille étendu sur le sol à côtéd'un couteau ensanglanté. Sa poitrine est couverte de sang, mais Il n'a pas une égratignure.Désespéré, il cherche en vain son amante, Fabiana Orquera, dans toute la maison. Ils sont venus làpour passer la fin de semaine ensemble loin des regards indiscrets. Il ne le sait pas encore, maisjamais il ne la reverra. Il ne sait pas non plus que le sang qui imbibe sa chemise n'est pas celui de sonamante.

30 ans après : Presque tous les étés de sa vie, Nahuel les a passés dans cette maison. Un jour, par hasard, il trouveune vieille lettre dans laquelle l'auteur anonyme confesse être le meurtrier de la maîtresse ducandidat à l'élection municipale. L'assassin a laissé une série de problèmes qui, une fois résolus,promettent de révéler son identité ainsi que l'endroit où est enterré le corps. Enthousiaste, Nahuelcommence à déchiffrer les énigmes, mais très vite il se rend compte que, même trente ans après, il ya encore des personnes qui ne veulent pas que soit dévoilée la vérité sur l'un des mystères les plusinextricables de cette inhospitalière partie du monde.

Que s'est-il réellement passé avec Fabiana Orquera ?

SAUVETAGE EN GRIS

Les cendres d'un volcan recouvrent toute la région. On vient d'enlever ta femme : Ta journée ne fait que commencer.

Puerto Deseado, Patagonie, 1991. Pour arriver à boucler les fins de mois, Raúl a deux emplois. Quand il éteint la sonnerie de son vieux réveille-matin pour se rendre au premier, il sait que quelque chose ne va pas. Son village s'est réveillé entièrement recouvert par les cendres d'un volcan, et Graciela, sa femme, n'est pas à la maison.

Tout paraît indiquer que Graciela est partie de sa propre volonté... jusqu'à ce qu'arrive l'appel des ravisseurs. Les instructions sont claires : s'il veut revoir sa femme, il doit rendre le million et demi de dollars qu'il a volé.

Le problème, c'est que Raúl n'a rien volé.

Ne manquez pas ce thriller psychologique situé à l'une des époques les plus agitées et inoubliables de l'histoire de la Patagonie : le jour où le volcan Hudson est entré en éruption.

VENGEANCE EN PATAGONIE

Durant des années, j'ai travaillé pour eux, maintenant je vais les dévaliser.

Entrevientos n'a pas changée. Elle reste la mine la plus isolée de Patagonie et du monde. Mais, pour Noelia Viader elle est devenue un site totalement différent. Il y a un an, c'était son lieu de travail et aujourd'hui c'est une croix rouge sur la carte où elle passe en revue les détails du braquage.

Après quatorze années loin du monde criminel, Noelia reprend contact avec un mythique dévaliseur de banques auquel elle doit la vie. Ensemble ils réunissent la bande qui va planifier le vol de cinq mille kilos d'or et d'argent dans la mine d'Entrevientos.

Ils ont deux heures avant l'arrivée de la police. S'ils réussissent, les journaux parleront d'un coup magistral. Quant à Noelia, elle aura rendu la justice.

Si vous aimez *La casa de Papel*, vous serez captivés par *Vengeance en Patagonie*.

REMERCIEMENTS

Ce livre trouve son origine dans un voyage à El Chaltén que je fis en février 2020 avec Trini ma compagne de vie et Mariano mon frère de cœur. Ce sont eux que je veux remercier en premier de m'avoir accompagné dans un lieu aussi magnifique.

Merci à Rossana du véritable « El Relincho », pour m'avoir raconté comment était la vie à El Chaltén durant les premières années qui ont suivi sa fondation. Merci aussi à Lucho Cortez et Cecilia Clemenz qui ont partagé avec moi leurs grandes connaissances des randonnées en montagne sur la zone. Toute différence avec la réalité n'est qu'une licence littéraire que je me suis permise (ou un lapsus), mais en aucun cas elle ne doit être interprétée comme une erreur de leur part.

Merci à Celeste Cortés et à Luis Paz. Sans eux, il n'y aurait ni Laura Badía ni docteur Guerra.

Au grand Jordi Sierra i Fabra, pour tant de bonté.

À Hugo Giovannoni, qui a toujours des munitions pour répondre à mes questions sur les armes.

À ma très chère Flora Campillo, pour m'avoir révélé les secrets du monde de la joaillerie (et pour beaucoup d'autres choses).

À Chevi de Frutos qui a créé une magnifique couverture pour le livre et pour son infinie patience durant le processus.

À Ricard Llop Altés et Sergio Alejo pour leur aide avec le latin.

À tous les lecteurs du brouillon du roman, qui m'ont aidé à ce que l'histoire soit plus forte : Trini Segundo Yagüe, Javi Debarnot, Flora Campillo, Carlos Liévano, Renzo Giovannoni, Ana Barreiro, Andrés Lomeña, Celeste Cortés, Mónica García, Christine Douesnel, Dani Ruiz, Estela Lamas, Analía Vega, Laura Rodríguez, Lucas Rojas, Luis Paz, Israel Medina y José Lagartos.

À toute ma famille pour son soutien permanent. Et spécialement à Trini qui, en plus, doit me supporter.

Enfin, à tous mes lecteurs, tant pour ce livre que pour ceux d'avant. Merci d'être là et de donner un sens à tout cela.

À PROPOS DE L'AUTEUR

Cristian Perfumo écrit des thrillers situés en Patagonie, où il a grandi.

Son premier roman, *El secreto sumergido* (2011), est inspiré d'une histoire vraie. Il en est à sa huitième édition avec des milliers d'exemplaires vendus dans le monde entier.

En 2014, il a publié *Dónde enterré a Fabiana Orquera*, - *Où j'ai enterré Fabiana Orquera* -, lui aussi plusieurs fois réédité. En juillet 2015, il est devenu le septième livre le plus vendu chez Amazon Espagne et le dixième au Mexique.

Cazador de farsantes (2015), son troisième roman avec le froid et le vent, a lui aussi épuisé son premier tirage.

El coleccionista de flechas (2017) - *Le collectionneur de flèches* -, son quatrième thriller, lui aussi situé en Patagonie, a gagné le prix littéraire d'Amazon auquel furent présentées plus de 1800 œuvres d'auteurs de 39 pays, il est en cours d'adaptation à la télévision.

Rescate gris (2018) - *Sauvetage en gris*-, fut finaliste du Prix Clarín en 2018, l'un des concours les plus importants d'Amérique latine. Plus tard, il fut publié par l'éditeur Suma de Letras.

En 2020, il a publié *Los ladrones de Entrevientos – Vengeance en Patagonie* -, le récit d'un hold-up défini par la critique comme « *La casa de papel* » de la Patagonie.

Il a publié *Los crímenes del glaciar* - *Meurtres sur le glacier* - en 2021.

Los huesos de Sara, son dernier roman, a paru en 2022.

Les livres de Cristian Perfumo ont été traduits en anglais et en français, édités en système Braille et publiés en format audio.

Après avoir vécu plusieurs années en Australie, Cristian s'est installé à Barcelone.